LA ROUE
DE LA FORTUNE

DU MÊME AUTEUR

Les Chances économiques de la Communauté franco-africaine, Armand Colin, 1957.

Les Nations prolétaires, Presses universitaires de France, 1959.

L'Économie de la zone franc, Presses universitaires de France, 1960.

Les États-Unis et les nations prolétaires, Éditions du Seuil, 1965.

PIERRE MOUSSA

LA ROUE
DE LA FORTUNE

Souvenirs d'un financier

FAYARD

L'autobiographie est un genre délicat. Comment raconter, avec l'objectivité nécessaire, des événements qui vous ont fait souffrir ? Comment parler, sans tomber dans le convenu, des gens qui vous sont le plus proches ?

Pour tenter de surmonter ces difficultés, j'ai souhaité d'abord, sur certaines questions, compléter mon récit par un dialogue. Il me fallait un interlocuteur. Je l'ai trouvé en la personne d'Erik Arnoult. Économiste de formation et socialiste, ancien conseiller du président Mitterrand, il présente l'avantage de ne pas partager ma vision libérale du monde. Ensemble nous avons discuté, sans complaisance, des circonstances de mon départ de Paribas en 1981, ainsi que des derniers développements de la finance.

L'écrivain qu'il est aussi — sous le nom d'Erik Orsenna — a accepté également de dresser un portrait de ma femme. Les femmes m'intéressent, m'a-t-il confié. Merci à lui. Je redoutais cet exercice : parler sans afféterie ni pudeur de ma compagne, de mon amie.

Par ailleurs, j'ai reproduit, sans rien ajouter ni retrancher, des notes personnelles prises au jour le jour pendant quelques semaines, au cœur de la crise que j'ai vécue vers la fin de 1981. Elles me semblent avoir au moins l'intérêt de refléter avec sincérité ce que j'ai senti et pensé alors.

Ce livre est, pour ces raisons, composite. Il l'est aussi parce qu'il mêle le récit des événements significatifs de ma vie avec des réflexions qui m'ont été inspirées par ces événements.

Pierre MOUSSA.

1

LYON

La banque n'est pas une tradition de ma famille : ma mère était sage-femme, sa mère aussi ; son père, boulanger. Tous originaires de la région lyonnaise, plus précisément du Charolais. Quant au nom de Moussa, il est celui de mon père, un universitaire égyptien venu poursuivre à Lyon ses études de droit. Il y avait rencontré une jeune veuve, ils s'étaient aimés, elle n'avait pas voulu le suivre lorsqu'il s'en était retourné dans son pays. Un tel prologue permet d'expliquer le triple complexe dont un enfant de ces années-là ne pouvait que souffrir : mon père n'était pas français, mes parents n'étaient pas mariés, et le métier de ma mère avait trait à des affaires de femmes, à des choses mystérieuses dont il ne convient pas de parler. Un jour, j'appris que Socrate, lui aussi, avait eu pour mère une sage-femme ; cela ne suffit pas à me délivrer d'un inconfort qui m'a accompagné pendant de longues années.

Lyon, rue Vendôme, aux confins des Brotteaux et du quartier populaire de la Guillotière : nous vivions, ma mère et moi, avec ma grand-mère (« Mémé ») et les Vuillot, c'est-à-dire un oncle, une tante et deux cousins. L'oncle avait commencé une carrière d'officier en Afrique du Nord, mais ma tante, terrifiée par les maladies exotiques, l'avait contraint à demander un poste en métropole, ce qui n'avait pas favorisé son avancement.

Rue Vendôme, les femmes avaient le pouvoir, et d'abord Mémé. Sourde, impérieuse, despotique, généreuse, elle était très versée dans les disciplines occultes. Chaque matin, elle se levait à cinq heures, allumait le calorifère et travaillait jusqu'au petit déjeuner à des ouvrages empreints d'hermétisme qu'elle publiait à compte d'auteur : *La Genèse universelle, Le Chemin du retour, Quelques bribes de l'éternelle Science...* Elle jouait avec naturel le rôle de patriarche. Ma mère tenait les finances, passait des heures à dresser de nos dépenses le plus méticuleux des relevés en les répartissant soigneusement entre le compte Mémé, le compte Vuillot et son propre compte. Le reste de son temps libre et sans doute son âme entière étaient pour son fils, l'éducation de son fils, l'accomplissement de son fils. Ma tante gérait sa propre progéniture, Jean et Pierrette. L'oncle, malgré ses origines paysannes, goûtait finement les classiques, citait des passages peu connus de Molière, lisait et relisait Anatole France, et très souvent se rendait seul à l'Opéra.

Et Lyon était le centre du monde, le cœur de la Création, la plus belle chose ici-bas : le Lyon des bords des fleuves, de Perrache, de Bellecour, des Brotteaux. Le parc de la Tête-d'Or était le but de longues promenades. La Croix-Rousse, c'était loin. Au-delà, Paris n'était pour nous qu'une capitale inconnue.

Les vacances, on les passait en grande partie à Lyon, et, pour le reste, dans quelque campagne des environs ou parfois en Savoie ; jusqu'à ma dixième année, je ne suis jamais allé plus loin. Ma famille parlait un français assez correct, émaillé de certains termes lyonnais ou charolais, ou simplement désuets. Je pense ici moins aux mots qui étaient sentis par nous comme ressortissant au patois ou à l'argot (comme les substantifs *gone, ganache, bajafle, panosse, catolle, grand-gognand* ou les verbes *gongonner* et *bouliguer*) qu'à ceux qui, à nos yeux, appartenaient au vocabulaire français normal et au sujet desquels je fus très étonné, plus tard, de constater que les Parisiens ne les comprenaient pas ou les trouvaient comiques : nous disions un *pochon* pour une louche, une *patte* pour un chiffon, les *artes* pour les mites, un *picou* pour une queue de cerise, une *allée* pour le couloir de la maison, de la rue à l'escalier. Nous *dînions* à midi et *soupions* à sept heures et demie ; nous disions *malgré que* pour *bien que*. Nous utilisions *quand* comme préposition, au sens d'*en même temps que* (« il est arrivé *quand* moi »). Nous prononcions *eu*, dans *jeune* ou *feuille*, très fermé, comme dans *joyeux* ou *vieux*. De même le *vote* portait, dans notre bouche, un fort accent circonflexe ; il est vrai que cette famille composée de femmes et d'enfants, flanqués d'un militaire et d'un étranger, ne votait pas.

La France, c'était bien sûr le plus beau et le plus noble pays de la terre, mais pas assez méfiant, mal gouverné, et cerné par des ennemis acharnés à sa perte, notamment les Anglais, des roublards, et les Allemands, des barbares (assez souvent, néanmoins, une idée faisait surface : on aurait dû s'entendre avec les Allemands, écouter Caillaux, avec eux on serait les maîtres du monde). Seuls les Belges trouvaient vraiment grâce aux yeux de ma famille, et d'abord le premier d'entre eux, le roi Albert.

L'argent, nous en avions peu, on ne s'en occupait pas, on n'y pensait pas. La famille était plutôt avare (sauf Mémé), mais de ma vie je n'ai jamais vu gens moins cupides. Ma mère haïssait le mot *profit* : « N'emploie jamais ce mot : je profite, j'en profite ; c'est vulgaire. »

Dans cet univers riche en affections, en tendresses, en attentions, mais bien dépourvu d'horizons, je dessinais (beaucoup et très mal), je lisais, j'écrivais. Le travail représentait à la fois le but de ma vie et l'échappée, la fenêtre ouverte. Toute l'existence de la maisonnée, rue Vendôme, était tendue vers un seul objectif : la réussite scolaire des deux garçons, mon cousin Jean, de deux ans mon aîné, et moi. Devoirs soigneusement faits sous le regard jamais en défaut de nos mères. Leçons récitées jusqu'au savoir absolu. Discussions à table sur le travail, lectures utiles au travail, rêves de travail... La suite est logique : Jean et Pierre occupaient la tête de leurs classes, d'abord à l'école catholique Ozanam, puis au lycée Ampère. Bons élèves assez légendaires et sans doute agaçants de vanité, car je me souviens d'avoir fort goûté cette réputation flatteuse qui nous entourait.

Le monde où je vivais ressemblait par certains traits à celui de Proust, dominé par les femmes. Mais je n'avais rien de commun avec Marcel, sauf peut-être la timidité. J'étais un enfant colérique, assez peu affectueux, habité par l'esprit de compétition. J'aimais la classe parce que j'aimais la connaissance, sans doute. Mais aussi parce que j'aimais la lutte, la concurrence — à condition de gagner. Mes plus terribles chagrins venaient d'une composition ratée.

Les professeurs étaient les phares de notre vie. Fascination méritée, certainement. Mais la concurrence n'était pas vive. Qui voyions-nous d'autre ? Quelques ecclésiastiques, oui. Mais la profonde fidélité aux vérités qu'enseigne l'Eglise n'était pas, dans ma famille, exclusive d'une certaine défiance vis-à-vis des prêtres, d'un anticléricalisme discret. En dehors des cours d'instruction religieuse et de la pratique de la confession, j'avais assez peu d'occasions de m'entretenir avec des ministres du culte. Par ailleurs, ma famille ne recevait personne, sauf mon père, chaque année, quand venait l'été, une sorte de grand ami qui débarquait les bras couverts de cadeaux, prenait quelques repas à la maison, puis disparaissait jusqu'à l'été suivant.

Les professeurs, eux, m'expliquaient le monde. Ma première passion fut pour l'histoire naturelle.

— Monsieur, la fonction chlorophyllienne chez les végétaux, qu'est-ce qui y correspond chez les animaux ?

— Moussa, cette question vaut 20 sur 20.

Et Monsieur Mazenot, le professeur, m'expliqua avec une joie grave, comme un grand secret auquel, malgré mes neuf ans, j'avais mérité d'être initié, la captation de l'énergie solaire par les plantes et la dépendance du règne animal vis-à-vis des végétaux. Les sciences naturelles m'émerveillaient. Cependant, je n'aimais pas vraiment les animaux ni les plantes. J'aimais ce qu'il y a de mystérieux dans le vivant et dans l'histoire de la terre. Et plus encore, j'étais enchanté par la magistrale classification des êtres que nous offre la biologie. Mon esprit avide de rationalité était profondément satisfait par cette façon qu'avaient la zoologie et la botanique de décrire le monde en embranchements, classes, ordres, familles, genres, espèces, variétés, d'assigner aux vivants des places précises, de ranger tous les éléments de la Création dans de petits tiroirs et de laisser deviner, sous le désordre apparent, une majestueuse architecture. Monsieur Mazenot préparait une thèse sur les ammonites. Je n'avais qu'un souhait : devenir plus tard un nouveau Mazenot, professeur, détenteur du savoir de la vie et chargé de l'accroître.

Mais, à côté de cette soif désintéressée de la connaissance, une autre ambition pointait, qu'il me faut bien avouer.

— Au-dessus de professeur, il y a proviseur. Mais au-dessus ? demandai-je un jour à Monsieur Mazenot, précisément.

— Recteur.

— Et au dessus ?

— Tout en haut, coiffant tous les lycées, tous les collèges, il y a le directeur de l'enseignement secondaire, à Paris.

13

— Et il est possible de devenir cela ?

— Oui, à force de travail.

— Je voudrais bien être ce directeur-là.

Tous les jeudis après-midi (sauf lorsqu'on était à la veille d'une composition d'histoire et géographie ou de sciences naturelles, matières qui impliquent de longues révisions), nous allions au cinéma. Ma grand-mère ne venait pas : sourde comme elle l'était, l'arrivée du parlant lui avait gâché le plaisir. Le cinéma est entré dans ma vie, je n'avais pas sept ans. Et jusqu'au baccalauréat, dans l'existence qui était la nôtre, aussi systématique qu'une classification de Linné, ce rite n'a pas souffert d'interruption. J'ai donc dû voir plus de trois cents films, et me souviens d'un bon nombre.

Jusqu'à mes huit ans, le muet régnait ; je me rappelle les Charlot qui me ravissaient, mais aussi *Ben Hur*, *Le Capitaine Fracasse*, et une sombre histoire de guerre qui impressionna fort le tout jeune enfant que j'étais : *La Grande Parade*. Ma mère, très soucieuse de me protéger des mauvaises lectures ou des désordres de la vie, se montrait beaucoup plus laxiste dès qu'il s'agissait de cinéma. Je me rappelle un film de terreur, l'un des premiers parlants, *Le Spectre vert*, qui longtemps provoqua chez moi des cauchemars affreux sans que jamais ma famille songeât à mieux contrôler nos spectacles.

Avec le parlant, je me mis à m'intéresser aux acteurs. Nous vîmes apparaître Raimu dans *Mam'zelle Nitouche* et *La Petite Chocolatière*. Parmi les nombreux comiques français, nous appréciions particulièrement Armand Bernard et Lucien Baroux. Je m'épris d'Annabella, dont j'embrassais secrètement les photos dans *Cinémiroir*. Ses partenaires, Jean Murat dans *Paris-Méditerranée*, Pierre Richard-Willm dans *Les Nuits moscovites*, Jean-Pierre Aumont dans *L'Equipage*, Georges Rigaux dans *Quatorze*

14

Juillet, éveillaient en moi une imperceptible jalousie. Mais je m'enthousiasmais aussi pour des films sans elle : *Mayerling*, *La Kermesse héroïque*, à peu près tous les Sacha Guitry. Aujourd'hui encore, je suis capable de nommer presque tous les acteurs des films de cette époque bénie, les seconds, troisièmes, quatrièmes rôles... Je sortais des salles obscures les yeux émerveillés, mais souvent le cœur presque douloureux, enviant l'héroïsme ou la grandeur des personnages et me disant : ma vie ne connaîtra pas cette gloire, ni cette excitation.

Et pourtant, malgré ces innombrables voyages dans les films, je fis la connaissance de mon héros favori dans un livre que je reçus en prix, à huit ans, *L'Odyssée racontée aux enfants*. Je pénétrai avec délices dans cet univers mythologique où les dieux ressemblent aux hommes, pas plus sages, seulement immortels. Mais le personnage le plus digne d'estime, le plus complet, c'était Ulysse, sans conteste : héroïque, intelligent, aventurier, tenace, fidèle, il me semblait réunir toutes les qualités possibles. Une scène notamment m'avait frappé : le massacre des prétendants. Je la jouais quelquefois, coiffé d'un chapeau de gendarme en papier.

— Je suis Ulysse, chiens que vous êtes...

Un demi-siècle plus tard, le nom de Pallas, donné à mon groupe financier, est celui de la déesse protectrice d'Ulysse, Pallas Athéna.

Un été, nous découvrîmes la mer à Saint-Brévin, du côté de Saint-Nazaire. Cet horizon vide fut un bouleversement.

Et les années passèrent, une existence animée seulement par les passions intellectuelles. La littérature avait remplacé les sciences naturelles. Je me voyais toujours l'avenir d'un professeur, mais de lettres, matière plus noble, m'avaient expliqué les professeurs de lettres, et j'avais acquiescé : dans les grandes classes, seconde, première, les exercices de narration avaient, à mon grand émerveille-

15

ment, cédé la place à la dissertation. Tout de suite, je me sentis plus à l'aise dans la rhétorique, la jonglerie des idées, que dans les récits où mon imagination, assez rétive, peinait.

Dehors, la France était agitée par les passions politiques. Les patriotes, les nationalistes firent, en 1934, quelque bruit au lycée Ampère. En 1936, ma famille, qui lisait *Gringoire,* détesta Blum, celui qui dévalue, celui qui veut faire travailler moins. Et deux, trois fois, comme nos voisins, nous ornâmes de drapeaux tricolores nos fenêtres pour protester contre je ne sais quelle nouvelle mesure « anti-française ».

Mes doutes à moi, en 1936-1937, n'avaient rien d'historique : serais-je à la hauteur de mon cousin Jean ? Cette interrogation capitale me hantait. Il avait obtenu un accessit au concours général de mathématiques et la mention « très bien », alors exceptionnelle, à la première partie du baccalauréat. Au lycée, on m'accueillait comme un triomphateur : « Vous êtes associé au succès de votre cousin, qui est l'honneur du lycée Ampère. » Hélas, l'année suivante, malgré de grands efforts et beaucoup de prières, je n'obtins rien du tout au concours général. Grâce au ciel, une mention « très bien » vint, quelques semaines plus tard, calmer mes angoisses.

C'est seulement l'année suivante que deux accessits au concours général me rendirent pleine confiance en moi — mais surtout, que l'apprentissage de la philosophie contribua à m'apprendre quelque peu la hiérarchie des enjeux. Le premier contact avec cette discipline nouvelle m'éblouit. J'avais toujours aimé la classe, mais, jusqu'à la philosophie, on n'y traitait le plus souvent que de choses qui me paraissaient assez étrangères à la vie. Avec la philosophie, la vie, *ma* vie devenait objet de l'étude. On parlait de Dieu, du sexe, de la guerre et de la paix, des devoirs de l'homme. La philosophie permettait la synthèse

16

de la vie et de l'étude. La vie, cette grande absente de toutes ces années d'enfance, arrivait soudain et se prêtait au dialogue, à l'analyse, à l'examen. Mon enthousiasme fut alors tel que, pour plusieurs années, il me devint impossible d'imaginer pour moi un autre avenir que celui de professeur de philosophie.

En hypokhâgne *, toujours à Lyon, j'eus des professeurs aux personnalités contrastées, que j'aimais fort. Pour les lettres, Victor-Henry Debidour, qui se défiait des idées, leur préférant de beaucoup les sensations, la poésie, les émotions. Pour l'histoire, Joseph Hours, et pour la philosophie, Jean Lacroix (celui-là même qui devait traiter des questions philosophiques dans le journal *Le Monde* durant des décennies) ; l'un et l'autre se passionnaient pour les grands mouvements de la société et les débats de doctrines, qui prenaient en cette année scolaire 1938-1939 une résonance toute particulière ; ils avaient d'ailleurs, en marge de leurs responsabilités professorales, une activité politique ou para-politique.

En septembre 1939, j'accueillis avec un étrange plaisir la déclaration de guerre. Mon pays, pensais-je, allait enfin relever la tête après des années d'humiliation dont Munich avait été le moment le plus noir. Par ailleurs, une exaltation m'habitait : hégélien sans le savoir, j'avais cru jusqu'alors que nos sociétés avaient atteint la fin de l'Histoire, que nous étions voués à connaître des décennies sans événements majeurs. Les bouleversements qui s'annonçaient prouvaient qu'il n'en était rien. Et puis, face à la montée des périls, face au terrible ennemi commun, les Français me semblaient se rapprocher les uns des autres, une sorte de fraternité flottait dans l'air. « J'aime tellement

*. La première supérieure ou « khâgne » est la classe de préparation à Normale lettres ; l' « hypokhâgne » est la première supérieure préparatoire où l'on entre immédiatement après le baccalauréat.

17

la paix, me disais-je au fond de mon cœur, que j'aime la guerre. »

Puisque la France était en guerre, ses grandes villes pouvaient être bombardées par les Allemands d'un jour à l'autre. Le gouvernement, dans sa grande sagesse, décida qu'il fallait à tout prix protéger les jeunes gens qui semblaient porteurs d'avenir. On transféra donc les classes préparatoires aux grandes écoles dans des lieux jugés moins vulnérables. Choix contestable dans certains cas : nous fûmes dirigés pour faire notre khâgne vers Clermont-Ferrand, siège des usines Michelin dont les pneumatiques étaient essentiels à l'armée... Quoi qu'il en soit, ce court voyage fut pour moi l'aventure des aventures : je quittai Lyon (pour la première fois de ma vie, si l'on excepte les vacances), et surtout ma mère.

A Clermont, les chambres disponibles étaient prises d'assaut. C'est finalement dans une clinique d'accouchement que je découvris un logement adéquat, partagé avec un camarade, Jean Sibille, qui allait entrer en hypotaupe*. Je me rappelle l'ironie de ma mère : « Si c'était moi qui t'avais proposé de loger chez une de mes consœurs ! »

Parmi nos professeurs, tous venus des khâgnes parisiennes, deux nous intéressèrent profondément : Michel Alexandre, un infirme, disciple d'Alain, inégal mais qui, parfois, nous semblait vraiment *penser* devant nous ; je garde de lui un souvenir plein d'admiration et de tendresse. Et surtout Jean Guéhenno.

Guéhenno ! Nous étions fort émus, lors du premier contact. Il avait pour nous le prestige de la capitale. Et puis c'était un écrivain déjà connu, directeur de journal, un homme engagé. Il avait un peu moins de cinquante ans. Ses cheveux étaient noirs, légèrement grisonnants : il les portait assez longs, ce qui n'était pas du tout à la mode de

---

*. Mathématiques spéciales préparatoires.

l'époque. Une abondante moustache dissimulait un peu une vaste bouche dont la denture était si apparente que le bruit courait qu'il avait, à chaque mâchoire, deux rangées de dents au lieu d'une ; le maxillaire inférieur était fort en retrait par rapport au supérieur. Il y avait dans son physique quelque chose de japonais. Pas beau, il était vite attirant.

Sa voix était prenante, chaude, facilement lyrique et ponctuée d'exclamations ; ses phrases se terminaient souvent par « Hé ! ». Non sans irrespect, la chanson que les khâgneux avaient faite sur leurs professeurs commençait ainsi, pour ce qui le concerne (sur l'air de *Il pleut, bergère*) :

J'entends quelqu'un qui brame
Ecoutez Guéhenno
Il pleure à fendre l'âme
Sur du Victor Hugo.

C'était un puissant rhéteur qui s'exaltait progressivement au son de sa propre voix ; cela débouchait quelquefois sur des colères fabuleuses, mi-sincères, mi-feintes, des colères d'orateur public. Je fus l'objet du premier de ces courroux. Nous lui avions remis notre première dissertation et, quelques jours plus tard, avant même de nous rendre nos copies corrigées, il nous en parla pendant un de ses cours : « J'en ai lu une bien curieuse. C'est la vôtre, Moussa. » (J'entends encore sa voix). Le sujet concernait, je ne sais plus sous quelle forme exacte, le *moi* en littérature. Guéhenno résuma la thèse que j'avais essayé de développer, à savoir que le moi le plus fort et le plus créateur est celui qui se domine et se cache ; il y discerna un antiromantisme de mauvais aloi, qui sentait un peu trop à ses yeux l'influence de l'Action Française. Son ton alla *crescendo* et je parus littéralement foudroyé par la fin de sa longue algarade. Tout le monde fut stupéfait lorsqu'il annonça la semaine suivante qu'il m'avait tout de même donné la meilleure note. Il conseilla à mon camarade Jean-Marie Domenach et à moi d'échanger nos dissertations, pensant que nous pouvions nous rendre mutuellement service : « Vous êtes deux esprits très différents. Domenach a des idées profondes, mais ne sait pas les ordonner. Vous commettez souvent des sophismes, mais vous êtes très habile. »

Ceux qui arrivaient de la khâgne de Lyon avaient eu, l'année ou les années précédentes, des professeurs éminents, de tendances différentes, mais tous catholiques pratiquants, les uns de droite, les autres de gauche. Guéhenno nous initia à l'humanisme laïque.

Il venait du peuple ; nous savions que c'était à force d'intelligence et de courage que, dans un environnement très peu propice, il avait pu s'élever jusqu'au baccalauréat, puis à Normale, puis à l'agrégation. Ses racines populaires (qu'il évoquait, bien sûr, sans gêne aucune et avec beaucoup de tendresse) rendaient d'autant plus admirables le raffinement de sa sensibilité et l'élégance vraiment aristocratique avec laquelle il maniait la langue française.

Il croyait au Progrès, aux Lumières, à l'Homme. Il prononçait le mot « Homme » avec une espèce de crainte révérencielle, réussissant à mettre dans ce substantif une charge étonnante de noblesse et de majesté. Il louangeait le souci de Montaigne de se conformer au « *modèle commun et humain, mais sans miracle et sans extravagance* » ; il aimait cette citation. Il se sentait solidaire de la grande lignée des penseurs français de tradition humaniste. Nous l'avons entendu commenter de manière inoubliable la *Prière à Dieu* de Voltaire. Il avait consacré un livre à Michelet — et nous savions qu'il était plongé dans une lecture approfondie de Rousseau. Mais c'est peut-être Pascal — paradoxalement — qui l'émouvait le plus. Un de mes camarades avait un jour fait référence, dans la même phrase, à Gérard de Nerval et à Pascal : « On ne nomme pas Nerval et Pascal dans la même phrase ! ». Bien qu'il eût beaucoup de goût pour Nerval, un tel rapprochement lui paraissait une incongruité.

Essayiste de gauche, attiré avant tout par le mouvement des idées, on eût pu le croire moins excité par la poésie pure. Or, les cours les plus magnifiques dont je garde souvenir étaient des explications de textes purement poétiques. Qui n'a pas entendu Guéhenno commenter un poème ne peut pas savoir ce qu'est une vraie explication de texte. Inspiré comme il l'était souvent, il donnait vie aux phrases ; au sens propre : il leur insufflait la vie. Son commentaire était communion à la fois savante et vibrante avec le mouvement même du texte. Je pense à Guéhenno nous expliquant Baudelaire, nous faisant découvrir dans *Harmonie du soir* une poésie demeurée à quelque degré traditionnelle, et, malgré la forme exotique du pantoum, encore trop logique, presque syllogistique. Ou, chez le même Baudelaire, nous faisant assister à la naissance de la poésie moderne lorsque vole en éclats toute ordonnance rhétorique ou rationnelle. « Andromaque, je pense à vous… » Il lisait *Le Cygne* avec une joie presque sensuelle.

Mais, pour moi, le plus beau jour fut celui où il commenta devant nous la grande scène de *Bérénice* : « Non, laissez-moi, vous dis-je ; en vain tous vos conseils… » Depuis que Guéhenno les a fait flamboyer pour nous, je ne puis non seulement lire ces pages, mais même penser à elles sans une intense émotion. A vrai dire, je les sais par cœur depuis ce jour-là.

Je revis bien sûr Guéhenno à diverses reprises par la suite, mais mes derniers souvenirs de lui à Clermont-Ferrand sont ceux de mai 1940. Nous passions l'écrit du concours de Normale et, au sortir de chacune des épreuves, les mauvaises nouvelles du front nous assaillaient. Contrairement à d'autres professeurs, Guéhenno était affecté autant et plus que nous par la défaite menaçante, puis peu à peu probable, certaine. « *Mais il est maréchal : qu'il aille donc se faire tuer à la tête des troupes !* » cria-t-il un jour à l'adresse de Pétain, dans une envolée absurde et passionnée. En ces heures-là, son patriotisme et son amour de la démocratie étaient ensemble au supplice. Telle fut pour nous la première manifestation de l'esprit de la Résistance.

Morne année 1939-1940, très studieuse année d'un très consciencieux khâgneux. Chaque semaine, j'écrivais à ma mère ; j'ai retrouvé mes lettres, je lui donne d'interminables nouvelles de mes finances (précaires) et de mon travail (acharné). Je lui fais part de mes déceptions (une mauvaise note en thème latin : « Je sais que cela va te faire de la peine »), de mes succès (un 14,5 en français), de mes terreurs (« si nous avions, au Concours, un sujet sur un type comme Balzac, je serais foutu »). De temps en temps, mais rarement, j'aborde l'actualité, la situation en Norvège, la prédiction d'une carmélite de Rome selon laquelle la guerre sera finie en mai. D'ailleurs, mes préoccupations sont également religieuses : le 6 avril 1940, j'invite ma mère à ne pas oublier de faire ses Pâques.

J'entretiens aussi une vraie correspondance avec Debidour, avec Hours ; Lacroix, dans une lettre que j'ai retrouvée, me parle d'Alain : « ... que j'aime et je déteste à la fois. Cette pensée humaine, trop humaine, sûre d'elle-même, ne cherchant guère à se surpasser, limitant l'homme à une sagesse bien courte, est belle comme garde-fou (s'il n'y avait que des hommes comme Alain, on ne verrait pas ce qu'on voit aujourd'hui !), mais, trop exclusivement intelligente, elle ignore le plus haut de l'homme... » J'ai de fréquentes conversations avec Alexandre et Guéhenno, et aussi avec Jean Guitton qui est mobilisé à l'état-major de Clermont, où il se cache derrière ses piles de documents pour lire Pascal, comme les écoliers entassent livres et cahiers pour lire des pornos ; les anciens khâgneux de Lyon, dont je fais partie, bien que n'ayant jamais été son élève, sont accueillis par lui à bras ouverts, on philosophe ensemble. Je rêve d'organiser une discussion publique Guitton-Guéhenno, le chrétien et le voltairien. Quand je repense à cette époque, je suis frappé d'admiration par la totale disponibilité de ces professeurs : ils nous reçoivent, ils répondent longuement (à la main, bien sûr) à nos lettres, ils se donnent corps et âme à leur tâche d'éveil et de formation. Quelle générosité !

Vint la fin de mai 1940 ; tandis que la Belgique rendait les armes, je menais ma guerre à moi : le concours d'entrée à l'Ecole Normale Supérieure. Ma lettre datée du 28 éclaire d'un jour cruel l'état de mon savoir :

Maman chérie,

Voici deux compositions encore d'abattues. Français et Version latine. En Français, le sujet était en gros : Stendhal et Balzac. Ma documentation était très réduite. J'ai dû lire Eugénie Grandet *à douze ans — et j'ai lu à Pâques 1939, à Montélimar, les deux tiers de* Le Rouge et le Noir. *Par ailleurs, j'ai lu quelque quinze jours avant le Concours ce que Thibaudet écrit sur Stendhal. Avec tout ça, j'ai fait de mon mieux. A vrai dire, personne n'était très renseigné là-dessus. Mais moi, j'avais des lacunes très embêtantes. Ainsi (il s'agissait surtout de parler des* personnages *balzaciens ou stendhaliens) je savais : 1) que le héros de* La Chartreuse de Parme *avait nom Fabrice, sans savoir l'intrigue de* La Chartreuse ; *2) l'intrigue du* Rouge et Noir. *sans me rappeler le nom du personnage. Mais je ne me suis pas mal débrouillé.*

En Version latine, une version assez dure. Bien entendu, aucune indication...

A Clermont, comme presque partout ailleurs en France, le premier réflexe des habitants, à l'approche des Allemands, fut de fuir. La place de Jaude était noire de monde. Les rares autobus étaient pris d'assaut. Chacun voulait rejoindre qui sa famille, qui sa fiancée, qui des amis installés dans des régions supposées hors de l'atteinte des troupes allemandes. Avec mes camarades Gilles Chaine et Jean Sibille, nous nous procurâmes une auto et nous dirigeâmes vers le sud. Notre projet était assez confus : passer en Algérie ? nous engager dans l'armée qui ne manquerait pas de se reconstituer ? Quoi qu'il en soit, notre odyssée ne fut pas longue. Un contrôle nous arrêta à l'entrée du département du Gard. Nous fûmes priés de remonter vers le nord, et la famille de Gilles Chaine nous accueillit à La Louvesc, petite ville du Vivarais, nichée sur le rebord oriental du Massif central et célèbre pour l'un de ses enfants : saint François-Régis. Dix ou quinze jours plus tard, Jean Sibille et moi fîmes mouvement vers la propriété de la grand-mère de Jean, à Planfoy, près de Saint-Etienne. De là, je revins dès que possible à Lyon.

Je me souviens de l'été 1940 comme de vraies — et tristes — vacances. C'est à La Louvesc que j'ai entendu le discours du général de Gaulle. Je me rappelle les sanglots d'Odile, sœur de mon ami Gilles : « Mais alors, nous allons avoir deux gouvernements ! » Remarque et chagrin qui préfiguraient parfaitement les quatre années que la France allait vivre. Les Chaine comme les Sibille, notaires, industriels, appartenaient à la meilleure société de Lyon. Une grande bourgeoisie qui me fascinait assez. Mais mon attention, durant ces mois de juillet et d'août, se portait moins sur les codes sociaux et les manifestations de la richesse que sur des êtres attirants, difficiles à comprendre et plutôt cruels : les jeunes filles. Notre bande, à La Louvesc comme à Planfoy, n'en manquait pas. Ensemble nous passions nos journées : promenades, jeux, discussions. Et je découvrais à la fois leur art de la moquerie et mon incapacité à leur plaire. Ma réputation de bon élève ne me servait plus à rien. Il ne s'agissait que de séduire et, à cet exercice, je me constatais nul.

Au cours de cet été 1940, je médite sur mes relations avec autrui. Je me blâme d'être trop confiant, trop sincère, de donner ainsi barre aux autres sur moi. Dans mon journal, à la date du 15 septembre, j'écris : « Je dois apprendre à contenir ma confiance et à la remplacer par l'assurance. » J'ajoute quelques règles de conduite aux antipodes de mon comportement spontané :

1. Ne donner à personne l'impression qu'il sait tout de moi.

2. Aux questions indiscrètes répondre évasivement et tourner la conversation.

3. Ne parler à personne d'une décision avant qu'elle soit réalisée.

4. Refuser des invitations aussi souvent que possible.

5. Ne jamais avouer ses faiblesses.

6. Parler peu dans une conversation avec un camarade. Ne prononcer que des phrases brèves. Ne bafouiller en aucun cas. Plutôt s'abstenir. Pour cela, ne pas se lancer dans une anecdote ou dans toute chose longue. Parler posément, sans colère, sans enthousiasme...

Une autre inquiétude, presque une angoisse, m'étreignait : un décret avait paru, fermant la fonction publique française aux enfants d'étrangers.

Lyon, lundi 20 juillet 1940.

Jamais il n'y a eu en moi une pareille confusion.

Ma carrière, que devient-elle ? Je ne pourrai pas être fonctionnaire en France. Alors, fonctionnaire en Egypte ? ou non-fonctionnaire en France ? Ce matin, le calme se fait un peu dans mon esprit à ce sujet. Je pourrai être engagé à la Fac en Egypte sans perdre ma nationalité française, et je publierai en France.

La France vit un double drame, intérieur et extérieur.

Tous mes espoirs sont en l'Angleterre. A l'intérieur, nous sortons d'une période à la fois trop intelligente, trop intellectuelle, trop individualiste, trop égoïste, trop corrompue. Le souffle créateur en était parti. Nous savions trop de choses. Nous goûtions trop les choses...

Quant au concours, je l'avais presque oublié. Nous pensions que les copies avaient été perdues dans la débâcle et personne ne les regrettait, lorsqu'un beau matin de septembre arrivèrent les résultats : j'étais admissible. Les épreuves d'admission commençaient la semaine suivante. Jours et nuits d'intense panique, de révisions frénétiques, terreur d'être interrogé sur l'un des innombrables points que j'avais négligés. Mais le dieu de la rue d'Ulm me fut favorable. « Normalianus sum ! » balbutiai-je longtemps en apprenant la formidable nouvelle, tandis que ma mère était écartelée entre la fierté extrême et la plus poignante des inquiétudes : mon fils va devoir gagner Paris, la ville de tous les périls...

Les troubles qui se produisirent à Paris le 11 novembre en décidèrent autrement. Le chemin de la capitale fut fermé. Je n'arrivai rue d'Ulm qu'un an plus tard, le temps de dire à Lyon un long au revoir : quelques certificats à la faculté venant compléter ma licence ès lettres, lectures infinies (à peu près tout Balzac, tout Zola, les Russes, Huxley, Gide, Jules Romains, Martin du Gard...), poursuite de mon apprentissage auprès des redoutables « jeunes filles » et jouissance, chaque jour renouvelée, du statut magique : « Normalianus sum. » Ce statut impliquait à mes yeux une grandiose responsabilité. J'écris dans mon journal, le 1er novembre 1940, non sans une solennité un peu comique : « Aux Normaliens de 1940 échoit la lourde mais belle charge de défendre contre la barbarie ce que Thierry Maulnier appelait (au cours de la guerre) la *ligne Descartes*. Foi en l'homme et en l'Esprit présent. Refus des asservissements et des ferveurs troubles. Soyons dignes de cette responsabilité ! »

II

ULM

L'Ecole était la plus chaleureuse des pensions de famille, et la plus bavarde. Dès le petit déjeuner, devant le café au lait (ersatz de café, lait très écrémé) commençaient des discussions qui souvent ne s'achevaient que tard dans la matinée. Nous *batalisions,* du verbe *bataliser,* inconnu des dictionnaires sérieux, qui signifie lancer des « bateaux » (lieux communs), échanger des idées sur tout : politique de Vichy, Emmanuel Kant, la vie, l'amour, la mort. J'étais un des plus fervents batalisateurs.

Nous batalisions partout, dans les couloirs et les jardins de l'Ecole, au « Normal Bar », notre quartier général, un café de la rue Claude Bernard où nous nous rendions en robe de chambre et pantoufles, dans les allées du Luxembourg, baptisé par nous « Lucal », et à la bibliothèque de l'Ecole.

Cette bibliothèque était une institution, le cœur vivant de Normale. La plupart d'entre nous y entrions plusieurs fois par jour, soit à l'occasion d'un travail précis pour consulter un texte ou rechercher un commentaire, soit sans objectif déterminé, pour lire cursivement un peu n'importe quoi ; quelquefois, afin de feuilleter sans avoir à transporter les volumes, nous restions juchés des heures au sommet des grands escabeaux mobiles, saisissant un livre

29

après l'autre, oubliant le temps. Je pratiquais beaucoup ce papillonnage intellectuel. En même temps, je continuais mon apprentissage systématique des grands auteurs des XIXe et XXe siècles.

Je recherchais aussi tout ce qui pouvait me faire comprendre la société qui m'entourait et dont je me sentais tellement ignorant : l'importance du Comité des forges, les rapports de l'industrie et de la banque, les syndicats... Mon professeur d'histoire en hypokhâgne, Joseph Hours, m'avait ouvert les yeux sur ces sujets. A la bibliothèque, j'aimais me plonger dans les volumes de *L'Encyclopédie française*, vaste série lancée par Anatole de Monzie et Lucien Febvre, demeurée inachevée. Mais cette soif de comprendre le monde contemporain, je l'étanchais surtout par mes premiers contacts avec l'Ecole des Sciences politiques. Les cours me donnaient l'impression de me révéler les vrais ressorts des choses. Mon maître de conférences, Hubert Devillez, m'éblouissait par les chatoiements de son esprit. Tout le corps professoral me semblait avoir des fonctions de première importance dans la société française ; mes camarades, moins à l'aise que les normaliens dans le maniement des concepts, me paraissaient avoir accès par leurs familles à des réalités qui m'échappaient. Débraillé rue d'Ulm, je m'habillais comme un jeune homme convenable pour aller rue Saint-Guillaume.

A part ces incursions aux Sciences Po, je ne quittais guère Normale. Je préparais un mémoire de diplôme sur « L'inspiration et l'art dans les *Poèmes en Prose* de Baudelaire ». Je tentais de retrouver la démarche du poète, sincère comme un romantique, présent dans chacun de ses multiples sentiments, mais jamais abandonné, échappant toujours à l'ivresse par la conscience. En cela, Baudelaire n'était pas sans affinités avec Ulysse, le premier héros de mon enfance. J'étais frappé par la présence chez Baudelaire à la fois de l'émotion et de la distanciation (je n'employais pas ce mot). Je comparais les *Poèmes en Prose* aux musiciens du petit orchestre de foire décrit, justement, dans un de ces poèmes : « L'un, en traînant son archet sur son violon, semblait raconter son chagrin, et l'autre, en faisant sautiller son petit marteau sur les cordes d'un petit piano suspendu à son cou par une courroie, avait l'air de se moquer de la plainte de son voisin. »

Je partageais une salle de travail (une thurne) avec René Marill, Jean Leclant, Pierre Lévêque. Tous trois savaient, beaucoup mieux que moi, ce qu'ils voulaient faire de leur vie. Lévêque et Leclant entendaient être universitaires et avaient déjà opté, le premier pour la civilisation grecque, le deuxième pour l'égyptologie — disciplines où ils ont fait de très belles carrières. Marill aspirait à être écrivain, il le fut sous le nom d'Albérès, mais sans la grande réussite dont il rêvait. Marill était celui que je voyais le plus, parce qu'il était, comme moi, moins sérieux que les deux autres, et surtout parce qu'il n'avait, comme moi, aucune famille ni aucune relation à Paris — nos principales relations à tous deux étaient la famille Leclant et la famille Lévêque.

Plusieurs soirs par semaine, je rencontrais pour de longues parties de bridge des normaliens de la promotion suivante, que j'aimais bien : Jean-Pierre Richard, Frédéric Deloffre, Claude Digeon, René Peyrefitte (frère d'Alain). J'étais encore catholique pratiquant, mais ne me mêlais guère au groupe *tala* dont les exercices m'ennuyaient un peu. Accompagné par Marill, et éventuellement par mes autres « cothurnes », j'allais au cinéma quelquefois, mais surtout au théâtre, dont j'avais une réelle fringale. Mon meilleur souvenir de cette année-là est sûrement *Les Revenants*, d'Ibsen, avec Michel Vitold, qui me bouleversa. Nous revenions dans la nuit noire, ce

31

noir absolu du black-out où la ville entière semblait avoir disparu, où l'on avançait pas à pas, de peur de heurter un mur invisible ou de trébucher en descendant d'un trottoir.

Il m'arrivait d'entrer en contact avec d'importants archicubes (anciens normaliens) ou d'illustres universitaires. Par exemple, prié comme tous les jeunes normaliens d'aller soutirer quelque argent aux archicubes pour les œuvres de bienfaisance de l'Ecole, je rencontrai à la Librairie Hachette René Vaubourdolle, connu de tous les potaches à cause de la collection des *Classiques Vaubourdolle*; je fus reçu — après ce qui me parut de longues heures d'attente — par un jeune grand personnage du ministère de l'Industrie, René Brouillet; tous deux furent d'une exquise bienveillance. En revanche, au 89, quai d'Orsay, la concierge me montra le tas de courrier qui attendait Jean Giraudoux : « Il y a des mois qu'on ne l'a pas vu »; et dans l'île Saint-Louis, chez Yvon Delbos, ancien ministre des Affaires étrangères du Front Populaire, la gardienne, affolée, refusa de me dire si elle pensait qu'il viendrait bientôt : « Je ne sais rien, je ne sais absolument rien », en tremblant comme si j'appartenais à quelque police politique. Brasillach était aussi sur ma liste, mais — surmenage, désordre, ou crainte de l'hostilité des jeunes ? — je n'obtins pas rendez-vous. J'eus en revanche la chance d'entrer en relation avec quelques grands professeurs de Paris. Lacroix m'avait introduit auprès de François Perroux. Je ne sais comment je connus Gabriel Le Bras, fondateur de la sociologie religieuse; d'une étonnante simplicité, il m'admettait, avec un très petit nombre d'autres jeunes, à des réunions, le dimanche matin, chez lui, place du Panthéon, où la plupart des personnes présentes étaient des noms illustres des sciences humaines : Marcel Mauss, Charles Virolleaud... Le jeune provincial, élevé entre Perrache et Brotteaux, écarquillait les yeux, tendait l'oreille, et ne pouvait croire que tout cela lui arrivait à lui, qu'il participait à des échanges de vues avec les hommes célèbres de la Science et de l'Université.

Tous les normaliens originaires de la zone non occupée voulaient retourner chez eux pour les fêtes de Noël, mais aucune autorisation n'était prévue. Beaucoup passaient deux fois en fraude la ligne de démarcation ; ma mère m'avait fait promettre de n'en rien faire. Certains imaginaient des ruses : l'un d'eux, par exemple, dont les parents étaient en Auvergne, s'était fait officiellement charger, dans le cadre d'une recherche fantomatique sur Vercingétorix, d'une mission d'étude à Gergovie. Au moment où je désespérais, une information mystérieuse m'apporta la solution : une grosse dame allemande, très bienveillante, qui occupait un bureau minuscule au cœur des services de l'armée d'occupation à la Chambre des Députés, ne refusait aucun laisser-passer ; si l'on parvenait à tromper la surveillance des agents de police à l'entrée du Palais-Bourbon, si l'on traversait hardiment la salle des colonnes, puis tournait à gauche, avant d'emprunter un escalier, si l'on ne se perdait pas dans les couloirs, si l'on frappait poliment au bon endroit, l'avenir se faisait soudain facile. Je suivis à la lettre ces indications et obtins l'autorisation requise. Arrivé à Lyon un peu tard, après le couvre-feu, je fus arrêté par une patrouille de police. Un agent examina mes papiers, hocha la tête et, se tournant vers son collègue (dont je n'ai pu déterminer s'il avait la même ignorance que lui du nom des victoires napoléoniennes), soupira :

— Dis donc, regarde l'adresse : 45, rue d'Ulm. *Ils* ont donné des noms allemands aux rues de Paris !

De l'application des méthodes de Taylor pour préparer un grand concours...

Le moment était venu de me présenter à l'agrégation des lettres. Philippe Pétain et Abel Bonnard, par décret n° 140 T du 12 mai 1942, avaient retiré l'épée de Damoclès suspendue au-dessus de ma tête :

> *Considérant que le sieur Moussa Pierre, candidat à un poste dans l'administration publique, est né en France d'un père égyptien et d'une mère française et qu'il a été élevé dans un milieu exclusivement français par sa mère dont un frère est mort au champ d'honneur durant la guerre 1914-1918..., décrétons : article 1er — la personne ci-dessus désignée est dispensée pour l'application des dispositions de la loi du 3 avril 1941 de la condition prévue à l'article 1er de ladite loi...*

En d'autres termes, quoique fils d'étranger, je pouvais prétendre à un emploi dans la fonction publique française.

J'aurai passé trois concours dans ma vie : pour Normale et pour l'inspection des Finances, il faut l'avouer, la chance m'a bien aidé. Mes lacunes étaient vastes, mes « impasses » audacieuses : un examinateur un peu curieux aurait pu très bien découvrir en moi de scandaleuses incompétences. En revanche, pour ce qui concerne l'agrégation, le moment venu (été 1943), je possédais dans son ensemble le programme et étais fin prêt. Nous avions constitué une équipe de quatre avec deux de mes cothurnes de l'année précédente, René Marill et Pierre Lévêque, et un autre camarade de promotion, Jean Meyriat. Nous avions choisi deux thurnes contiguës et nous ne nous séparions guère. Nous échangions nos notes de lectures ; nous nous relayions pour les cours en Sorbonne (excepté pour ceux de Jean Bayet en littérature latine et de Fernand Chapouthier en littérature grecque, qu'aucun de nous n'eût voulu manquer) ; à quatre, nous nous faisions des exposés sur les matières du programme ; à deux (mais en changeant sans cesse de partenaire, avec des roulements aussi systématiques que pour des tournois de bridge), nous nous exercions à la traduction improvisée du grec et du latin, tout cela selon un rythme intensif et une implacable organisation. La concurrence se révélait rude : les places offertes étaient au nombre de quinze, pour un nombre fort élevé de candidats, dont plus de vingt-cinq normaliens. Mais nos progrès étaient sensibles, presque d'une semaine à l'autre, nous étions fiers de notre méthode, nos concurrents nous regardaient avec un peu d'effroi, nous avions l'impression d'être un rouleau compresseur. A l'arrivée, nous fûmes reçus tous quatre, ce qui était vraiment tout à fait improbable.

Une fois agrégé, comme je demandais à être affecté dans la région lyonnaise, j'eus à choisir entre Saint-Etienne et Tournon. Le président du jury ne comprit pas ma préférence :

— Pourquoi Saint-Etienne ? Vous n'aimez pas les villes belles ?

— J'aime les villes grandes, répondit Ulysse, montrant par là qu'une ambition encore assez naïve continuait à l'habiter depuis le temps où il voulait diriger l'enseignement secondaire...

Mais, comme tous les jeunes Français de l'époque, j'étais d'abord astreint au S.T.O., le service du travail obligatoire. Peu désireux de l'accomplir, je me fis confectionner de faux papiers (assez gauchement, et cela faillit m'attirer de sérieux ennuis). Bien que vivant ainsi dans une sorte de clandestinité au moins administrative, j'écrivais un rapport pour une institution très officielle, la Radiodiffusion nationale. Exemple de paradoxe fréquent dans les époques troublées. La commande m'était venue de mon ancien maître de conférences aux Sciences Po, Hubert Devillez, qui était administrateur général de la Radio. Il s'agissait de réfléchir à l'avenir de la radio et de la télévision, technique dont on commençait à parler. Et c'est ainsi que, durant l'hiver 1943-1944, je lus Tarde, Lavelle, Souriau, et réfléchis de mon mieux à des sujets tels que

« L'Education radiophonique », « L'Art et la radio », « Radiodiffusion et décentralisation »...

Une dame, un jour, dans un restaurant, me serrant la main, me trouva la paume moite.

— Je ne suis pas votre mère, me dit-elle, ça ne me regarde pas, mais si j'étais vous, je consulterais un médecin.

Et c'est ainsi, par hasard, qu'un voile au poumon me fut découvert. Cette nouvelle me fit l'effet d'une bombe. J'avais à l'esprit toute la littérature, souvent assez morbide, que la tuberculose avait inspirée. Je me croyais atteint de la plus grave des maladies, je n'osais plus embrasser ma cousine Pierrette sur la joue, je me sentais pestiféré. En outre, pour avoir une chance de guérir, il me fallait m'exiler.

En réalité, cet exil ne fut pas des plus cruels. Je fus envoyé dans un bourg du département du Rhône, Saint-Symphorien sur Coise, chez une cousine qui, comme beaucoup de femmes dans la famille, exerçait le métier de sage-femme. Elle s'appelait France, elle avait à peine plus que mon âge, son fiancé était prisonnier quelque part en Allemagne, et nous avons vécu ainsi l'un près de l'autre, d'avril à novembre 1944, dans des rapports affectueux, parfois quelque peu troubles, mais jamais notre chasteté ne fut prise en défaut. Peu à peu, je m'intégrai à la vie du bourg et je connus tout le monde : l'instituteur, le pharmacien, le marchand de chaussures, propriétaire d'un magasin dont il était très fier, par ailleurs marié, père de sept enfants et un peu épris de ma cousine.

C'est là que je passai les derniers mois de la guerre, alternant lectures et marches, dans un désœuvrement qui n'était pas sans charme. Les repas avaient pris dans ma vie une importance considérable : on m'avait dit qu'une nourriture abondante et saine était la condition de ma guérison ; et comme, à Saint-Symphorien, le ravitaillement était assez bon, je me gavais systématiquement. Le monde extérieur n'arrivait que via le petit restaurant où je prenais mes déjeuners. Ainsi, deux jeunes gens parurent un beau jour, que personne ne connaissait. Il me suffit de baisser les yeux pour deviner leur origine : des chaussures très belles les trahissaient. Tous les Français avaient des souliers éculés ou en faux cuir. Ces deux-là venaient d'Angleterre, parachutes aidant. Vers la même date, un nouveau venu s'installa au village comme horloger ; solitaire, il partageait ses repas avec moi. Je le trouvais intéressant. Il me racontait sa vie. Ayant constaté, la nuit de ses noces, que sa femme avait connu l'homme, il avait, dès le lendemain matin, vengé son honneur en faisant l'amour avec la bonne de l'auberge. Pour l'heure, il réparait les montres et horloges et, de temps à autre, gagnait Lyon où l'attendait une « fréquentation ». Un jour, il ne revint pas. Ni le lendemain. Au bout d'un certain temps, je me rappelle que je m'enhardis à consommer peu à peu sa petite bouteille d'huile d'olive (denrée alors très rare). On sut plus tard qu'il n'avait rien d'un horloger : officier traqué de la L.V.F.*, il avait été dénoncé par le mari de sa « fréquentation » ; et arrêté.

C'est à Saint-Symphorien que nous apprîmes le débarquement et fêtâmes en août, au plein cœur de l'été, la Libération. Grande fut la joie dans le bourg, et cocasses certains revirements d'attitude. Un vieux qui portait jusque-là un insigne de Vichy dérivé de la francisque, arriva un beau matin à notre restaurant en arborant fièrement une croix de Lorraine. Les rires fusèrent, et les moqueries. Le vieux ne perdit aucunement contenance :

— Avant c'était Pétain, constata-t-il avec un irréfutable bon sens ; maintenant, c'est de Gaulle.

---

*. Légion des Volontaires français contre le Bolchevisme, dont les membres combattaient aux côtés des Allemands sur le front russe.

Pour consolider ma santé, il fut décidé que je passerais une autre année en altitude. Et je me retrouvai précepteur en Ardèche, dans un endroit que je connaissais déjà, La Louvesc. Mon élève était intelligent et original. Trois tantes célibataires se partageaient son éducation. A tour de rôle, elles s'installaient derrière un rideau et tendaient l'oreille, pas toujours très sûres de l'orthodoxie de mes leçons de philosophie. Le temps passait, plutôt heureux : marches dans la neige, lectures infinies, repas pantagruéliques.

Avec les beaux jours, La Louvesc retrouva l'activité que je lui avais connue. Les familles reprenaient possession de leurs villégiatures. Je fus rejoint à mon hôtel par un de mes camarades de lycée, devenu mon ami depuis la classe de première (il l'est encore), Frédéric Debiesse, qui avait besoin de se reposer au sortir de longs mois de maquis et de guerre. Et l'été fut enchanteur.

La France avait gagné, j'étais guéri. La vraie vie allait commencer.

De retour à Paris à l'automne de 1945, je retrouvai la rue d'Ulm où venaient d'arriver les nouvelles générations, Alain Peyrefitte, Alain Touraine, Jean d'Ormesson... En tant qu'ancien, je bénéficiais d'une rare faveur : une chambre individuelle, à l'infirmerie. Mon voisin était Louis Althusser, mon aîné de quelques années, que j'avais connu à la khâgne de Lyon et qui revenait d'un camp de prisonniers. J'aimai ces retrouvailles, l'ivresse des *batalisations* après tant de mois de solitude. Mais, à vingt-trois ans, je devais décider de mon avenir. C'était l'heure du choix. Devenir professeur, progresser jusqu'à l'enseignement supérieur, ou poursuivre dans la voie qu'ouvraient les Sciences Po et passer l'un des concours des grands corps de l'Etat ? On m'aiguilla d'abord vers le Conseil d'Etat, moins sensible aux handicaps de la naissance. Mais, sur le conseil de Roger Seydoux, directeur des Sciences Po, je me lançai néanmoins dans la préparation du concours ouvrant les portes de l'inspection des Finances. Dans le même temps, pour ne pas perdre tout lien avec le monde académique, je déposai un vaste sujet de thèse : « La pensée contre-révolutionnaire dans la littérature française de 1848 à l'affaire Dreyfus. » Comme cela, je jouais sur les deux tableaux.

Je m'apprêtais à une année des plus studieuses, sage et méthodique, lorsqu'une vague de folie déferla sur l'Ecole. Je me souviens de ses débuts : un petit déjeuner en novembre 1945, une séance de batalisation semblable à des milliers d'autres. Quelqu'un se moque de Victor Hugo, l'amateur de spiritisme...

— Ne parlez pas de ce que vous ignorez ! s'indigne Joucla. Il s'agit de phénomènes bien réels.

— Tu pourrais nous le prouver ?

— Quand vous voulez.

Le soir même, 45 rue d'Ulm, les tables tournèrent et ne devaient plus s'arrêter avant plusieurs mois. Très vite, les hiérarchies s'établirent. Au sommet, les vrais médiums, tels Joucla, Fongaro, ou Schérer (le frère d'Eric Rohmer). En bas, la troupe, qui participait en frissonnant. J'occupais une place moyenne : utile pour ordonnancer une séance, mais médiocrement chargé du vrai fluide, celui qui ouvre grande la porte de l'au-delà. Nos correspondants étaient divers, inconnus comme ce prêtre croate du XVIe siècle qui fut le premier à honorer de sa présence la rue d'Ulm, ou connus, comme Barnave ou Hugo. Avec ce dernier, nous eûmes une conversation précise et troublante :

— Peux-tu nous faire un vers ? demandèrent les normaliens attablés (à noter que dans l'au-delà, on se tutoie toujours).

— Oui, répondit Hugo.

— Maintenant ?

— Oui — il dicta ce beau vers hugolien : « *Des avalanches d'or au soir du firmament.* »

— Ce vers, tu l'as composé durant ta vie ?

— Oui.

— Est-ce en marge d'un poème figurant dans tes œuvres ?

— Oui.

— Dans *Les Feuilles d'Automne ?* Dans *Les Châtiments ?*

— Non, non.

— Dans *Les Contemplations ?*

— Oui.

— Quel livre ?

— VIe, poème 4.

L'un de nous est allé chercher *Les Contemplations* et nous avons lu ce poème à Hugo :

Ecoutez. Je suis Jean. J'ai vu des choses sombres.
J'ai vu l'ombre infinie où se perdent les nombres,
J'ai vu les visions que les réprouvés font,
Les engloutissements de l'abîme sans fond.
J'ai vu le ciel, l'éther, le chaos et l'espace...

La table sursauta. A n'en pas douter, c'était à cet endroit que Hugo avait pensé aux avalanches d'or, mais sans finalement retenir cette image. Avouons en toute honnêteté — et sans que cette information remette en cause, du moins à mes yeux, la réalité de ces surprenantes manifestations de l'inconscient collectif — que *Les Contemplations* avaient été, deux ans plus tôt, à mon programme d'agrégation (mais c'est sans doute me donner trop d'importance).

Nous eûmes bien d'autres correspondants, de toutes sortes, des créatures inédites, des anges, des démons,

40

comme cet Aksroth qui nous fit la plus terrible des propositions :

— Comme démon, nous te trouvons un peu mou. Nous te voudrions plus vigoureux, lui avions-nous dit assez méchamment. Pourrions-nous avoir un autre démon ?

— Oui.

— Pourrions-nous avoir Satan ?

La table bondit : oui, vous pourriez avoir Satan !

A ce moment-là, je dis qu'en ce qui me concernait, je ne resterais pas si cette demande était faite. Mes camarades (dont la plupart étaient des athées convaincus, membres ou proches du Parti Communiste) adoptèrent la même attitude : on arrêta. Un prêtre spécialisé dans ces domaines, à qui je parlai de cette expérience, leva les bras au ciel : « Oh ! vous auriez vu des choses extraordinaires si vous aviez continué ; mais plusieurs d'entre vous auraient sans doute perdu la raison. »

L'Ecole fut encore visitée quelques semaines par les esprits, si bruyamment visitée qu'une nuit, le secrétaire général, Jean Baillou, réveillé par le vacarme que faisait la table, monta quatre à quatre les escaliers et surgit au milieu de notre dialogue avec l'au-delà.

La vigueur et la netteté des phénomènes de cette nature se renforcent progressivement quand la pratique est fréquente. Une grande partie des normaliens venaient, une fois au moins, voir de quoi il s'agissait. Cela tournait à la fête populaire. Outre les messages dictés par la table, nous obtînmes des « manifestations extérieures », c'est-à-dire des déplacements d'objets sans contact avec nos corps ; certaines furent jugées incontestables, d'autres parurent relever du canular. On s'injuria. Ce genre d'exercice constitue une rude épreuve pour les nerfs. Quelques-uns craquaient.

Mais la date des examens approchait. Les tables se dépeuplèrent. Peu avant Pâques, ces séances, qui avaient occupé un bon nombre de normaliens plusieurs heures chaque jour depuis l'automne, cessèrent. Et, à ma connaissance, la vague de spiritisme ne reprit jamais.

Trois mois plus tard, j'entrai à l'Inspection. Un autre monde.

III

L'INSPECTION

Pendant les premières années, les jeunes inspecteurs des Finances, organisés en brigades sous l'autorité de chefs de brigade (des camarades un peu plus âgés), sont affectés à la vérification des agents de l'administration financière à travers le pays, c'est ce qu'on appelle « faire tournée ». Il est entendu qu'après trois ou quatre ans, ceux qui le souhaitent (et c'est pratiquement la totalité) se font embaucher par telle ou telle direction du ministère des Finances, ou d'autres administrations, afin de commencer une carrière active dans la fonction publique.

« Maintenant que vous avez été reçus au concours, vous avez devant vous deux ou trois années de vacances », résumait notre chef de brigade, Jean-Marie Delettrez. Propos jugés bien sûr scandaleux par les autres chefs de brigade, dès qu'ils furent connus. Mais Delettrez avait une personnalité peu conforme aux modèles de l'Inspection. Au fond, l'administration l'intéressait peu. Il rêvait d'une carrière d'écrivain. Il n'en gérait pas moins sa brigade avec entrain et conscience.

La « tournée », sauf pendant l'hiver, se passait surtout en province, dans les petites villes et les bourgs. Nous découvrions la diversité des paysages français. Il fallait arriver incognito au lieu qui nous avait été assigné, attendre l'heure de la fermeture des bureaux, et, juste avant qu'elle ne sonne, pousser la porte du contrôleur des contributions ou du receveur de l'enregistrement que nous devions vérifier, en présentant notre commission signée du ministre des Finances. On nous accueillait avec déférence (« Installez-vous là, monsieur l'inspecteur, vous avez assez de lumière ? Monsieur l'inspecteur, hélas, on me promet du personnel depuis six mois, je suis bien sûr à votre disposition, monsieur l'inspecteur... »). Il n'était pas question, le premier soir, de quitter l'agent vérifié (même pour aller au bout du couloir) avant d'avoir arrêté la caisse et visé tous les livres comptables. Cela nous menait quelquefois tard dans la nuit. Les jours suivants étaient normalement moins dramatiques. Un « pense-bête » confidentiel nous indiquait les sondages et les recoupements recommandés. C'était souvent assez compliqué. Par moments, je priais le Ciel que personne ne remarquât mon incompétence. Malgré tous mes efforts pour paraître assuré, il m'arrivait souvent de froncer un sourcil (« Mon Dieu, je n'y comprends rien, que peut bien vouloir dire cette ligne ? »). Sans bien s'en rendre compte, le contrôleur contrôlé venait à mon secours : « Ah ! vous avez remarqué que cette écriture est anormale, monsieur l'inspecteur. Je le reconnais. Mais permettez que je me justifie... »

Et j'apprenais à la fois la géographie de la France, la réalité de l'administration, la vie des petites villes et le jeu des élites locales. Au bout d'une semaine, quittant mon hôtel et mon contrôleur (ou mon receveur des postes), il me semblait avoir percé tous les secrets, connaître les ressources du pays, les opinions politiques de chacun, la vérité des patrimoines, voire les habitudes amoureuses.

Plus la commune était petite, plus on avait l'impression de pénétrer dans la France profonde. A Accous, dans le Béarn, j'avais à vérifier les comptes d'un receveur des postes dont le personnel se composait de son épouse et de sa fille. Ma venue lui déplaisait, il ne le cacha guère pendant tout mon séjour. La localité ne comptait que deux « hôtels ». En fait, il ne s'agissait que de fermes acceptant de temps à autre, lorsque les propriétaires le voulaient, des pensionnaires. Après de longues négociations, l'hôtel Esperrabé accepta de me nourrir (« trois jours, quatre jours maximum »), et l'hôtel Diarthi m'offrit le lit et le petit déjeuner. J'appris très vite que les Esperrabé étaient dévots, et les Diarthi mécréants ; je couchais à gauche et je me nourrissais à droite.

L'agent vérifié n'arrêtait pas de soupirer. Il appartenait à la catégorie bien connue des inspecteurs : les martyrs-livrés-à-la-cruauté-de-l'arbitraire-parisien. Et pourtant, je me montrai à son égard très indulgent. Un jour, tandis que j'étais plongé dans ses justificatifs de dépenses, je le vis griffonner quelques lignes sur un papier et glisser celui-ci dans la pile. Croyant n'être pas surpris, il avait manifestement commis un faux. Que devais-je faire ? Monter sur mes grands chevaux, dénoncer la supercherie dans mon rapport ? Je fis comme si de rien n'était, examinai soigneusement le faux quand vint son tour. Il concernait une somme minime et une livraison de bois. Sans doute une négligence, sûrement pas une malhonnêteté. Je résolus de viser le papier comme s'il était authentique. En dépit de cette bienveillance que, d'ailleurs, j'étais seul à connaître, le climat restait tendu. A la salle commune de l'hôtel Esperrabé, comme lors du petit déjeuner à l'hôtel Diarthi, on me demandait gentiment mais fermement la date de mon départ. Accous, droite et gauche confondues, avait pris fait et cause pour le receveur martyr.

En même temps que la France profonde, j'apprenais Paris. Le temps de Normale m'avait fait connaître ses rues et ses théâtres, non sa société. Déjeuners, dîners, rencontres, présentations, voici que le jeune Lyonnais (vingt-quatre ans), nouvellement nommé adjoint à l'inspection des Finances, pénétrait pas à pas dans l'univers de la haute administration, de l'industrie et de la presse. Sensation délicieuse de voir s'ouvrir devant soi des portes dont on ne savait guère, quelques mois auparavant, ce qu'elles pouvaient bien cacher. Impression de chaleur, d'accueil, d'appartenance, de cadeaux quotidiens. Gaieté de la vie de célibataire dans ce Paris de l'après-guerre qui gardait encore un peu de la fièvre d'août 1944, en dépit du ravitaillement rare et des dysfonctionnements divers. Je vivais avec d'autres jeunes célibataires dans un appartement sous-loué, rue de Boulainvilliers. J'étais de moins en moins le jeune homme rangé, timide et vertueux que j'avais été. J'avais de nombreux amis, des amies, je sortais très souvent. Je voyais fréquemment Georges Bérard-Quélin, mon aîné de quelques années. Il avait une agence de presse et quelques journaux ronéotés. Il savait beaucoup de choses, sur la politique, sur les rouages de la société, sur les hommes qui comptaient, il m'aida à sortir de mon ignorance de petit provincial un peu godiche. Il me fit entrer au Siècle, un cercle qu'il avait créé avec Alof de Louvencourt et qui réunissait chaque mois des hommes doués, ambitieux et jeunes (nés dans le siècle, d'où le nom de l'association). C'était déjà un club de responsables, et un vivier de futurs responsables. Il fit de son mieux, sans succès, pour m'initier aussi à la gastronomie. Je hantais avec lui tous les hauts lieux de la restauration, mais, pour la première fois de ma vie, j'étais mauvais élève. Il n'empêche : avec Bérard, il fallait manger et boire beaucoup, se coucher tard, discuter interminablement, souvent violemment, mordre à belles dents à tous les fruits de la terre.

Il était — et est demeuré au fil des quarante dernières années — mon ami intime. Au tout début de nos relations, cependant, un incident m'avait vivement secoué. Une grande réforme se préparait aux Finances : la création d'une direction générale des Impôts regroupant les anciennes directions des Contributions directes, des Contributions indirectes et de l'Enregistrement. Et Pierre de Calan, qui dirigeait à ce moment notre brigade, avait dit devant moi qu'il se rendait à Rabat, chargé par le ministre de proposer le poste de directeur général des Impôts à Jacques Fourmon, alors directeur des Finances du Maroc. Sortant d'un dîner du Siècle, j'étais allé prendre une dernière bière chez Lipp avec quelques amis. Heureux de briller, je répétai, non sans légèreté, l'information — que Bérard publia le lendemain dans un de ses journaux. Fureur du ministère ! Enquête. Quelqu'un, qui avait assisté à la scène, me dénonça par sottise. Mes supérieurs me tancèrent ; on me dit que j'allais être convoqué par le directeur du cabinet du ministre, que je voyais trop de journalistes. Je vécus quelques semaines dans la peur d'avoir gâché ma carrière. Leçon fort utile pour la suite. On m'a quelquefois, je crois, trouvé trop secret. Plus jamais trop bavard.

Etais-je, à l'époque, si certain de ma vocation administrative ? Je me souviens d'un voyage dans la région lyonnaise, à Châteauneuf-de-Galaure, pour rencontrer une femme qui, dans les milieux catholiques, jouissait d'une réputation de sainteté, Marthe Robin. On la disait dotée d'une intuition des êtres aussi stupéfiante que celle du curé d'Ars. Un prêtre m'avait conseillé cette visite : « Elle vous dira ce qu'elle sent de plus vrai en vous, dans quelle direction elle vous sent appelé... » En allant à elle, je me disais : « Et si elle me disait que ma voie véritable, c'est l'Université ? » Ce qui prouve qu'au fond de moi, je me posais la question. Nous conversâmes. L'acuité de son regard, la force, l'exigence sereine qui émanaient d'elle m'impressionnèrent. Cette petite paysanne inculte savait, Dieu sait comment, beaucoup de choses. Mais elle ne me

47

dit pas que je faisais fausse route. Je regagnai Paris soulagé. Marthe Robin n'avait pas discerné en moi d'erreur flagrante d'aiguillage.

Les années passaient, le temps de quitter la « tournée » pour l'administration active était venu, et l'inquiétude bien connue des jeunes filles montées en graine commençait à m'habiter : qui va vouloir de moi ? François Bloch-Laîné, directeur du Trésor, la direction la plus prestigieuse du ministère, avait par deux fois choisi des camarades (mes chers amis Dominique Boyer et André de Lattre), pour des postes qui auraient bien fait mon affaire. Bernard Beau — le plus proche de moi, sans doute, de tous les membres de ma promotion — avait réussi à se faire envoyer à Londres, à New York ; il entrait à la direction des Relations économiques extérieures. Et moi, qui avais jusque-là brûlé les étapes, voici que je piétinais. Je me voyais mal demeurer à la « tournée » ma vie entière. Dépité, j'élargissais mes horizons. Après avoir fait une longue étude consacrée au financement de l'agriculture française, je proposai d'étendre mon travail à la Tunisie, à l'Algérie et au Maroc. Cette suggestion ayant été retenue, je voyageai. Au Maroc, je retrouvai François Gotteland, camarade de Normale, ami très cher, qui enseignait à Rabat. Il me fit rencontrer des Marocains de toutes classes et conditions, notamment des nationalistes. Il m'expliqua les tensions d'un pays que, depuis lors, je n'ai pas cessé d'aimer.

Ma dernière mission d'inspection fut pour les services de la Sécurité sociale de Mâcon. J'étais passé chef de brigade. Mes collaborateurs avaient pour noms François-Xavier Ortoli, Jean-Maxime Lévêque et Max Laxan. Sitôt le travail du jour achevé, vers six heures, nous rejoignions à la course notre hôtel : commençait alors une partie de bridge qui ne se terminait qu'après minuit, interrompue par un très bref dîner. Nous commentions les coups avec une compétence qui croissait d'une semaine à l'autre. Notre connaissance du jeu était en progression constante. Je sentis que je pourrais devenir un fanatique du bridge. Je craignis d'étouffer en moi d'autres potentialités. Une fois la mission de Mâcon achevée, je coupai court. Je n'ai plus jamais joué.

La première éclaircie vint d'une proposition, maigrelette proposition, mais tout de même bonne à prendre : j'entrai au cabinet de Lionel de Tinguy du Pouët, Vendéen d'origine et démocrate-chrétien, sous-secrétaire d'Etat aux Finances auprès d'un ministre, Maurice Petsche, qui ne l'aimait guère. Les responsabilités de mon nouveau patron n'étaient pas immenses. Maurice Petsche ne lui avait délégué la tutelle que de trois directions du ministère, les Assurances, la Dette publique et l'I.N.S.E.E. Je fus chargé d'abord de l'I.N.S.E.E. (à ce titre, je participai à une révolution : le remplacement des lettres par des chiffres pour indiquer le département sur les plaques minéralogiques des voitures), puis des Assurances, qui m'intéressèrent beaucoup et où je nouai de solides amitiés. C'est la mort dans l'âme que je repris le chemin de l'Inspection lorsque Tinguy perdit son demi-maroquin. Je me demandais si la chance ne m'avait pas de nouveau abandonné.

C'était compter sans le hasard des rencontres. Pendant l'été 1950, sortant d'une visite à un collègue, dans les locaux des Affaires économiques quai Branly, je suis interpellé :

— Moussa, que faites-vous en ce moment ?

Une telle question, venue d'une personne aussi sérieuse que Jean Vacher-Desvernais, directeur du cabinet de Robert Buron, secrétaire d'Etat aux Affaires économiques, ne pouvait être gratuite. Mon cœur battit plus vite. J'expliquai ma situation, plutôt morne.

— Voulez-vous entrer au cabinet de Robert Buron ?

Et voilà comment décolle une existence. Je n'imaginais

49

pas le long chemin que, grâce à cette rencontre fortuite, j'allais faire aux côtés de Buron.

Cette fois, j'étais au pouvoir. Pouvoir partiel, pouvoir délégué, mais pouvoir indéniable, avec tous ses attributs : un emploi du temps qui se surcharge, un téléphone qui n'arrête plus, une foule qui vous appelle « cher ami » et retient un mois à l'avance vos déjeuners, l'urgence comme mode de vie. Et ce haussement du col, cette impression d'ampleur n'importe où, n'importe quand, coup d'œil dans la glace entre deux rendez-vous, ou bien tard le soir, épuisé, derrière la dernière fenêtre allumée du ministère : je travaille pour la France, je suis un des gérants de l' « Intérêt général » ! Quatre-vingts heures de travail par semaine, voire plus. L'ivresse du travail, ce plaisir qui me reportait des années en arrière, au temps de la khâgne. J'écrivais à ma mère, émerveillé : « *Le travail est redevenu la totalité de ma vie.* »

Buron me chargea d'abord des marchés et des prix. On était encore, pour beaucoup de produits, en pleine pénurie ; les pouvoirs de l'Etat étaient considérables. C'est surtout dans le domaine agricole et alimentaire que ma tâche était dure, et excitante. J'appris à connaître le monde du sucre, le monde des corps gras, le monde des céréales..., chacun composé de producteurs, de transformateurs, de distributeurs, de députés et sénateurs...

A titre d'exemple, voici les dossiers dont je m'occupais à la mi-septembre 1950 : fixation du prix du lait pour l'hiver, importation de fromages, écroulement des prix du vin dans le Midi, vente de l'excédent d'alcool, créer un système d'approvisionnement en café et cacao... sans oublier, au restaurant de la tour Eiffel, le dîner de l'association européenne des bouchers !

Le conseiller technique chargé des affaires internationales ayant quitté le cabinet, Buron m'offrit sa place pour compléter mon initiation à l'économie. Pendant quelques semaines, je cumulai l'ancienne tâche et la nouvelle, ce à quoi ma boulimie de travail trouva son compte. Les problèmes du commerce extérieur me passionnèrent. Aussi acceptai-je avec enthousiasme, à la chute du cabinet, d'entrer à la direction des Relations économiques extérieures (D.R.E.E.) comme secrétaire de la commission des approvisionnements.

En fait, la commission en question n'existait pas, ou plus. En tout cas, elle n'a jamais été réunie pendant les deux ans que j'assurai son secrétariat. Mon métier consistait à gérer la pénurie de devises fortes en établissant des programmes d'importation ; ces programmes supposaient des arbitrages dramatiques, car les besoins de l'économie en charbon, en coton, en laine, en céréales, en machines, dépassaient très largement nos ressources. De longues discussions avaient lieu avec les ministères techniques — Agriculture, Industrie, Transports... — et directement avec les professionnels ; quand ceux-ci s'estimaient maltraités, ils en appelaient, au-dessus de ma tête, à mes supérieurs à la D.R.E.E., ou à la puissante direction des Finances extérieures, ou au cabinet du ministre. Ainsi deux compagnies aériennes avaient demandé à acheter en livres sterling des avions nommés Comets ; j'estimai, et même m'efforçai de démontrer mathématiquement que cet achat était une mauvaise affaire pour le pays. Un arbitrage fut rendu, contre moi. Quelques années plus tard, les Comets furent interdits de vol : amère revanche... Mais ma tâche la plus importante était de gérer les crédits du plan Marshall, ce qui me mit en contact avec l'administration américaine. En 1952, ô joie, je traversai l'Atlantique et vis Washington, New York, Chicago. Il y avait alors un si énorme décalage de technicité et de niveau de vie entre l'Europe et les Etats-Unis qu'un tel voyage ne pouvait que fasciner un jeune Européen, le remplir d'ambition et d'enthousiasme. A cause de cette première

51

révélation, à cause du plan Marshall, à l'exécution duquel j'avais été mêlé, la fidélité affectueuse à la nation américaine est devenue, et demeure, un des points fixes de ma vie. L'anti-américanisme, si fréquent en Europe sous une forme affichée ou latente, me peine et me fait gronder.

Puis mon directeur, Bernard Clappier, me proposa de changer de métier. Je fus chargé de l'expansion commerciale française sur le continent américain. Je fis ainsi l'apprentissage des accords commerciaux (nous vous achèterons tant de café, mais à condition que vous nous achetiez tant de produits métallurgiques et tant de tissus...) qui étaient le vecteur fondamental de nos échanges avec les pays d'Amérique latine. Voyageant activement dans cette partie du globe, je commençai à saisir l'importance des problèmes de ce que l'on n'appelait pas encore le tiers monde.

C'est alors, à la fin de juin 1954, peu après la reddition du camp retranché de Diên Biên Phu, que Pierre Mendès France devint président du Conseil. Il nomma Buron ministre de la France d'outre-mer. Bientôt, mon ancien patron du quai Branly m'appelait :

— Voulez-vous revenir avec moi ?

Si je le voulais ! Mendès était mon idole, j'adorais Buron, et l'outre-mer — surtout après mes réflexions latino-américaines — me paraissait d'un intérêt prodigieux. Buron me laissa entendre que je serais peut-être directeur de son cabinet. Je n'en croyais pas mes oreilles. Mais je me fis vite à cette idée et, jusqu'à ce que cela fût officiellement confirmé, vécus dans l'angoisse que Buron n'en vînt à penser à quelque personne plus importante que moi et ne me ravalât au rang de conseiller technique.

Avoir trente-deux ans, diriger l'équipe d'un ministre que l'on admire, recevoir pour mission de faire évoluer un

52

reste d'empire qui comprend encore une grande partie de l'Afrique, plus un bon nombre de territoires dispersés sur la terre entière, épouser étroitement les conceptions politiques du président du Conseil, savoir que le moment est historique et que dans la partie qui commence on va jouer un vrai rôle, qui peut vivre un plus beau rêve ? Qui ne tremblerait, à trente-deux ans, de ne pas être à la hauteur de la tâche qui l'attend ?

Rue Oudinot, j'ai travaillé comme jamais, jusqu'à cent heures par semaine. Car pour les territoires d'outre-mer, le ministère était tous les ministères réunis : l'Intérieur pour les renseignements et le maintien de l'ordre, pour la nomination des gouverneurs, maîtres de tout dans leur territoire et qui dépendaient de nous ; les Finances avec les délicats problèmes d'émission monétaire, de fiscalité, de prix ; l'Industrie pour gérer les grands projets d'investissement, miniers notamment ; l'Agriculture, sans oublier l'Equipement, le Commerce, la Santé, l'Education nationale, et, bien sûr, la Défense nationale. Cette administration comptait mille deux cents personnes à Paris, et douze mille dans les territoires.

A notre arrivée, la rue Oudinot était encore sous le choc du passage de François Mitterrand, ministre de la France d'outre-mer deux ans plus tôt. Celui-ci avait arraché le Rassemblement Démocratique Africain (R.D.A.) et son leader ivoirien Houphouët-Boigny à l'influence communiste. Aujourd'hui, après trente-cinq ans de relations confiantes entre la Côte-d'Ivoire et la France, cette entreprise de séduction paraît naturelle. Mais il fallait à l'époque bien du culot pour la tenter, et une détermination sans faille pour la réussir : pour la communauté française d'Afrique, Houphouët était le diable. Sans cette entreprise, le R.D.A. serait peut-être resté longtemps dans la sphère soviétique. François Mitterrand n'avait vu que des avantages à rapprocher le R.D.A. de la formation qu'il animait : grâce à cet apport, l'U.D.S.R. * gagnait du poids et pouvait jouer un rôle accru sur l'échiquier politique. Mais ce qui était bon pour l'U.D.S.R. était, en l'espèce, excellent pour la France, la suite de l'histoire l'a prouvé. Cette alliance entre le ministre de la France d'outre-mer et l'un des principaux meneurs nationalistes africains n'en avait pas moins choqué la rue Oudinot. D'autant que Mitterrand avait rappelé à Paris le vigoureux gouverneur de la Côte-d'Ivoire, Péchoux, l'ennemi intime d'Houphouët. Pour calmer un peu les esprits, il avait pris le gouverneur à son cabinet, mais sans lui confier de responsabilité. La rue Oudinot tout entière se demandait, en voyant débarquer la nouvelle équipe, quel autre mauvais coup se tramait. Buron était démocrate-chrétien mais de tendance assez progressiste.

Une grave épreuve avait marqué sa jeunesse : atteint de tuberculose osseuse, il avait passé de longues années à Berck. Depuis lors, il boitait et s'aidait d'une canne. Le vent glacé de la Manche l'avait endurci ; il n'avait jamais froid et, ayant surmonté une bonne fois pour toutes la tentation du désespoir, il étonnait par son cran. Il se déplaçait plus vite que nous, en traînant sa jambe malade. Il avait à cœur de faire tout ce que l'état de son corps rendait pour lui difficile, comme de jouer au tennis, de conduire un vélo ou de piloter un avion.

Gai, aimant plaire, il raffolait des calembours, même un peu bêtes, même un peu grossiers, et avait le sens de la formule : le terme *relance* appliqué à l'économie, et l'adjectif *franco-français*, fort employé depuis lors, viennent, je crois, de lui. C'était un bon camarade, un ami fidèle, une personnalité ouverte aux autres, dotée d'une grande curiosité d'esprit. Il s'efforçait de comprendre ses

*. Union Démocratique et Socialiste de la Résistance, parti du centre gauche qui était celui de René Pleven et de François Mitterrand.

interlocuteurs ; il y parvenait bien, trop bien même : il était assez influençable. Je lui dis un jour, non sans quelque exagération, que je le trouvais toujours sur ma droite quand il était au gouvernement (il voyait, par obligation, des chefs d'entreprise, des membres de l'*establishment*, des hommes en place), et sur ma gauche quand il n'y était plus (ses penchants naturels le faisaient alors fréquenter intellectuels, étudiants, artistes et contestataires).

Il aimait étonner. Beaucoup étaient estomaqués de voir cet homme politique important se déplacer dans Paris à bicyclette, ou décider un jour (sous divers prétextes, car ses explications sur ce sujet variaient) de se laisser pousser la barbe, à une époque où ce n'était pas la mode. Peut-être voulait-il se fabriquer une allure encore plus pittoresque ? La peinture était l'une de ses passions.

Un petit groupe — mi-amis, mi-collaborateurs — ne l'avait jamais quitté, au premier rang desquels il faut citer Renée Djabri. A vingt ans, Renée avait suivi par amour un Syrien qui, une fois tous deux installés à Damas, l'avait torturée d'une jalousie féroce. Elle était parvenue à s'enfuir, mais jamais à divorcer. Pour l'heure, elle vivait à Montmartre avec un peintre. Le ministre chrétien ne lui en avait pas moins confié la responsabilité de son secrétariat particulier. Intelligente, intuitive, elle eut sur Buron une influence constante et bénéfique.

Rue Oudinot, la générosité et le dynamisme de notre ministre trouvèrent vite à s'employer. Les problèmes étaient innombrables. Le plus dramatique était celui-ci. Chacun savait qu'il fallait modifier le statut des pays d'Afrique noire sous peine de voir s'allumer une nouvelle guerre coloniale ; mais l'administration, soutenue par les colons, ne lâchait du lest qu'avec parcimonie. Et la famille gaulliste, tant à Paris qu'en Afrique, n'était pas la dernière à freiner un mouvement pourtant inéluctable (étrange attitude, lorsqu'on sait la position d'ouverture prise par le Général moins de cinq années plus tard).

Buron tenta de promouvoir un texte législatif qui eût représenté une première étape d'évolution (on aurait flanqué le gouverneur, dans chaque territoire, d'un conseil dont une partie des membres eussent été des élus, le dernier mot étant réservé à l'administration) — texte bien timide, qui n'eut pas le temps de voir le jour avant la chute du gouvernement. Que de mal nous nous donnâmes pour obtenir un consensus minimal sur ces prudentes réformes ! Même Mendès, chaque fois que Buron lui parlait de l'affaire, levait les yeux au ciel : « Ecoute, j'ai déjà sur les bras l'Indochine, la Tunisie, l'Europe, l'économie... S'il te plaît, arrange-toi pour ne pas me créer d'histoires en Afrique noire ! »

J'ai connu à l'époque tous les leaders africains, dont beaucoup sont restés mes amis. Plusieurs sont venus dîner chez moi, rue des Renaudes, dans un appartement aux pièces si exiguës que le tête-à-tête était presque seul possible. Ainsi Léopold Sédar Senghor, à qui Jean Daniel, alors jeune journaliste chez Bérard-Quélin, m'avait présenté. Ensemble, nous évoquions bien sûr la situation politique et les problèmes de son pays. Mais il me parlait aussi des origines de l'homme, sans conteste africaines, de la sorte de latin qui se parlait jadis en Ethiopie et qui aurait mérité, selon lui, d'être ressuscité. Grâce à lui, je découvrais une poésie très différente de la française, plus liée aux rythmes, aux éléments, à des lenteurs, à des hauteurs que nous ne savons plus percevoir.

J'appréciais aussi Lamine-Gueye, son prédécesseur et concurrent, qui me raconta qu'un jour, à Dakar, un « petit Blanc » chargé de valises, l'apercevant, l'avait impérieusement requis comme porteur. Lamine-Gueye s'était amusé à obtempérer. Cette tâche effectuée :

— Combien vas-tu me payer ? demanda Lamine-Gueye.

— Combien veux-tu ?

— Ce que tu voudras. Je suis président du Grand Conseil.

Houphouët-Boigny aussi vint rue des Renaudes. J'aimais son intelligence politique, à la fois pondérée, rustique et visionnaire ; au moment où il dit oui à la Communauté du général de Gaulle, et où son camarade du R.D.A., Sekou Touré, dit non, je l'ai entendu lancer à ce dernier un formidable défi : on nous jugera dans dix ans ! Dix ans plus tard, la Côte-d'Ivoire avait grandement prospéré et la Guinée avait tout perdu. Son éloquence était incroyable dans sa simplicité ; de ma vie j'ai rarement été aussi ému que le jour où je l'entendis interpeller « ses amis européens », qu'il trouvait trop tièdes, trop sceptiques, devant les promesses de l'association de la France et de l'Afrique noire : « J'adjure mes amis blancs de croire à la Communauté comme j'y crois moi-même ! » Houphouët-Boigny, en qui l'on voit surtout, en général, un très habile politicien, est aussi, à un très haut degré, un religieux, campé au point de contact de trois mondes : le christianisme, l'islam et l'animisme.

Dès notre arrivée rue Oudinot, Buron et moi avions entendu parler de Sekou Touré : lors d'élections partielles en Guinée, où il se présentait, nous avions appris que le gouverneur mettait tout en œuvre pour assurer le succès de son concurrent Barry Diawadou, personnalité jugée plus modérée et plus docile. Contre tous les usages alors en vigueur, Buron avait câblé à notre représentant : « N'intervenez pas. » Je crois que le gouverneur, interloqué, n'avait pas tenu grand compte de l'injonction ministérielle. Sekou Touré avait cependant fini par être élu.

Un jour que, comme souvent, je me trouvais à l'Assemblée nationale, au banc des commissaires du gouvernement, derrière les ministres, le président de séance annonça : « La parole est à M. Sekou Touré ! » L'assistance était clairsemée. Le sujet traité — je ne sais quelle question sociale concernant l'outre-mer — n'avait pas attiré les foules, et les trente ou quarante parlementaires présents bavardaient ou faisaient leur courrier. Soudain, toutes les têtes se levèrent, se tournèrent, le silence se fit : Sekou Touré avait commencé son discours. Un tribun se révélait, formidable de talent, d'envergure et d'autorité. Chacun demandait le nom de l'orateur, le notait. On savait que c'était quelqu'un qui ferait parler de lui. Hélas !

Tant d'autres personnages me reviennent en mémoire. Je pense à Gabriel d'Arboussier, un métis né d'un père blanc (gouverneur) et d'une mère noire ; il était d'une éblouissante intelligence, à la manière d'Edgar Faure, vif, imaginatif, original, brillant toujours et profond quand l'heure l'exigeait. Membre actif du R.D.A., il n'avait pas suivi Houphouët-Boigny lors de son pacte historique avec Mitterrand, préférant se draper dans une dignité révolutionnaire que nous le vîmes, au fil des années, abandonner peu à peu. Je pense au prince Douala Manga Bell, député du Cameroun, personnage d'une réelle culture, latiniste, helléniste, plein d'une fantaisie que l'alcool rendait parfois excessive ; il avait passé à Berlin une partie de sa jeunesse comme page de l'empereur d'Allemagne...

Ces moments miraculeux ne durent jamais où tout converge, la conviction, l'action, l'affection. Je vécus l'affaire de la Communauté Européenne de Défense comme un drame personnel, persuadé (je le suis encore) qu'une faute était commise dont la France mettrait longtemps, très longtemps, à se remettre, et qu'une rupture se consommait entre des alliés naturels que tout aurait dû rapprocher.

La Communauté Européenne de Défense était une invention commune de Jean Monnet, Robert Schuman et René Pleven. Elle avait pour objet de constituer un ensemble européen intégré dans lequel serait noyé le réarmement allemand. Un traité avait été signé en 1952 entre la France, l'Allemagne, l'Italie, la Belgique, les Pays-Bas et le Luxembourg. Tous l'avaient ratifié, sauf l'Italie et la France. Tel était le dossier empoisonné que Mendès avait trouvé à son arrivée. En effet, une sorte de guerre civile d'une violence extrême, peu compréhensible aujour-d'hui (la querelle de l'école libre, en 1984, pourrait peut-être en donner une idée), opposait les partisans de la C.E.D. (notamment les démocrates-chrétiens — on disait alors les M.R.P. —, certains radicaux et une grande partie des socialistes et de la droite non gaulliste) à ses adversaires (gaullistes, communistes, certains socialistes et certains radicaux : « La C.E.D. c'est la fin de la France ! », s'exclamera à l'Assemblée le vieil Edouard Herriot). Mendès tenta d'abord, en août, à Bruxelles, d'obtenir de nos partenaires européens des amendements qui eussent rendu le texte acceptable pour un plus grand nombre en France. Sans succès. Retour à Paris. Le débat s'ouvrit le 28 août. Mendès, qui, au grand scandale des M.R.P., n'avait pas engagé la confiance, présenta la question d'une manière assez neutre : avantages contre inconvénients. Deux jours, la bataille fit rage, arguments et procédures. Et le 30, la ratification fut repoussée : 319 voix contre 264.

Dès le lendemain, les ministres « cédistes » (Bourgès-Maunoury, Emile Hugues et Claudius-Petit) remettaient à Mendès France leur démission. Pour Buron, le choix était un crève-cœur : quitter le gouvernement, c'était abandon-ner en chemin une équipe qu'il aimait et admirait, interrompre une action dont il était fier au plus profond de lui-même, mais demeurer près de Mendès, c'était paraître un traître aux yeux de sa famille démocrate-chrétienne, briser des attaches, des fidélités lointaines, et, d'une certaine manière, brûler ses vaisseaux. Non sans trouble de conscience, il résolut de rester. J'avais usé de toute mon éloquence pour le pousser dans ce sens, ayant la certitude que la rupture entre la partie progressiste du M.R.P. et les mendésistes (les plus ouverts des radicaux et des socialistes) était un mauvais coup pour la France : cette alliance naturelle aurait pu constituer un véritable centre gauche, qui était à mes yeux un élément fondamental pour l'équilibre de notre pays. Une fois consommée cette rupture, la possibilité d'une telle majorité disparaissait, le jeu politique se trouvait bloqué. C'est d'ailleurs bien ce qui, malgré Buron, advint.

Le gouvernement Mendès France vécut cahin-caha quelques mois. A peine Buron eut-il convaincu un autre M.R.P., Juglas, de le rejoindre au gouvernement (Buron devenait ministre des Finances, et Juglas prenait l'outre-mer), que, dans la nuit du 4 février 1955, la confiance fut refusée au président du Conseil : 319 voix (coïncidence : le nombre de députés qui avaient rejeté la C.E.D., mais ce n'étaient pas les mêmes), contre 273. Juste après l'annonce du résultat, et contre tous les usages, Mendès reprit la parole, sous les injures des députés M.R.P. : « La Constitution est violée, c'est du fascisme ! » criait l'un. « La tribune n'est pas faite pour la propagande personnelle ! » hurlait un autre. Et François de Menthon, plus courtois, déclara close la séance. L'irréparable était commis. Sept mois d'un grand gouvernement s'achevaient. Depuis décembre, j'avais quitté le cabinet sans abandonner le ministère de la France d'outre-mer : en tant que directeur des Affaires économiques et du Plan, je poursuivais la même action.

Plus jamais je ne devais retrouver, pour y travailler, l'univers politique. D'ailleurs, l'idée d'y faire carrière ne m'avait pas effleuré, pour de nombreuses raisons.

D'abord, mes amis me jugeaient peu doué pour la politique active. Ensuite, à la différence des vrais politiques qui trouvent dans ces rendez-vous réguliers sur le terrain l'occasion de se ressourcer, je me voyais mal revenir chaque fin de semaine dans une circonscription pour y serrer des mains ou boire des vins d'honneur au lieu de courir les théâtres, les cinémas, les galeries. Mon nom également était un obstacle : Moussa ne fleure pas le vrai terroir ; on n'aurait pas manqué de me rappeler mes origines. Et surtout peut-être, je ne trouvais aucun parti qui exprimât une conception du monde assez voisine de la mienne pour qu'il me fût possible d'y adhérer. J'avais rédigé quelques notes pour le M.R.P., mais, malgré l'estime morale, et souvent intellectuelle, que je porte aux démocrates-chrétiens, je ne me suis jamais senti totalement à l'aise — et encore moins chez moi — en milieu M.R.P., non plus qu'en milieu radical ou en milieu gaulliste.

Au fond, mon seul vrai moment d'adhésion dura moins de trois mois : de juin à août 1954, jusqu'à la fin de la C.E.D. ; j'adhérais sans réticence au mendésisme, un mendésisme auquel les M.R.P. de progrès pouvaient apporter une conviction européenne, à mes yeux essentielle. Durant ces quelques semaines, j'aurai connu cette ivresse, le plein bonheur politique, voire historique. Ensuite, je continuai en Afrique une tâche qui me paraissait être dans l'esprit défini par Mendès et Buron. Mais, pour le reste, le ressort était cassé. L'affaire de la C.E.D. avait coupé en deux la famille politique qui était la mienne.

IV

AFRIQUE

Six mois de direction du cabinet, plus de quatre ans de direction des Affaires économiques et du Plan : j'ai passé cinq ans, de 1954 à 1959, au service de la France d'outre-mer, rue Oudinot. La compétence de ce ministère s'étendait alors sur les huit territoires d'Afrique-Occidentale française, les quatre d'Afrique-Equatoriale française, le Togo, le Cameroun, Madagascar, les Comores, la Côte des Somalis — ainsi que sur nos territoires du Pacifique et sur Saint-Pierre-et-Miquelon.

L'Indochine nous avait quittés. La Tunisie marchait à grands pas vers l'indépendance, suivie de près par le Maroc. La rébellion algérienne s'amorça dès 1954. Les T.O.M. de la rue Oudinot représentaient donc, dans la seconde partie de la décennie des années cinquante, tout ce qui subsistait de solide dans notre « empire », mais il fallait être bien candide pour penser que cet ensemble pouvait demeurer en l'état ; déjà, le mouvement vers l'indépendance était amorcé pour les territoires britanniques d'Afrique noire. Un certain nombre d'hommes politiques — comme Buron, et d'autres — et une partie de l'opinion voyaient clair, mais que d'obstacles ! Obstacles fondés sur la défense d'intérêts matériels, obstacles inspirés par un patriotisme insuffisamment évolué, mais aussi

63

obstacles résultant de la recherche du mieux, ennemi — comme on le sait — du bien : sous la IVe République, les gouvernements étaient assez brefs, les ministres successifs de la France d'outre-mer étaient enclins à vouloir chacun sa réforme, son approche personnelle, et à tenir pour dépourvus d'intérêt les travaux du prédécesseur ; comme le sujet était complexe, il fallait plusieurs mois pour s'en faire une idée, des semaines pour mettre au point un projet de réforme, puis de nouveau des mois pour en discuter avec les commissions parlementaires, les élus africains, les partis, les intérêts économiques, si bien que le gouvernement avait le temps de tomber avant que la réforme eût été adoptée. A ce compte, l'opération, qui pouvait encore être faite à froid, finirait par l'être à chaud — avec tous les risques d'accident que cela pouvait comporter. La guerre d'Indochine venait de se terminer tragiquement, la guerre d'Algérie commençait ; était-il fatal que la France eût à connaître la guerre d'Afrique noire ? Cette pensée me hantait, au point que j'imaginais avec assez de précision — non sans une sorte de perversité — comment elle débuterait. Je me disais qu'elle se déclencherait sans doute sous la forme non d'une rébellion contre Paris, mais d'une explosion contre Dakar, la toute-puissante capitale fédérale de l'A.O.F. dont certains territoires supportaient mal le joug. A la suite de quelque décision abusivement centralisatrice ou de quelque gaffe, il y aurait de graves manifestations à Bamako ou à Abidjan, on enverrait quelques bataillons, et la pompe serait amorcée. On irait de violence en répression, et de répression en violence, jusqu'à la culbute finale. Pour la troisième fois. Je considère que cela — ou quelque chose dans ce goût-là — avait des chances si élevées de se produire que la France et l'Afrique n'y ont échappé que par miracle.

C'est ce que j'ai souvent appelé, depuis vingt-cinq ans, la théorie du triple double six. Un grave événement va se produire ; pour l'arrêter, il faudrait que, jetant trois fois les dés, vous fassiez trois fois de suite un double six. La probabilité d'éviter le malheur est très, très faible. Or, c'est ce qui nous est arrivé ! Le premier double six a été la réconciliation de Houphouët avec la France en 1952, j'en ai déjà parlé ; après coup, tout le monde a dit que c'était facile, ma connaissance de la rue Oudinot me permet de dire que ça ne l'était pas. Le deuxième double six a été la loi-cadre de 1956 que Gaston Defferre, en charge de la France d'outre-mer dans le ministère Guy Mollet, conçut, mit au point, imposa au gouvernement et fit voter par le Parlement dans un temps record. Le troisième a été la création de la Communauté en 1958, ainsi que l'indépendance imposée à la Guinée comme sanction, par quoi le mot même d'indépendance a été désensorcelé. — Mitterrand, Defferre, de Gaulle : la guerre d'Afrique noire n'aura pas lieu.

Ce que j'évoque ici, c'est le temps du deuxième double six. L'action de Defferre, je l'ai vue de très près — bien que je ne fusse personnellement chargé que des aspects économiques. J'ai admiré sans réserve la façon dont il s'y est pris, avec l'aide de son directeur de cabinet, Pierre Messmer, qui était à mes yeux le plus solide et le plus sûr des gouverneurs de la rue Oudinot. Quelques semaines pour recevoir, pour écouter. Puis ils arrêtent vite leur doctrine et rédigent le projet. Ce projet donnait aux populations des territoires des responsabilités nouvelles : les assemblées locales seraient élues au collège unique, elles désigneraient des exécutifs locaux, dits conseils de gouvernement, qui auraient de réels pouvoirs de décision... : les principales revendications des leaders africains étaient prises en compte. Defferre se fait sourd à toute critique, ce qui est nécessaire, car modifier, négocier, compromettre, hésiter cût fait perdre un temps précieux. Il fonce, le gouvernement approuve (quand il est tenté de ne pas approuver, Defferre dit qu'il va démissionner, et Guy Mollet sait que ce diable d'homme, à la différence de tant d'autres quand ils brandissent une telle menace, va le faire), le Parlement vote ; même les textes d'application seront pris avant la chute de ce ministère, d'une exceptionnelle longévité, il est vrai... Bravo !

Rue Oudinot, la majorité des agents devinaient qu'ils vivaient les derniers temps de l' « empire », que, par voie de conséquence, leur ministère disparaîtrait un jour prochain, faute de terres à administrer. La France n'aurait plus d'outre-mer. Un monde s'effondrait... Mais à la direction économique du ministère, du moins chez moi et chez les plus dynamiques de mes collaborateurs, l'heure n'était pas à la nostalgie. Notre action nous apparaissait comme le complément indispensable des réformes institutionnelles voulues par le gouvernement. Même si des efforts assez considérables avaient été faits dans le domaine des infrastructures, l'Afrique avait encore besoin de beaucoup de routes intérieures, de ponts, de barrages, et aussi d'investissements privés. Les sociétés métropolitaines, exportatrices de produits finis, avaient trop souvent usé de leur influence pour freiner l'installation outre-mer d'industries concurrentes. Résultat : une économie de négoce plus que de production, une économie de rente (produits agricoles ou miniers) plus que de transformation, une économie sans ressorts, sans tissu d'entreprises, soumise à tous les aléas du climat et des Bourses de matières premières.

Notre tâche, accélérer (ou, dans certains cas, faire démarrer) le processus de développement, nous exaltait. L'association que nous avions manquée avec l'Indochine, nous allions la réussir avec l'Afrique. Et la France, peu à peu, s'intéressait à l'espace situé au sud du Sahara. L'univers noir redevenait à la mode. Vaincus par les Vietnamiens, déçus par le Maghreb, les Français regardaient les Africains avec reconnaissance : eux au moins n'avaient pas trahi, ils restaient dans la famille. Je me suis identifié à cet élan de sympathie. Durant ces presque cinq années, je me sentais « Monsieur Afrique » (comme on dirait aujourd'hui). Et, de fait, j'étais celui qui disposait des fonds et du contrôle de quelques manettes.

Notre principal moyen d'action était le Fonds d'Investissement pour le Développement Economique et Social, le F.I.D.E.S. A son comité siégeaient, outre des fonctionnaires, des parlementaires blancs et noirs, et les discussions sur les projets étaient fort animées. L'autre outil financier était la Caisse Centrale de la France d'outre-mer (qui s'appelle aujourd'hui Caisse Centrale de Coopération Economique) ; elle accordait des prêts bonifiés. André Postel-Vinay la dirigeait, acharné, lucide et cependant enthousiaste, passionnément dévoué au bien commun. Jamais je n'ai rencontré personne plus désintéressée.

Et lorsque je quittais mon bureau, je traitais encore du tiers monde : cours d'économie du développement à l'E.N.A., cours sur le tiers monde aux Sciences Po, innombrables articles et conférences, rédaction de deux livres : *Les Chances économiques de la Communauté franco-africaine* et *Les Nations prolétaires*. Ce travail d'information et de pédagogie me prenait chaque semaine beaucoup d'heures, dans un emploi du temps par ailleurs fort chargé. Mais il me permettait de classer mes idées, de prendre le recul que, parfois, l'action quotidienne empêche.

J'aimais voir de mes yeux les problèmes de l'Afrique. Deux, trois fois par an, je m'y rendais, souvent aux frais du budget du haut commissaire concerné, car mon budget à moi, considérable pour les investissements, était extrêmement étriqué pour les frais de fonctionnement. J'ai visité tous les territoires d'Afrique noire pendant cette période, au moins une fois et, pour les plus importants d'entre eux, trois ou quatre fois.

Ma première visite, peu après ma nomination, fut pour les quatre territoires d'A.E.F. où m'avait promptement convié le gouverneur général Chauvet. Après un tiers de siècle, je m'en souviens assez bien. Spectacle grandiose de l'abattage d'un okoumé géant au cœur de la forêt gabonaise : d'abord l'okoumé « parle » (craque), puis il « part » (vacille) et s'effondre dans un fracas épouvantable, entraînant dans sa chute quatre ou cinq arbres qu'en France nous trouverions immenses... Petit port de Pointe-Noire, au Congo, d'où remonte le chemin de fer jusqu'à la capitale. Dimanche des Rameaux à Brazzaville, grand-messe de huit heures à la cathédrale Sainte-Anne du Congo, les femmes ont mis leurs plus beaux atours, les couleurs éclatent ; les chants sont d'une inoubliable beauté. Puis l'Oubangui-Chari, la route du Nord, des populations de plus en plus nues, fêtes locales, cérémonie des excises à Bangui. Rites d'initiation des jeunes gens près de Fort Lamy. L'Afrique des forêts est déjà loin. Le Tchad est un monde différent qui rappelle un peu le Maghreb et sent déjà l'Orient par les costumes, la musique, les mosquées...

Après l'A.E.F., je dus sans tarder me rendre en A.O.F., sous peine d'indisposer le gouverneur général Cornut-Gentille. Je me revois, prenant la parole dans un village du Sénégal, pour exalter l'œuvre de la France ; je m'exprimais en français, bien sûr, mais, phrase après phrase, j'étais traduit en wolof, et ce texte en wolof était lui-même traduit ensuite dans une deuxième langue africaine, le sérère, je crois me rappeler. Il fallait cette double interprétation pour que tout le monde, dans ce petit village, pût comprendre mon message ; cela illustrait pour moi de manière frappante le morcellement ethnique et linguistique de l'Afrique noire. Quand j'eus fini, un vieux

Sénégalais, médaillé militaire, vint à moi et me dit (en français cette fois) : « Quand on a annoncé votre visite et que j'ai entendu votre nom, je me suis dit : est-il blanc ? est-il noir ? » (Il y a, comme on sait, beaucoup de Moussa en Afrique, principalement en pays musulman ; Moussa est la forme arabe du nom de Moïse.) « Est-il blanc ? Est-il noir ? Mais, depuis que je vous ai entendu (sa voix se fit vibrante, emphatique), je sais que vous êtes tricolore. » Je trouvai touchante cette éloquence d'un autre temps.

Les gouverneurs et gouverneurs généraux m'écrivaient : Yvon Bourges de Haute-Volta, Jean Ramadier du Niger, André Soucadaux de Madagascar, Paul Chauvet de Brazzaville, Bernard Cornut-Gentille de Dakar... Ils me donnaient les dernières nouvelles, me soumettaient leurs problèmes, de toutes tailles, de toutes sortes, la nécessité d'africaniser les postes de responsabilité, l'aide aux missions protestantes ou la réforme du statut du fermage, l'installation de Péchiney en Guinée ou les mesures à prendre pour faciliter l'exportation du raphia malgache vers la Hongrie... Du matin jusqu'au soir, il fallait trancher des conflits : c'était le S.E.I.T.A. qui protestait contre l'importation d'allumettes russes par la Côte-d'Ivoire, la société néo-calédonienne Le Nickel qui dénonçait l'attitude d'E.D.F., Air France qui craignait que nous ne favorisions l'implantation en Afrique de petites sociétés d'aviation vietnamiennes chassées du Tonkin, Bull qui nous demandait d'interdire aux administrations de Tananarive de se fournir en machines à écrire I.B.M...

De cette période, je garde certaines fiertés, l'agréable sentiment, lorsque je retourne aujourd'hui dans tel ou tel de ces pays, de me dire : cette réalisation, ou cette institution, qui dure toujours, date du temps où j'étais rue Oudinot.

Ainsi en est-il des caisses de stabilisation, que nous

avons imaginées un peu sur le modèle des *marketing boards* des territoires et ex-territoires britanniques, mais avec une formule plus souple. Ces caisses permettent aux économies de supporter plus aisément les à-coups du marché. Lorsque les cours sont hauts, durant les années de vaches grasses, on alimente un fonds dans lequel on pourra puiser lorsque ces cours auront plus ou moins fortement baissé. Le système n'est pas une panacée et ne résiste pas lorsqu'une baisse est trop longue ou trop profonde. Mais il atténue les secousses conjoncturelles pour le paysan africain et assure au territoire le minimum de stabilité sans lequel aucune politique n'est possible : comment développer sans prévoir le montant minimal de financement dont on pourra disposer ? Dans la plupart de ces pays, l'exportation d'une ou deux matières premières représentait la moitié des recettes extérieures et des ressources fiscales. La chute d'un cours entraînait l'affaissement de l'économie entière, secteurs public et privé touchés ensemble par la crise.

À l'instar des « sociétés de développement régional » qui venaient de voir le jour en France, et par quoi l'investissement dans les régions était favorisé grâce à divers avantages fiscaux et financiers, j'imaginai de rédiger un décret permettant la création de « sociétés financières pour le développement des territoires d'outre-mer ». Dans ce cadre fut notamment créée Cofimer, résultant d'une alliance entre Paribas et Rothschild. Jacques de Fouchier fut appelé à sa présidence et c'est à cette occasion que lui, alors président de la Compagnie Bancaire, et moi-même avons, pour la première fois, travaillé ensemble. Cofimer a beaucoup investi, et très utilement, dans beaucoup de pays d'outre-mer. Douze années plus tard, peu après mon arrivée à Paribas, Fouchier devait me céder sa place à la tête de Cofimer : par les hasards de la petite histoire, je me retrouvai alors en charge de l'institution dont j'avais permis la naissance.

Nous étions bien conscients que les actions les plus bénéfiques pour la population étaient celles qui se situaient au niveau de l'économie rurale : amélioration des rendements par la recherche génétique, barrages d'irrigation, assistance technique pour faciliter l'emploi des engrais, des machines, des méthodes les plus efficientes, caisses de stabilisation. Mais nous étions tout de même fascinés par le rôle que l'Afrique pouvait jouer dans l'expansion industrielle mondiale, et notamment par les grands projets de mise en exploitation des phosphates au Sénégal et au Togo, du fer et du cuivre en Mauritanie, du manganèse et du fer au Gabon, de la bauxite en Guinée... Quelques-uns de ces projets ont été abandonnés, mais la plupart ont vu le jour, au prix d'infinies négociations avec les territoires, avec les industriels et les investisseurs, avec les politiques, avec les divers ministères français.

La matière première dont l'Afrique noire était le plus richement dotée, c'était sans doute l'hydroélectricité. J'ai retrouvé le cours que je professais à l'E.N.A. en 1956. Ma certitude était absolue : « La plus grande chance de l'industrialisation intégrée des pays d'outre-mer, c'est l'électricité... Et qui dit hydroélectricité dit Afrique. Il suffit de regarder une carte du monde pour voir que l'Afrique présente une superficie terrestre massive dans la zone des pluies abondantes, entre le 10e parallèle nord et le 15e parallèle sud. Il est donc inscrit dans la géographie que l'Afrique comporte de grandes possibilités hydroélectriques à bon marché. » Or, l'électricité avait cette propriété essentielle, pour un pays dominé et facilement pillé : ne pas supporter le transport. « C'est la seule matière première que même les plus passionnés partisans du Pacte colonial ne pourraient songer à rapporter en Europe sous forme brute. » Exploiter le potentiel hydroélectrique de l'Afrique, c'était, *ipso facto*, implanter en Afrique de grandes industries modernes. Nous avions deux projets

71

favoris : le barrage du Konkouré, en Guinée, et celui du Kouilou, au Moyen-Congo, pouvant produire respectivement 6,5 et 8 milliards de kilowatts-heure par an. C'était, de toute évidence, un de trop. Le Kouilou était techniquement le plus satisfaisant, mais le Konkouré était près de la bauxite : un formidable complexe bauxite-alumine-aluminium pouvait y voir le jour. Les Belges, eux, prônaient le barrage d'Inga, au Congo belge (aujourd'hui Zaïre), auprès duquel les deux autres semblaient des jouets d'enfants. Finalement, aucun de ces barrages ne fut construit, principalement parce que l'économie mondiale perdit son alacrité, et aussi parce que les évolutions politiques firent peur.

25 mars 1957 : traité de Rome, naissance du Marché Commun européen. Or, la France appartenait déjà à un autre marché commun : l'ensemble France-Afrique ; libre circulation des hommes et des marchandises, tarif extérieur, politiques sectorielles, monnaie unique, le marché commun France-Afrique allait, à beaucoup d'égards, plus loin que celui qu'on créait en Europe. Comme il n'était pas question pour la France d'abandonner l'Afrique, il fallait concilier ces deux appartenances, il fallait que l'Europe accueille l'Afrique. Nos partenaires européens n'étaient pas enthousiastes ; ils n'avaient pas, avec ce continent, les même liens historiques que la France ; pour être franc, leurs souvenirs africains étaient mauvais (rappelons-nous l'aventure italienne en Ethiopie, la perte par l'Allemagne du Cameroun et du Togo...). Ils n'avaient aucune envie de privilégier cette partie de la planète (développons plutôt, répétaient-ils, les relations de l'Europe avec l'Amérique latine ou l'Asie). Ils renâclaient fort devant l'idée de participer à l'effort français d'aide au développement.

Du côté français, on se mit en quatre pour vaincre cette résistance de nos partenaires. Je crois que mon équipe et moi y avons vraiment bien travaillé. Defferre joua, là encore, un rôle décisif, bulldozer comme il l'était toujours dès qu'il était convaincu, terrorisant Guy Mollet. Maurice Faure, alors secrétaire d'Etat aux Affaires étrangères, est le plus grand négociateur que j'aie jamais vu ; avant les réunions avec nos partenaires, il me mettait à la question, démolissait mes arguments, haussait les épaules : « Comment voulez-vous que je leur fasse avaler ça ? » — j'avais l'impression que tout était perdu, et puis on entrait en séance, il prenait la parole, j'entendais mes arguments ressortir et caracoler, étincelants, l'adversaire chancelait, on concluait, c'était gagné !

Le traité de Rome a été conforme à nos vœux. Il associait explicitement à la construction européenne les pays et territoires d'outre-mer « entretenant avec la Belgique, la France, l'Italie et les Pays-Bas des relations particulières ». De fait, le Marché Commun leur était étendu ; leurs produits — sous réserve de certaines limitations quantitatives — seraient accueillis dans l'Europe des Six sans acquitter de droits de douane. En outre, le principe d'une aide communautaire avait été finalement accepté : « Les Etats membres contribuent aux investissements que demande le développement progressif de ces pays et territoires. » Cet article s'est rapidement concrétisé : création d'un Fonds Européen du Développement, enveloppe quinquennale de crédits dont le montant dépasse aujourd'hui six milliards de dollars.

Ainsi, l'Afrique était rattachée à l'Europe. Il lui restait à se détacher de l'administration coloniale française ; il fallait établir des rapports de maturité avec nos anciennes colonies. Quand de Gaulle eut, par référendum, obtenu l'assentiment de tous les territoires (sauf la Guinée de Sekou Touré) à la Communauté, qui était un acheminement vers l'indépendance et la coopération (1958), le ministère de la France d'outre-mer disparut. Je suggérai qu'une nouvelle direction fût créée rue de Rivoli, chargée de gérer les aides publiques françaises aux économies du tiers monde, notamment — mais non exclusivement — aux anciens territoires. Antoine Pinay, ministre des Finances, y était favorable ; je dois avouer qu'il ne me déplaisait pas de revenir à mon ministère d'origine, avec une belle responsabilité qui eût symbolisé la modernisation des rapports France-Afrique.

Cette thèse ne fut pas retenue. Un nouveau ministère, dit de la Coopération, remplaça l'ancien et lui ressembla beaucoup. On m'offrit d'y devenir directeur des Affaires économiques. Je dis non. Je négociai avec François Bloch-Laîné, directeur général de la Caisse des Dépôts, le rattachement d'une partie de mon équipe à la S.E.D.E.S., bureau d'études économiques en voie de formation, qui se trouva ainsi avoir une division compétente pour la préparation des projets de développement dans le tiers monde.

Personnellement, j'étais disponible. Buron, ministre des Travaux publics et des Transports, m'offrit alors le poste de directeur des Transports aériens : « Je vous promets que cela vous amusera trois ans. » C'est en effet ce qui arriva. J'y reviendrai.

Au bout de trois ans, le continent noir me rappela. Janvier 1962 : pour répondre aux besoins des dizaines de nations nouvellement indépendantes, le président de la Banque Mondiale, Eugene Black, ouvrit une direction d'Afrique et en offrit la responsabilité à un Français. Mais il avait fait son enquête et voulait soit Jean-Maxime Lévêque, soit Pierre Moussa. Si nous refusions l'un et l'autre, le poste irait sans doute à un autre pays. C'est ce que m'expliquait une lettre de mon ami René Larre, représentant français auprès de la Banque Mondiale, trouvée à Paris à mon retour d'une négociation à Tokyo. (Les Larre ont souvent été présents lors des infléchissements de la vie des Moussa ; ils nous ont attirés et accueillis à Washington en 1962, comme quinze ans plus tard à Roquebrune-Cap-Martin, où nous avons les uns et les autres un appartement et où nous nous retrouvons plusieurs fois par an...)

Lévêque et moi nous concertâmes et décidâmes ensemble que j'irais. Annie, ma femme, était d'accord, bien qu'il lui en coûtât : elle quitta, pour m'accompagner, la direction des Relations économiques extérieures où elle avait une responsabilité fort intéressante. (Elle devait y revenir trois ans plus tard, lors de notre retour en France). Tous deux, nous laissions notre cher Paris, la famille, les amis, les théâtres. Et pour moi, travailler en anglais, quelle épreuve ! J'avais souvent dialogué dans cette langue. Mais devoir rédiger en anglais la moindre note ! Participer à de vastes discussions en anglais, autour d'une table trop grande pour qu'on entende bien, sans que personne fasse l'effort d'articuler un peu ! Quelqu'un parle : tiens, je ne suis pas d'accord. Par quels mots vais-je attaquer ? Attention, le temps que je cherche ces mots, quelqu'un d'autre a pris la parole. Il ne s'agirait pas que je repète ce qui est en train de se dire. Tout en écoutant d'une oreille, je tâche de mettre au point mon intervention. Pourvu que le débat ne s'emballe pas ! Etc.

Il n'importe. Annie et moi aimions les Etats-Unis, nous les parcourions en tout sens pendant les week-ends, pendant les vacances, fiers d'avoir visité plus d'Etats que n'importe lequel des Américains que nous fréquentions. Nous aimions cette immensité, cette jeunesse. Assez étrangement, les Etats-Unis m'apparaissaient comme un mélange d'Europe et d'Afrique. Par les couleurs de peau, par la diversité des climats, par cette impression de vastitude et d'aventure, comme si l'Amérique était pour elle-même son propre empire colonial. Et les soirs d'été, dans cette chaleur de serre, avant que l'orage n'éclate, il

75

fallait faire effort pour se croire à Georgetown* et non quelque part au bord d'un marais, dans l'une des villes qui longent le golfe de Guinée. Washington, où les Noirs sont plus nombreux que les Blancs, me semblait la première escale de mon retour vers l'Afrique.

L'Afrique qui m'attendait n'était plus celle de la rue Oudinot. Il s'agissait, cette fois, du continent tout entier (sauf l'Egypte, qui demeurait rattachée au département Moyen-Orient). Une quarantaine d'États dont aucun, sauf l'Ethiopie et le Libéria, n'avait plus de six ou sept ans d'âge. Des frontières souvent arbitraires. Des solidarités tribales plus fortes que le sentiment national.

Je rendis visite, une ou plusieurs fois, à chacun de ces pays. Je retrouvai, avec leur nouvelle dignité d'Etats, les anciens territoires français, heureux de constater que la colonisation avait tissé des liens étroits que la décolonisation n'avait ni coupés ni distendus. Je revis avec joie Senghor et Houphouët. Sekou Touré m'accueillit avec de grands honneurs et de grandes démonstrations d'amitié, il me chargea de transmettre son chaleureux souvenir à Jean Ramadier, qui avait été gouverneur de la Guinée et avec qui il avait eu des démêlés épiques que Sekou me racontait en riant et en ajoutant : « Oh ! nous nous sommes bien amusés ! »

Je fis la connaissance de Hassan II, avec qui j'ai gardé depuis lors des relations de très grande qualité. Je retrouvai au faîte du pouvoir Bourguiba, que j'avais rencontré à Paris juste quand il sortait de nos geôles. Je me liai d'une vraie amitié avec Mohammed Khemisti, jeune ministre des Affaires étrangères d'Algérie, que je vis souvent et dont l'assassinat en avril 1963 m'émut vivement. Au Tanganyika (qui, depuis l'annexion de l'île de Zanzibar, s'appelle Tanzanie), je fus ébloui par l'intelli-

*. Quartier de Washington où nous habitions.

gence, la culture, la profondeur de Nyerere. J'étais, dans la plupart des cas, reçu par les chefs d'Etat. Un seul, tout en me recevant, me manifesta une froideur qui reflétait, je pense, son hostilité à la Banque Mondiale, agent de l'impérialisme américain : Milton Obote, en Ouganda. A Addis-Abeba, je vis les membres du gouvernement, mais non l'empereur. Je visitai ce vieux pays avec grande curiosité. Un jour, je suis abordé par un jeune Ethiopien assez dégourdi, il parle français, nous bavardons. Il me dit qu'il veut entrer dans les ordres. Puis il s'enquiert de ma propre activité, que j'essaie de lui décrire de manière intelligible. Il me demande à la fin si je n'aurais pas un emploi pour lui. « Je croyais que vous vous destiniez à devenir prêtre ? — Je pense finalement que banquier, c'est mieux ! »

La majorité des projets que soutenait la Banque concernaient l'infrastructure de base qui, partout, manquait cruellement. En 1964, nous avions déjà déboursé pour l'Afrique plus d'un milliard de dollars, dont 55 % pour les transports et 20 % pour l'énergie. Peu à peu, des routes s'ouvraient, des ponts étaient lancés, des ports se creusaient, des barrages s'élevaient.

Dès qu'il s'agissait d'investir dans les secteurs directement productifs, agriculture ou industrie, la doctrine de la Banque voulait que le capital des sociétés à créer fût en majorité privé. Cette doctrine était sage : par nature, une entreprise privée résiste mieux aux gaspillages; par nature, l'Etat a des raisons que la raison financière ne connaît pas. Je faisais donc de mon mieux pour réduire le rôle des Etats et de leurs fonctionnaires dans la gestion des opérations que nous soutenions. Cependant, j'avais quelquefois à me faire, vis-à-vis de la Banque, l'avocat des pays africains qui ne manquaient pas d'observer que le capital privé étant souvent défaillant, le capital public était une solution de secours, et que le capital privé étant dans la plupart des cas entièrement d'origine étrangère, le recours partiel au capital public était le seul moyen de donner aux projets de développement un caractère au moins partiellement national. Habituée aux économies beaucoup plus évoluées de l'Amérique latine, du sous-continent indien et du Sud-Est asiatique, la Banque avait parfois du mal à s'adapter aux besoins de l'Afrique. Je me considérais comme investi de la mission d'assurer cette adaptation.

J'essayais aussi de convaincre les Etats africains de bâtir des associations économiques régionales, des marchés communs. Tant qu'il s'agissait de paroles, l'unanimité se faisait. Mais quand je cherchais à persuader la Tunisie, l'Algérie et le Maroc de n'envisager, pour le moment, qu'un seul complexe sidérurgique, chacun n'approuvait l'idée qu'à la condition que ce complexe fût installé chez lui. Dans la Fédération est-africaine (Tanganyika, Kenya, Ouganda), les difficultés étaient du même ordre.

Avec les fonds de la Banque, et ceux de l'I.D.A. (International Development Association) que nous gérions aussi et qui avaient l'avantage de comporter des taux extrêmement bas, les capitaux ne manquaient pas. Le goulot d'étranglement était plutôt au niveau des projets. Rares étaient les dossiers africains bien présentés, complets, indiquant précisément les perspectives de rentabilité. Dans ce domaine, le retard de l'Afrique par rapport aux autres parties du tiers monde était patent. Ma direction jouait donc un rôle croissant d'assistance, aidant les ministres ou les entrepreneurs tout au long du processus d'élaboration. Participation fort instructive, qui nous faisait mieux comprendre la réalité des contraintes pesant sur ces pays, et l'immensité de leurs besoins.

Ma tâche était exaltante. Pourquoi, après trois ans, l'ai-je abandonnée ? Je n'avais pas envie de m'expatrier durablement, je voulais faire carrière en France. Je recevais des propositions très intéressantes : la direction générale d'Air France, la présidence de la Fédération des assurances. Mais une autre raison, fort importante, avait trait au rythme de l'action que l'on mène, à son efficacité. Dans les cabinets, ou dans ma direction rue Oudinot, l'impatient que je suis avait souffert des lenteurs de l'administration. Le moindre projet devait suivre un véritable parcours du combattant (comités, commissions, contrôles financiers, lobbying, travail avec le Parlement, décrets d'application) avant de voir le jour. Seuls le poids politique et l'énergie d'un Defferre permettaient, de temps à autre, de brûler les étapes.

Dans les institutions internationales, cette grossesse des idées était vraiment interminable, pachydermique. Les explications de cette pesanteur ne manquaient pas : ampleur des opérations, diversité des métiers concernés, difficulté d'obtenir des données fiables, obligation du consensus entre une multitude de pays... S'y ajoutait le soin méticuleux apporté aux études, louable souci de sérieux, mais poussé parfois jusqu'à la caricature. Chaque projet était accompagné d'une analyse de l'environnement économique ; cette analyse devait être parfaitement satisfaisante pour l'esprit, et si un chiffre paraissait douteux, même si cela n'avait absolument aucune incidence pour la justification du projet, on échangeait avec le pays en question de longues lettres pour procéder à une rectification qui retardait le processus de quelques semaines. Je bouillais.

Après vingt ans de service public, je me disais de plus en plus souvent : « Et si je m'occupais de plus petites choses, mais dans un monde où une idée lancée au mois de janvier pourrait se réaliser avant Pâques ? » J'avais participé à des aventures géantes : le développement du tiers monde, l'émergence de l'Afrique. Maintenant, je voulais du concret, du rapide, voir de mes yeux les projets se réaliser, même si le prix à payer pour cette impatience était la réduction de l'échelle.

En un mot, j'étais mûr pour le secteur privé.

V

SUD

De 1954 à 1964, la majeure partie de mon temps a été consacrée au tiers monde et notamment à l'Afrique. En revanche, de mon départ de la Banque Mondiale (fin 1964) à aujourd'hui, je n'ai plus jamais eu pour fonction principale de m'occuper des pays sous-développés. Mais toujours, depuis lors, une partie substantielle de mon activité a été consacrée à leurs problèmes. Dès mon retour en France, je publiai un essai sur les rapports des Etats-Unis et des pays du Sud, *Les Etats-Unis et les Nations prolétaires* (qui, contrairement à mes *Nations prolétaires* quelques années plus tôt, connut un succès assez modeste). Jusqu'en 1970, j'ai continué à professer un cours sur le tiers monde à l'Institut d'Études politiques de Paris. Mais surtout j'ai eu, au fil des années, diverses occasions de me pencher sur les problèmes concrets de tel ou tel pays sous-développé.

Au moment où je revins en France, au sortir de la Banque Mondiale, la Guinée regorgeait de promesses. A Fria, la construction d'un grand projet élaboré sous l'égide de Péchiney était terminée : la production de bauxite et sa transformation sur place en alumine démarraient. J'avais été étroitement mêlé aux diverses étapes du développement de cet ambitieux complexe ; Raoul de Vitry, prési-

81

dent de Péchiney, me demanda en 1965 d'en devenir administrateur. Plus prometteur encore, à certains égards, était le projet de Boké : il y avait là un gisement de plus de deux milliards de tonnes de bauxite, dont plus d'un milliard d'excellente qualité. Une proposition avait été faite à la Guinée pour sa mise en exploitation par un groupe américain qui avait abusé de l'inexpérience des dirigeants du pays (et sans doute tiré parti de la vénalité de certains de ceux-ci) pour esquisser un plan de financement extrêmement défavorable à la Guinée. Dans une longue lettre écrite à titre personnel au début de 1965, j'essayai de démontrer à Sekou Touré qu'il avait intérêt à se montrer plus vigilant, à demander à la Banque Mondiale de lui fournir le nom d'un conseiller sérieux, à recourir aux services d'une firme d'avocats expérimentés, etc. J'envoyai copie de ma lettre à l'ambassadeur de Guinée à Washington. Quelques jours plus tard, mon texte était entre les mains du groupe américain en question, qui, fulminant, réussit à obtenir de l'administration américaine une démarche contre moi auprès de la Banque Mondiale que je venais de quitter. J'étais accusé d'intrigue anti-américaine, de sabotage des intérêts industriels des Etats-Unis. Je n'eus, bien sûr, aucune peine à me justifier, mais cette mésaventure me défrisa quelque peu. Je commençai à discerner certains aspects, jusqu'ici mal perçus par mon innocence, du gouvernement de Sekou Touré. Dans les années qui suivirent, le projet de Boké fut mis au point avec l'aide de la Banque Mondiale et grâce à un large tour de table international ; il fut réalisé et est aujourd'hui une source importante de revenus pour la Guinée.

Au mois de juin 1965, je fus approché par un dynamique jeune membre du gouvernement iranien. De la part du Premier ministre Hoveyda, il me demandait de venir porter un jugement sur l'économie de son pays. Je soulignai ma faible expérience macro-économique, mais on affecta de ne pas me croire et je finis par accepter le principe de cette mission. Je proposai d'arriver à Téhéran à la mi-juillet. Avec une flatteuse mais un peu importune insistance, on me conjura de m'y rendre plus tôt. Ma visite était attendue, selon toute apparence, avec une fébrile impatience. J'eus de la peine à faire admettre que j'avais d'autres devoirs (j'avais pris des fonctions, dont je reparlerai, à la Fédération française des sociétés d'assurances, et j'étais fort occupé). Finalement, j'arrivai à Téhéran quelques jours avant la date que j'avais initialement proposée. A ma stupeur, je commençai par perdre quatre jours sans rien faire, parce qu'aucun des contacts qu'on devait me ménager n'avait été organisé, et qu'aucun document n'avait été préparé à mon intention. Ensuite, mon travail put s'effectuer normalement ; j'eus l'impression que mes recommandations déçurent par leur orthodoxie, jugée excessive (avait-on compté sur moi pour fournir une couverture intellectuelle à une politique financière laxiste ?) mais le Premier ministre Hoveyda m'offrit un fort beau tapis et, pour finir, je visitai avec ravissement Persépolis, Shiraz et Ispahan. Il n'empêche, c'est au cours de cette mission que j'ai commencé à comprendre une vérité que j'ai peu à peu appris à tenir pour fondamentale : que l'un des symptômes et tout à la fois l'une des causes du sous-développement — plus que la pénurie de capitaux, plus même peut-être que l'insuffisante formation des hommes — est l'absence de sens du temps, l'incapacité à gérer le temps, à respecter le temps des autres, à évaluer et à tenir un délai, à se conformer à un horaire.

Quand j'entrai à Paribas en 1969, Fouchier me céda la présidence de Cofimer, société spécialisée dans les investissements dans le tiers monde, qui avait été créée naguère dans le cadre d'un décret conçu par moi dont j'ai parlé. En 1970, j'imaginai de doubler Cofimer par une autre société qui aurait un objet voisin, mais qui, contrairement à Cofimer, ne demanderait pas le statut de « société financière pour le développement économique outre-mer » (la terminologie de « mon » décret avait été modernisée) et serait par conséquent plus libre de ses mouvements : ce fut la Compagnie de gestion d'investissements internationaux, Cogei, que je présidai également et dont le capital fut fourni par Cofimer, par Paribas et par quelques groupes amis. L'équipe de direction des deux sociétés reposait surtout sur Hervé Pinet, directeur général, et Louis Lacaille, directeur général adjoint — qui devaient devenir respectivement président et directeur général en 1977. Les investissements de Cofimer-Cogei furent, pour une proportion très élevée, réalisés en liaison étroite avec de grandes sociétés françaises — Péchiney, Pierrefitte-Auby, Grands Moulins de Paris, Compagnie Générale d'Electricité... — et en appui de l'expansion internationale de celles-ci. C'est ainsi que Cofimer a été actionnaire — et souvent fondatrice — de la plupart des affaires de ressources naturelles qui ont vu le jour dans les anciens territoires français : Miferma (Mines de fer de Mauritanie), Compagnie Sénégalaise des Phosphates de Taiba, Compagnie Togolaise des Mines du Bénin (phosphates), Compagnie des Mines d'Uranium de Franceville ou Comuf au Gabon, Compagnie Minière d'Andriamena ou Comina (chromite) à Madagascar, et toute la série des entreprises consacrées à l'aluminium : Fria (bauxite et fabrication d'alumine) et Boké (bauxite) en Guinée, Alucam (fabrication d'aluminium par électrolyse de l'alumine) au Cameroun, plus bon nombre de sociétés fabriquant des produits en aluminium dans différents Etats africains.

Dès le début des années 1970, nous fûmes confrontés à un mouvement de nationalisation partielle ou totale qui nous imposa de longues négociations avec une série de gouvernements d'Afrique. J'eus aussi à discuter avec le

Trésor — avec le chef de service Jean-Yves Haberer — le rachat de la créance que le Trésor avait sur Cofimer, du fait que, pendant douze ans, l'Etat lui avait versé les sommes nécessaires pour lui permettre d'assurer aux actionnaires un dividende minimum garanti de 4 % ; le succès de cette négociation donna une seconde jeunesse à notre société. Peu à peu, les opérations nouvelles de Cofimer-Cogei se diversifièrent géographiquement en direction de l'Espagne, du Portugal, du Brésil, du Mexique, des Etats-Unis, du Canada, de l'Australie, du Japon, en maintenant la double vocation du groupe : préférence (non exclusive) pour les ressources naturelles, large place aux opérations conduites en coopération avec des industriels français toutes les fois que cela se révélait possible.

Au titre de Paribas, de Cofimer et de Cogei, j'ai fait chaque année, dans les années soixante-dix et au début de la décennie suivante, de fréquents voyages en Afrique, au Moyen-Orient, dans le Sud-Est asiatique et en Amérique latine. Je me rappelle que lorsque je suis devenu président de Paribas en 1978, je tins à ce que ma première visite hors d'Europe fût en direction de Rabat, signe à la fois de mon attachement personnel au Maroc et de la vocation chérifienne de Paribas.

Lorsque j'eus quitté Paribas en 1981, je gardai le contact avec le tiers monde. Le Maroc fut l'un de mes premiers clients lors de mon redémarrage (j'ai beaucoup travaillé à la création d'une banque d'affaires au Maroc, qui, pour des raisons indépendantes de ma volonté, n'a pas vu le jour). L'équipe de Pallas-Finance — on le verra plus loin — monta une opération fort innovatrice pour la Compagnie des Caoutchoucs de Pakidié, en Côte-d'Ivoire. Pallas est aujourd'hui chargée de diverses missions au Cameroun. Sur un tout autre plan, Pallas a d'actives relations de travail avec le groupe Tata, en Inde et dans le reste du monde.

Même lorsqu'il n'est pas au premier plan de mes préoccupations professionnelles, le tiers monde demeure donc l'un des thèmes autour desquels elles s'ordonnent. Il est surtout l'un des sujets majeurs de mes réflexions. Pour une part, sûrement, à cause du tissu de relations et d'amitiés que j'ai nouées dans les pays du Sud. A cause aussi de mes origines : mon sang, par l'Egypte, vient en partie du tiers monde, ce qui crée en moi, vis-à-vis de lui, un certain sentiment de tendre fraternité. En outre, et surtout, je suis depuis longtemps convaincu que le tiers monde a sa place non pas à la périphérie, mais en plein centre de l'économie contemporaine. J'écrivais en 1959 dans *Les Nations prolétaires* :

> *On pourrait bien voir se produire, dans les rapports entre nations, ce qui s'est produit depuis un siècle dans les rapports entre les classes sociales. Pourquoi, en ce dernier domaine, les prévisions de Marx ont-elles été infirmées par les faits ? A cause du mouvement syndical, d'abord [...]. Par ailleurs, à cause de l'évolution du capitalisme que Ford a symbolisée, évolution qui repose sur cette prodigieuse découverte que les hauts salaires sont le seul moyen durable de faire marcher les affaires. Nous avons assisté depuis quelques années à l'apparition d'une sorte de syndicalisme des nations pauvres. C'est l'esprit de Bandoeng. Mais, d'autre part, les pays industrialisés n'ont pas encore compris qu'il y a aussi un fordisme possible des relations internationales...*

Quand j'écrivis ces lignes, cette idée était l'un de mes phares depuis plusieurs années déjà. Je m'étais à diverses reprises entretenu de ce sujet avec un personnage fascinant, Alexandre Kojève, qui, au début des années cinquante, était mon collègue à la direction des Relations économiques extérieures, où il avait pour adjointe celle qui est plus tard devenue ma femme. Russe, il avait vécu plusieurs années en Allemagne, puis s'était installé en France. Sa vocation principale était d'être philosophe, dans la tradition hégélienne. Mais il était aussi un créateur d'idées originales concernant la société de notre temps, et les grands responsables français des problèmes de l'économie internationale, Robert Marjolin, Olivier Wormser, Guillaume Guindey, Bernard Clappier, attachaient une importance majeure à ses avis. Sur le tiers monde, il prononça en 1957 à Düsseldorf une époustouflante conférence, « Le Colonialisme dans une perspective européenne », qui évoquait l'animation des nations industrielles par le développement du tiers monde.

Or, cette politique de « fordisme international » s'est trouvée mise en œuvre par l'Occident quelques années plus tard sans qu'il se rendît bien compte de ce qu'il faisait. Voici comment. Lors du premier choc pétrolier, en 1973, le monde venait de connaître presque trente ans de prospérité et de croissance rapide — les « Trente Glorieuses » de Jean Fourastié. L'alacrité créatrice de cette période était due à la conjonction (*a priori* hautement improbable) de cinq facteurs : des continents à reconstruire ; une nation dominant toutes les autres ; des changes stables ; une énergie très bon marché (dont le prix allait décroissant en termes réels) ; des taux d'intérêt faibles. Au fil des années, on vit la reconstruction de l'Europe et du Japon s'achever, la domination des Etats-Unis devenir moins absolue (en partie du fait de cette reconstruction) ; le 15 août 1971, en rompant les amarres qui attachaient le dollar à l'or, les Etats-Unis ouvraient la voie aux larges fluctuations cambiaires. Puis le quatrième vecteur d'alacrité, l'énergie bon marché, disparut en quelques jours, vers la fin de 1973. Pour combattre les virtualités récessionnistes que comportait la gigantesque contribution soudain imposée à tous les pays importateurs de pétrole, les nations occidentales mirent alors en œuvre des politiques domestiques de relance. Et, à l'échelle internationale, l'homologue de la relance fut le recyclage.

La première forme de recyclage — qui séduisit beaucoup d'économistes et de politiques, principalement en Occident, au lendemain du boom pétrolier de 1973 — ne réussit pas à s'incarner. Elle consistait à inviter les nouvelles nations riches à donner ou prêter largement au tiers monde, y rendant solvable une considérable demande de produits de consommation, et, surtout, réalisable un vaste ensemble de projets d'équipement. D'immenses débouchés eussent ainsi été créés pour les industries des vieilles nations riches. Cette merveilleuse triangularité ne put voir le jour, du moins sous cette forme, tout simplement parce que les nouvelles nations riches ne souhaitèrent pas prendre, sur le tiers monde, des risques qui leur parurent démesurés. Seuls quelques pays sous-développés, en général musulmans, bénéficièrent d'un afflux de capitaux — qui n'avait rien d'une avalanche — venant directement des pays de l'O.P.E.P.

Le recyclage fut cependant réalisé suivant un schéma un peu plus compliqué. Les capitaux provenant des surprix pétroliers furent déposés entre les mains des grandes banques occidentales, c'est-à-dire prêtés à celles-ci. Or, la conjoncture n'étant alors rien moins qu'expansionniste, ces banques, en quête de remplois, découvrirent avec ravissement la demande de capitaux du tiers monde et se livrèrent donc à une vive concurrence pour savoir qui réussirait à s'emparer à son profit de la plus large fraction de cette clientèle. Au début des années soixante-dix, un tiers des flux financiers en direction du tiers monde étaient des crédits bancaires. Dès la fin des années soixante-dix, cette proportion dépassait 60 %. Ainsi, les fonds d'origine pétrolière finirent bien par être prêtés au tiers monde sur une large échelle, mais par l'intermédiaire des banques d'Occident, et aux risques et périls de ces dernières.

Ces risques et périls, les banquiers eurent tendance à les sous-estimer, ce n'est pas douteux. En partie parce que la certitude du profit — immédiat — masquait à leurs yeux la possibilité d'une perte plus éloignée dans le temps. En partie aussi parce que la concurrence, qui est le plus souvent un facteur extrêmement bénéfique, a tout de même l'inconvénient, lorsqu'elle est effrénée, d'aveugler les compétiteurs et de les pousser à devancer les autres à tout prix, même sur une route qui mène à l'abîme. Mais, surtout, il faut dire que l'optimisme inscrit dans les cœurs par trente ans de prospérité et d'expansion incitait les banques à faire des actes de foi : dans l'avenir pétrolier de pays comme le Mexique, le Venezuela, le Nigeria, l'Indonésie, l'Algérie ; dans l'avenir de jeunes nations industrielles comme le Brésil, la Corée du Sud, Taiwan, Singapour ; dans l'avenir de nations contrôlant de grandes matières premières comme l'Argentine, le Chili, le Maroc, le Zaïre ou la Zambie. Ces actes de foi n'étaient pas totalement absurdes : les taux de croissance étaient encourageants (nettement supérieurs, pour le tiers monde dans son ensemble, à ceux du monde industrialisé). N'oublions pas que, dans le dernier quart de siècle, deux pays seulement, Cuba et la Corée du Nord, avaient refusé d'honorer leur dette extérieure. Avec un peu de chance, ces paris auraient pu être gagnés.

Mais c'est alors que se produisit la seconde hausse du pétrole (1979-1980), aussi violente que la première. A peu près dans le même temps, la plupart des nations industrialisées, parce qu'elles avaient, les unes après les autres, mesuré les graves inconvénients des politiques de relance, et aussi pour faire face à ce second boom pétrolier, choisirent de réduire l'inflation et les anticipations inflationnistes, de rétablir les équilibres économiques et financiers, de redonner confiance aux entreprises et aux investisseurs. D'où des politiques d'austérité. D'où, aussi, une hausse massive des taux d'intérêt (c'était le cinquième et dernier facteur d'expansion des « Trente Glorieuses » qui disparaissait à son tour).

Second boom pétrolier, freinage de l'économie mondiale par la généralisation des politiques d'austérité (se traduisant notamment par la chute du prix des matières premières), hausse massive des taux d'intérêt : c'est la conjonction de ces facteurs qui a mis un certain nombre de pays du tiers monde dans l'impossibilité de faire face à leurs engagements. En août 1982, le Mexique demande un délai pour payer les échéances de sa dette, et des négociations sont entreprises d'urgence. En novembre, le Brésil prend le relais. Puis d'autres. La dette du tiers monde est devenue depuis lors un des problèmes majeurs de l'économie mondiale. Passant d'un extrême à l'autre, les banques ne veulent plus prêter aux pays pauvres. Jointe à la faible progression des pays industriels, cette insolvabilité des emprunteurs potentiels du tiers monde engendre un excès de liquidités sur les marchés des capitaux. C'est dans cet excès de liquidités que vont puiser les Etats (ceux du moins qui conservent quelque crédit) pour financer leurs déficits ; c'est aussi cet excès de liquidités qui va nourrir l'effervescence boursière des années quatre-vingt, fournir des capitaux massifs aux privatisations, aux multiples O.P.A., etc. : beaucoup des aspects de la finance des années quatre-vingt s'expliquent, au moins en partie, par l'interruption du mouvement de capitaux vers les nations prolétaires.

Une expérience de fordisme international a donc eu lieu : de 1973 au début des années quatre-vingt, un puissant flux financier Nord-Sud a entretenu de considérables commandes d'équipement, et pendant cette période, le tiers monde a joué le rôle de pôle de croissance de l'économie mondiale, avec des taux de progression deux ou trois fois supérieurs — dans certains cas — à ceux des pays anciennement industrialisés.

Mais voici le soufflé retombé. La recette est-elle donc mauvaise ? Les effets d'animation que le financement du développement du Sud peut exercer sur le Nord sont-ils condamnés à se terminer par des drames financiers ? Je crois pour ma part que la recette reste bonne, et qu'il faudra demain l'appliquer, quand le problème de la dette du tiers monde aura été surmonté, mais en profitant de la première expérience et en évitant les erreurs qui l'ont entachée. Les flux financiers vers le Sud qui ont caractérisé la période de recyclage ont été quantitativement considérables, mais non satisfaisants qualitativement. D'abord, parce que les crédits bancaires ont été accordés d'une manière trop insouciante, souvent sans référence à un projet particulier, ou encore en vue du financement de projets dont l'intérêt était faible ou nul pour l'économie du pays sous-développé en cause — de projets dont les principales motivations étaient, pour le pays industriel concerné, de fournir du chiffre d'affaires à l'exportation, et pour le pays sous-développé importateur, de satisfaire soit l'orgueil naïf de dirigeants avides de « faire » du moderne, du grandiose, du spectaculaire, soit leur cupidité personnelle, abreuvée au passage. Les banques n'ont pas toujours lieu d'être fières des financements qu'elles ont organisés dans les dernières décennies. Demain, les crédits devront être octroyés en fonction de programmes précis, objectivement justifiés par la rentabilité escomptée. Les institutions internationales doivent être sur ce point vigilantes et ne pas hésiter à dénoncer les abus. La meilleure garantie de la justification économique des projets est la présence d'investisseurs privés dans le capital des entreprises à créer ou à agrandir (en dehors, bien entendu, des entrepreneurs et fournisseurs du projet, qui, trop souvent, considèrent leur participation dans le capital comme une partie des frais généraux de l'opération, qu'ils intègrent dans le prix de leurs travaux et fournitures et sont prêts à considérer comme perdue d'avance...).

Les flux financiers en direction du Sud devront comprendre demain moins de crédits bancaires, et plus d'investissements privés. Parce que « chat échaudé craint l'eau froide », les crédits bancaires seront sans nul doute offerts plus précautionneusement qu'hier. Cela pourrait bien conduire certains pays en voie d'industrialisation à recourir plus volontiers à l'investissement international privé en capital, orientation éminemment souhaitable. L'investisseur en capital est en effet le seul qui, dans les périodes difficiles, accepte par définition, sans qu'aucune renégociation soit nécessaire, de sacrifier le revenu, voire le principal de son investissement ; un tel élément de souplesse devrait être *a priori* bienvenu dans les pays du Sud.

J'ai connu le temps où personne ne pensait au tiers monde, sauf quelques isolés, dont j'étais, puis le temps où le tiers monde était à la mode. Pour les intellectuels, les hommes d'affaires, les politiques, les mésaventures de la dette du tiers monde ont entraîné ensuite une désaffection qui dure depuis plusieurs années, mais dont je suis persuadé que je verrai la fin. L'idée de rendre solvable la fabuleuse demande potentielle que représentent les nations prolétaires, et d'en faire la locomotive de l'économie mondiale, connaîtra un jour, j'en suis sûr, une nouvelle incarnation.

VI

ANNIE M.

(par Erik Arnoult)

Qui sont les « femmes de quelqu'un » ? Comment vivre près d'un homme dont on parle : Président, ministre, chevalier d'industrie, présentateur du journal télévisé, médaillé d'or aux Jeux, acteur, bref, vedette ? Je les observe avec passion et souvent émotion. J'en ai rencontré quelques-unes : à l'Elysée, traditionnellement, le conseiller culturel est invité aux déjeuners de dames, ces repas offerts, lors des visites officielles, par la femme du Président français à sa collègue étrangère. L'économie et la diplomatie sont des affaires d'hommes, la culture est plus proche de la sensibilité féminine, dit-on (merci, mon Dieu). C'est ainsi que j'ai pu discuter avec Raïssa Gorbatchev, Suzanne Moubarak ou Elisabeth Diouf. Sans compter Danielle Mitterrand. Et l'on ne peut avoir que de l'admiration pour ces femmes prises au piège mais qui, étant de qualité, tentent par tous les moyens de faire quelque chose de ce piège, de faire en quelque sorte bon cœur et bonnes actions de cette trop bonne fortune. Ainsi Danielle Mitterrand avec sa belle fondation France-Libertés.

Bref, les « femmes de quelqu'un » me passionnent. Un jour viendra, j'en dresserai une typologie affectueuse, distinguant entre celles qui fuient et celles qui s'accrochent, les ambitieuses et les agacées, les sœurs et les mères, les complices et les lointaines, les secrétaires et les consciences, les éblouies et les revanchardes, les infidèles et les vestales, celles qui ne s'occupent pas des valises et celles qui savent que, pour éviter le faux pli d'un pantalon, rien ne vaut le papier de soie amoureusement placé, tandis qu'en bas la C.X. ou la 604 ou la R.25 ou la Mercedes attend, macaron tricolore allumé...

Plus discret, par goût et par fonction, qu'une vedette de la télévision ou de la scène, une star de la finance occupe néanmoins de la place. A ses côtés, l'air est-il raréfié? En un mot, qui est la femme de Pierre Moussa?

A l'évidence, cette amie d'Alexandre Kojève, cette fonctionnaire importante, longtemps en charge de nos relations commerciales avec l'Asie, valait bien mieux que ces quelques lignes, ampoulées et convenues, habituelles aux autobiographies de personnages importants : « ma compagne admirable », « mon amie de trente ans », « cette incomparable alliée »...

Quand Pierre Moussa, effrayé par cet exercice imposé, m'a demandé de tenter le portrait d'Annie Moussa, j'ai sauté sur l'occasion. Il ne savait pas ma passion. Merci à lui. J'ai vérifié que, comme dans 37 % des cas (je ne prétends pas à l'exactitude scientifique, mais telles sont mes statistiques à ce jour), la femme de quelqu'un est quelqu'un, riche en timidité, en exigence et en curiosité. Bon cocktail pour une vie fertile. La umidité est un humour. L'exigence un orgueil. Quant à la curiosité, elle oblige à d'innombrables départs.

Annie Moussa...

Soit une famille parisienne vers la fin des années trente, hésitant entre petite et moyenne bourgeoisies. Le père a été bouleversé par la Grande Guerre, ses horreurs et ses amitiés. Il avait commencé Centrale, il se rêvait aussi chirurgien et puis, le 11 novembre 1918 venu, il lui a semblé que le temps lui manquerait. Sans tarder s'est marié, avec une cousine. Et a trouvé un travail, chez des cousins. Directeur technique de la biscuiterie Gondolo qui allait devenir l'une des premières sociétés françaises du secteur. La mère lisait beaucoup. Et ne travaillait pas, mais jugeait. Juger les autres, un à un tous les membres de sa famille, était sa manière de vivre. Les enfants grandirent sous le regard de ce juge et dans la bienveillance du biscuitier.

Soit une librairie. La grand-mère maternelle de notre héroïne avait perdu très tôt son mari, noyé à vingt-huit ans. Contrainte de subvenir seule aux besoins de ses deux enfants, elle ouvrit une librairie, avenue Victor-Hugo à Paris, propriété de la famille jusqu'à ces dernières années : aujourd'hui, c'est une boutique de vêtements, comme le veut la loi du quartier. Soit une librairie, la caverne aux trésors, la magie d'il était une fois, toutes ces histoires, tous ces voyages à portée de main... Trois enfants côte à côte plongés dans la lecture : Roger, le frère aîné, Annie et Solange, la cadette, sœur au grand sens du terme, aujourd'hui encore la première des amies.

Soit, au beau milieu de la guerre, une très jeune Annie, trop tôt bachelière. Pour qu'elle acquière la maturité nécessaire aux études sérieuses, on l'oriente d'abord vers une école au nom aujourd'hui bien démodé, « H.E.C. jeunes filles ». Puis vers Sciences Po, dont elle sort troisième (section privée). A ce personnage brillant une carrière pourrait s'ouvrir. Mais le héros de la famille, c'est Roger, devenu normalien, qui amèrement reproche déjà à ses parents de ne pas l'avoir obligé à préparer les grands concours de l'Etat. Il se verrait si bien inspecteur des Finances, il se voit si mal professeur... Avec lui, peut-être, Annie ne veut pas entrer en concurrence. Et puis, déjà cinq années d'études supérieures... Elle accepte la proposition d'un maître de conférences et entre au ministère du Ravitaillement. Première mission : aller évaluer in situ *la récolte des olives tunisiennes, elle qui auparavant n'avait jamais vu d'olivier. Bientôt, le Ravitaillement est absorbé par les Finances et Annie se retrouve à la direction des Relations économiques extérieures.*

Soit un soir de novembre 1947, dans un bureau noble et triste. Soit un directeur adjoint bienveillant et un peu timide, qui, après moult digressions, parvient à proposer à la jeune fonctionnaire :

— Seriez-vous intéressée par un voyage à Cuba ? A La Havane vont s'ouvrir des négociations tendant à la reconstruction du commerce mondial, lui aussi détruit par la guerre. Vous partez après-demain.

Acceptation enthousiaste. Valise bouclée dans l'heure (Annie a une personnalité méthodique, ses affaires ont toujours été prêtes). Inquiétude de ses parents qui confient la jeune fille au très vieux chef de la délégation. Voyage dans l'avion du général de Gaulle emprunté pour la circonstance par l'armada française : ministres, députés, directeurs, experts... La Havane, des délégations de tous les pays, un enjeu considérable (la reconstruction de l'économie du monde), le sentiment de vivre l'Histoire. Habiter l'hôtel Océan, se promener le soir sur le grand boulevard Malecon avec des collègues, souvent avec une jeune femme de son âge, Elisabeth Bouché, qui va devenir, pour toute la vie, une amie très proche. Avoir vingt-quatre ans.

Alexandre Kojève en a quarante-cinq. Ce philosophe français né à Moscou en 1902 et neveu de Kandinsky est l'un des phares du monde intellectuel. De 1933 à 1939, ses cours sur Hegel à l'Ecole des Hautes Etudes ont réuni le public le plus prestigieux. Qu'on en juge : Raymond Aron, Georges Bataille, Pierre Klossowski, Jacques Lacan, Roger Caillois, Maurice Merleau-Ponty, Jean-Paul Sartre et Raymond Queneau qui, en 1947, publiera chez Gallimard les notes prises lors de ces séances éblouissantes. Or cet homme de génie qui a marqué profondément la pensée française et européenne a juste changé de voie : grâce à (ou par la faute de) Robert Marjolin, il vient d'entrer dans l'administration. Tel Rimbaud abandonnant la poésie pour l'Abyssinie, Kojève quitte la Phénoménologie de l'Esprit *pour les discussions tarifaires. Le professeur devient « chargé de mission » auprès du directeur des Relations économiques extérieures, titre qu'il adorait et poste qu'il conservera jusqu'à sa mort, en 1968. A La Havane, c'est, bien sûr, le penseur de la délégation française, celui qui comprend mieux, celui qui voit plus loin. Celui qui sait, aussi, tellement bien parler d'autres choses : peinture, pays, histoire du monde... Et tandis que, comme toujours, les négociations s'enlisent (la Charte ne sera signée qu'en avril... parce que la chaleur, à Cuba, se fait alors inconfortable), la jeune fille, émerveillée, devient l'assistante, mieux, la disciple du philosophe-fonctionnaire volontiers Pygmalion. Une amitié de vingt années commence, de complicités diverses, d'heures interminables à l'O.E.C.E., puis à l'O.C.D.E. où se lèvent un à un et non sans mal les obstacles aux échanges.*

La première rencontre Annie Trousseau-Pierre Moussa n'a rien d'un coup de foudre. Il s'agit d'un dîner chez Roger, le frère normalien, et sa femme Liliane, en 1950. Annie et Pierre arrivent séparément, ne repartent pas ensemble et ne gardent de ce premier contact aucun souvenir. Mais ces deux fonctionnaires ont des agendas et les agendas sont formels : la rencontre a bien eu lieu. L'attirance et la complicité viendront des années plus tard. Ils se marieront en 1957. Quelle est la raison d'un amour ? Par bonheur, impossible à dire. Ce secret-là nous protège des recettes et des émotions de synthèse. Je devine seulement qu'Annie M. est de celles qui ne peuvent aimer sans admirer, qui ne supportent pas l'ennui, qui ne partageraient rien avec un homme incapable de les faire rire.

Mais sans enfant (hélas), le quotidien conjugal garde des rythmes de célibat. L'amitié continue de jouer un grand rôle. Et puis demeure un intérêt profond pour un métier : les relations commerciales internationales. Après dix ans d'action au sein d'organisations multinationales, O.E.C.E./O.C.D.E. (atmosphère diplomatique, enjeux de taille, mais lenteur des progrès et lourdeur des procédures), Annie Moussa entre dans un nouveau monde : les négociations bilatérales. Il s'agit, cette fois, de promouvoir les intérêts de notre économie dans l'Europe de l'Est d'abord (fréquents voyages, particulièrement en Pologne), puis dans toute l'Asie. Un tel travail met en contact avec d'innombrables univers : industriels et commerçants, français et étrangers, administrations et gouvernements des pays partenaires.

Annie restera peu d'années épouse, épouse au sens traditionnel, celle qui attend tout d'un mari : revenu et statut social, nouvelles de l'extérieur. A Washington, de 1962 à 1965, Annie ne travaillait pas. Elle avait mieux à faire. L'Amérique était là, à découvrir, ce formidable et presque enfantin sentiment d'espace, ces centaines de kilomètres dans les parcs nationaux sans voir personne, ces paysages de début du monde. Et puis l'Afrique, champ d'action de son mari, où elle l'accompagna souvent. Mais, de retour à Paris, de nouveau le travail...

« La première fois que nous rencontrons des gens, ils ne s'aperçoivent guère qu'elle existe. Et puis, peu à peu, ils la découvrent et, à leurs yeux, j'existe moins. Après quelques rencontres, il n'y en a que pour elle », dit, beau joueur, Pierre Moussa.

Est-ce un effort sur soi de tous les instants ou bien une équanimité naturelle ? Je l'ai connue épouse du P.-D.G. de Paribas, contente mais ironique, distanciée, épargnée par cette fatuité qui émane de certaines femmes de puissants et qui est d'autant plus insupportable qu'elle est de seconde main. Je l'ai vue plus tard, vers la mi-décembre 1981, lorsque sa maison (qu'elle avait quittée pour d'autres refuges) était assaillie de journalistes et ornée de graffiti peu ragoûtants : elle prenait les événements avec gravité, mais sans haine ni colère. Pour une femme comme elle qui sait tellement bien, tellement trop bien garder la mesure, quel est le portrait du bonheur ? Sans doute un voyage à deux. Les meilleurs des timides n'attendent pas la revanche. Mais la connivence.

VII

PLAISIRS

Les Anglais et les Américains ont un mot amusant, *workaholic*, littéralement « alcoolique du travail », qu'on pourrait traduire par « drogué du travail ». Je ne suis pas un *workaholic*. J'ai travaillé sans mesure dans de rares moments de ma vie : préparation de Normale, préparation de l'agrégation, cabinets de Robert Buron aux Affaires économiques et à la France d'outre-mer. En dehors de ces relativement courtes périodes, j'ai toujours travaillé beaucoup, mais en faisant tout de même la part assez belle aux autres choses de la vie. Dans tous les chapitres qui suivent, je vais concentrer mon attention sur mon activité à Paribas, puis à Pallas ; il est bon sans doute, avant de m'engager dans ce long récit financier, d'évoquer ce que je fais quand je ne suis pas en train de diriger Paribas ou Pallas, afin d'éviter de donner une idée fausse de ce que je suis, voire de la manière dont je suis financier.

Je lis peu. Cela surprend, quand je le dis, à cause de ma profession, de mes airs un peu intellectuels, et surtout de mon passé normalien et universitaire. Mais c'est vrai. Je lis quelques journaux, pas beaucoup, et étonnamment peu de livres. Je crois que, structurellement, je n'ai jamais aimé lire. Écrire, oui, et dès ma plus tendre enfance. Mais lire, non. L'acte de lire m'est désagréable et doit être compensé, pour que le plaisir naisse, par un intérêt vraiment intense pour le texte qui en est l'objet. Enfant, j'étais transporté par la comtesse de Ségur ; j'aimais la lire. Mais Jules Verne ne m'intéressait pas assez pour que sa lecture ne fût pas une corvée, et j'en mourais de honte, car Jules Verne, c'était l'auteur intelligent, moderne, scientifique, viril, celui que mon cousin Jean Vuillot dévorait. Je me devais donc de lire Jules Verne.

La lecture s'est trop souvent présentée à moi dans le costume rébarbatif du *must*. Qui, aux alentours de mes dix ans, m'a persuadé que je *devais* lire les *Aventures de Télémaque*, de Fénelon ? Qui m'a fait croire que celui qui a lu attentivement ce long roman est assuré, pour toute sa vie, d'écrire le français de façon satisfaisante ? Qui m'a fait avaler l'indigeste lecture au nom de la qualité de ma future écriture ? Télémaque est, certes, fils d'Ulysse, et comme lui protégé de Pallas, ce qui éveillait ma sympathie sans me rendre ses aventures attachantes. J'ai lu ce livre (deux fois, je crois bien) comme on prend un médicament. *Télémaque*, ou la lecture par obligation...

Que de *Télémaque* dans ma vie, hier et aujourd'hui ! Sans cesse les médias et mes amis me recommandent vivement tel ou tel *Télémaque* qu'il ne faut pas manquer, mes camarades publient beaucoup de *Télémaque*, moi-même je m'impose force *Télémaque* que j'achète en foule, malgré les lazzis de mon épouse, dès que j'entre chez mon libraire. Je suis cerné, submergé de *Télémaque* ; mes bibliothèques croulent sous les volumes, qui sont autant de devoirs auxquels soit je me soumets, soit le plus souvent je me dérobe sournoisement. C'est seulement pendant quatre ans de ma vie que j'ai beaucoup lu, et avec alacrité : comme normalien, avant l'année de l'agrégation, parce que j'avais tellement disserté sur les auteurs que j'eus envie, à la fin, de les connaître ; et après mon agrégation, dans mes exils campagnards où je manquais terriblement d'occupations. Si j'étais demeuré universitaire, je pense que j'aurais continué sur cette lancée. Mais après ma bifurcation vers les finances, je revins à ce qui est ma nature profonde : la non-lecture.

En outre, je sens s'opérer en moi, les années passant, l'évolution bien connue : la littérature romanesque attire de moins en moins les hommes à mesure qu'ils prennent de l'âge ; ils préfèrent l'histoire, les mémoires. C'est mon cas. Mais ce que je lis le plus volontiers, ce sont surtout les études ou les témoignages qui concernent les sujets qui me passionnent, tels que l'évolution de la société, la politique — ou encore la linguistique. Bien souvent, je lis longuement dans mon lit un dictionnaire étymologique, à condition bien entendu qu'il me conduise non seulement au latin, mais à l'indo-européen, lorsque c'est possible ; l'immense postérité qu'une racine indo-européenne peut engendrer à travers mille évolutions morphologiques et sémantiques me fascine. Je m'enchante de découvrir la même racine à *bon, beau* et *dynamique ;* à *dire, police* et *syndicat ;* à *hyène, marsouin, souiller* et *syphilis.* J'aime aussi les exercices un peu vertigineux par lesquels les savants tentent de remonter à l'avant-indo-européen, à ce qu'on peut imaginer des premières langues de l'humanité (il y a seulement quelques dizaines de milliers d'années).

Quant à la poésie, je lui reste fidèle, mais la liste de mes poètes bien-aimés ne comprend aucun contemporain : Racine, Hugo, Leconte de Lisle, Baudelaire, Valéry, Péguy. Bien sûr, je les aime à haute voix, donc nous nous éloignons déjà de la littérature de bibliothèque.

Bien qu'elle me donne parfois de belles émotions, la musique occupe une assez faible place dans ma vie, sauf sous la forme de l'opéra, qui est aussi du théâtre. Les arts que je chéris sont ceux que je déguste avec Annie : les arts dramatiques et les arts plastiques ; ces deux amours ont grandi et se sont approfondis pour elle et moi ensemble, l'attrait du dramatique étant peut-être un peu plus grand pour moi, et pour elle celui du plastique.

Nous allons au théâtre une ou deux fois par mois, après une étude minutieuse des critiques. Le plus souvent, nous sortons contents, ou très contents. Certaines œuvres nous laissent éperdus d'enthousiasme : pour ne parler que des quinze dernières années : en 1974, une sublime *Rodogune* au théâtre Oblique ; en 1976, les extraordinaires *Enfants Gâtées*, d'après Mme de Genlis (festival de la famille Huppert), au Théâtre Essaion ; en 1977, la *Dispute*, de Marivaux, montée par Chéreau ; en 1978, la *Thébaïde*, de Racine, au Nouveau Carré Sylvia Monfort ; en 1980, le fascinant *Méphisto*, de Klaus Mann, à la Cartoucherie, et *L'Epreuve*, de Marivaux, avec Catherine Salviat, au Français ; en 1981, l'inoubliable *Evangile selon Saint-Marc*, de Raymond Gérôme ; en 1984, deux chefs-d'œuvre vus à quinze jours de distance (au moment où je créais Pallas) : *Terre étrangère*, de Schnitzler, aux Amandiers, et *La Mort de Sénèque*, de Tristan L'Hermite, au Français ; en 1986, *Retour à Florence*, de Henry James, et *Pour un oui, pour un non*, de Nathalie Sarraute ; en 1988, *Fièvre romaine*, d'Edith Wharton, au théâtre Renaud-Barrault, et *La Double inconstance*, de Marivaux, à l'Atelier. (Je m'aperçois au vu de cette liste, que Marivaux m'a donné plus de grandes émotions que tout autre au théâtre. C'est vrai. Cet auteur que j'avais cru mignard et distingué est bouleversant de profondeur et d'audace.) J'ajoute que nous ne manquons aucun spectacle de Devos, poète, clown et linguiste génial, qui un jour s'interrompit pour écouter mon éclat de rire : « Vous, alors, on a bien fait de vous mettre au premier rang ! »

Au cinéma, où nous allons en moyenne presque une fois par semaine, nous mettons au-dessus de tous Bergman et Visconti — et, juste en dessous d'eux, Losey et Kazan. Ces metteurs en scène ont donné au monde plus de trente chefs-d'œuvre à eux quatre. Mais nous admirons aussi John Huston, Michael Cimino, Milos Forman, Woody Allen, Francis Coppola, Bertolucci, Buñuel, Satyajit Ray, Fassbinder (nous venons de voir *Les Larmes amères de Petra von Kant ;* cette œuvre de ses vingt-six ans nous a éblouis). Et les Français ? Auprès de ces géants, ils ont souvent l'air un peu grêles. Nous sommes pourtant des quasi inconditionnels de Rohmer (dont je n'ai compris qu'il y a peu de temps, parce que Jean-François Revel m'a dit son vrai nom, que je l'avais bien connu en khâgne à Clermont) ; nous avons été très émus par plusieurs Duras, plusieurs Resnais, plusieurs Malle.

Nous aimons la peinture et la sculpture. Une partie considérable de nos loisirs se passe dans les musées, les expositions et les galeries. Annie a joué, surtout au départ, un rôle supérieur au mien dans cet infléchissement de notre vie. Je note sagement les œuvres, les artistes que nous nous prenons à aimer, composant ainsi au fil des ans un interminable musée imaginaire totalement sans objet. Nous devons tous deux à l'influence de nos intimes amis, Philippe et Carlotta Charmet, d'avoir fait l'effort de nous initier à leur suite — mais à un degré modeste — à l'art contemporain, qui a rejoint l'art classique dans nos cœurs. Sur nos murs et nos étagères, à Londres, à Paris et à Roquebrune, voisinent sans excessif grincement des œuvres de tous les continents, jusqu'aux plus lointains, de toutes les époques, jusqu'à la plus immédiate. De quoi l'on déduira que nous ne sommes pas, au sens propre, des collectionneurs, puisque être un peu passionné de tout, c'est ne l'être vraiment de rien, et s'interdire l'excellence qui est au cœur du concept de collection.

L'architecture ne nous séduit pas moins. Là aussi, autant que les chefs-d'œuvre d'hier, nous sommes vivement attirés par les réalisations d'aujourd'hui. Je suis triste de voir l'Europe — en particulier Paris et Londres — si

103

pauvre en grandes constructions de notre temps. A New York, à chaque visite, je fais prestement mon pèlerinage dans Midtown — et, quand je peux, dans Downtown — pour noter les nouveaux bâtiments dignes d'intérêt, et, trimestre après trimestre, il y a toujours quelque chose qui me transporte. Nous sommes pleins d'admiration aussi pour bien des buildings modernes de Toronto, de Chicago, de Los Angeles, de Brasilia, de Rio, de Sao Paulo, de Tokyo, de Manille...

Nous sommes peu mondains. Un dîner en ville de temps en temps, cela nous suffit. C'est que nous avons souvent peu de sujets de conversation communs avec les autres invités. Je me rappelle ce dîner, il y a quelques années, où ma voisine, pleine de bonne volonté, me donna ma chance quatre fois sans succès, me demandant successivement, avec des intervalles : « Faites-vous de la montagne ? », « Faites-vous du bateau ? », « Quels sports pratiquez-vous ? », et enfin, pour changer : « Avez-vous des enfants ? » Au fil de mes réponses négatives, nous étions tous deux de plus en plus gênés, j'avais l'impression qu'à ses yeux j'entrais progressivement dans le néant. Je baissais tristement la tête, et elle paraissait consternée pour moi de mon insignifiance.

Les réunions avec les amis, c'est autre chose. Les amis avec qui nous avons en commun des centres d'intérêt et beaucoup de souvenirs. Parmi eux, certains sont proches de moi depuis plus de cinquante ans, comme les Debiesse, de Lyon, ou près de cinquante ans, comme ceux que j'ai connus rue d'Ulm, les Alain Peyrefitte, les Digeon, et les plus normaliens de tous, les Etienne (Pierre Etienne, médecin de l'Ecole, a connu, soigné, observé quarante promotions, a été l'ami de beaucoup d'élèves, dont Louis Althusser, Michel Foucault et Michel Serres ; c'est grâce à nos liens avec Pierre et Denise qu'Annie et moi avons fréquenté l'Ecole toute notre vie), ou mes camarades de l'inspection des Finances, à commencer par les membres de ma promotion.

Quoique étranger au métier politique, j'aime discuter des choses de la cité, j'aime les rencontres où l'on parle librement, sans agressivité et avec un minimum de sincérité, des problèmes politiques, économiques, sociaux et médiatiques que fournit l'actualité. C'est pourquoi je suis un fidèle de cette association longtemps confidentielle, aujourd'hui beaucoup plus connue, qui s'appelle le Siècle, dont Georges Bérard-Quélin eut l'idée au lendemain de la Libération et dont la seule activité, pratiquement, consiste à réunir une fois par mois, depuis quarante-cinq ans, dans un dîner par petites tables, sans discours ni discussion générale, précédé et suivi d'un vaste brassage au salon, un ensemble de personnes choisies parce qu'elles comptent ou sont considérées comme devant compter dans la nation. Qui les sélectionne? Qui décide qui compte ou doit compter? Le conseil d'administration. Qui nomme les administrateurs? Les administrateurs eux-mêmes, par cooptation, depuis 1944.

J'ai été, je crois bien, le plus jeune membre du Siècle en 1946. Je n'étais pas peu fier de devenir secrétaire du conseil un an plus tard, puis secrétaire général adjoint. A ce titre, j'ai rédigé dans les années cinquante quelques-uns des documents de présentation du Siècle qui, avec des amendements, sont encore utilisés pour expliquer aux nouveaux invités la philosophie de l'association. Dans les années cinquante, on voyait fréquemment au Siècle des hommes politiques comme Mendès France, Edgar Faure, Defferre, Mitterrand, Robert Lacoste, Félix Gaillard, Bourgès-Maunoury, et aussi Jeanson et Descamps, les deux dirigeants de la C.F.D.T., Villiers, président du C.N.P.F., Ferry, délégué général de la Sidérurgie, Vitry, directeur général puis président de Péchiney, Lefaucheux,

105

premier président de la Régie Renault, Max Hymans, premier président d'Air France... Vers le début des années soixante, le Siècle connut une période de décadence, une sorte de crise de langueur : les membres les plus intéressants venaient rarement, les plus fidèles étaient souvent des personnes manquant d'occupations, on se décommandait fréquemment, surtout si au dernier moment on trouvait quelque chose de plus attrayant à faire, le recrutement de nouveaux membres était pratiquement stoppé. Bérard et moi, aux alentours de mon retour de Washington en 1965, tombâmes facilement d'accord sur la conclusion suivante : nous n'avons pas de temps à perdre avec une association vaseuse, ou nous y mettons fin, ou nous lui redonnons vie. En plein accord avec le président, Ludovic Tron, nous choisîmes de lui redonner vie. Tous les membres du conseil firent des efforts, mais Bérard et moi beaucoup plus que les autres. Je devins président de l'association au début de 1966, succédant à Ludovic Tron qui avait lui-même pris la suite, quinze ans plus tôt, d'Alof de Louvencourt, président-fondateur. Je me passionnai pour la reconstruction du Siècle. Cela tombait assez bien : au titre de mes nouvelles fonctions à la Fédération des assurances, mon métier était, pour une part importante, de voir des gens, de tisser des relations ; je menai les deux tâches conjointement. C'est alors que nous avons introduit au Siècle des hommes comme Michel Albert, Robert Badinter, François Bloch-Lainé, Jacques Calvet, Jacques Chaban-Delmas, Alain Chevalier, Jean-Pierre Chevènement, Michel Debatisse, Jacques Delors, Jean Dromer, Maurice Duverger, Antoine Guichard, Jean-Yves Haberer, Charles Hernu, Claude Imbert, Antoine Jeancourt-Galignani, Pierre Joxe, Jean-Luc Lagardère, Jean-Maxime Lévêque, Roger Martin, Jérôme Monod, François Ortoli, Bernard Pagézy, Georges Pébereau, Alain Peyrefitte, Antoine Riboud, Jacques Rigaud, Yves Sabouret, Jean-

Louis Servan-Schreiber, Georges Vedel, Antoine Veil, Marc Viénot, Jacques Wahl... Tout d'un coup, nous nous aperçûmes que la situation était retournée. On se pressait à nos dîners ; les candidats étaient nombreux, et de qualité, on n'osait plus se décommander, il redevenait possible d'organiser à l'avance la composition des tables, ce qui nous avait toujours paru essentiel. Depuis plus de vingt ans, le Siècle n'a cessé de progresser, de deux à trois cents personnes sont présentes à chaque dîner (c'est deux ou trois fois plus que dans les vingt premières années), on intrigue pour y être admis, ce qui pose de très difficiles problèmes diplomatiques au secrétaire général (Bérard-Quélin depuis quarante-cinq ans) et aux présidents successifs (ont été présidents, dans les vingt dernières années, Jacques Fauvet, Marcel Boiteux, Jérôme Monod, Jean François-Poncet, Maurice Ulrich, Marceau Long, Simon Nora et Roger Fauroux).

Les sports n'intéressent ni Annie ni moi : ni comme spectateurs, ni comme acteurs, sauf — comme acteurs — la natation et surtout la marche. Nous aimons marcher longuement au bord de la mer, à la campagne, et plus encore dans les villes que nous adorons découvrir ensemble.

Nous avons eu l'un et l'autre, par nos fonctions, de nombreux voyages professionnels à accomplir, à l'issue desquels, bien souvent, l'un venait rejoindre l'autre pour un week-end, mais nous y avons toujours ajouté chaque année au moins un voyage assez lointain de pure découverte touristique. Sur les cent cinquante pays de la terre, j'en connais — bien ou mal —, plus de cent. Nous avons visité la Bukovine, Vladimir, Souzdal et Jaroslaw, Kiev et la Crimée, les républiques musulmanes d'U.R.S.S., la Birmanie, le Sri Lanka, Angkor, la Tasmanie, les îles Galapagos, le Machu Picchu et La Paz, les déserts des

Etats-Unis... Nous sommes donc, si l'on veut, de grands voyageurs, mais (soyons lucides) de grands voyageurs fort soucieux de leur confort, organisant à l'avance toutes leurs étapes par le menu, ne poussant pas le goût de la découverte jusqu'à l'usage de la tente ou du dos de chameau, ni — encore moins — jusqu'à la consommation inconsidérée des produits locaux, et conscients qu'il y a quelque chose d'artificiel, quelque chose d'un peu « voyeur » à vouloir connaître et aimer un pays tout en se protégeant de ses mets, de ses odeurs, de ses virus et de ses mœurs. Quand nous prenons un risque inhabituel, nous débordons de fierté, nous nous prenons pour des aventuriers, comme lorsque nous avons bravement conduit des voitures de location sur les routes japonaises et russes, sans connaître ni le code de la route ni la langue, ou lorsque nous avons passé la nuit, dans l'île japonaise de Shikoku, en plein hiver, dans une auberge de campagne qui n'avait jamais entendu parler de chauffage (pour lutter contre le froid, il suffit de se plonger dans une piscine brûlante, le *furo* — mais elle l'est à un tel degré que nous n'avons pu y tremper, en hurlant, que le bout d'un orteil).

Bien sûr, nos marches et nos explorations se situent souvent plus près de nos bases, en particulier en Angleterre et en France, qui se partagent plus des deux tiers de notre temps depuis 1984. L'Angleterre et la France : ce balancement de notre vie de part et d'autre de la Manche, à quoi les circonstances nous ont conduits, n'est pas sans inconvénient, mais ne manque pas de charme, il introduit dans notre existence une sorte de rythme particulier. Notre vie dans les deux capitales est on ne peut plus différente.

A Paris, d'abord, nous avons la famille, les familles : une petite partie de la mienne y est installée, et celle d'Annie a toujours été essentiellement parisienne, ce qui est, dit-on, original. Nous avons eu le bonheur de conserver la mère d'Annie jusqu'en 1976, son père jusqu'en 1987. Et puis nous avons les amis, en grand nombre, et les relations. Cela fait beaucoup de gens que nous aimerions voir encore plus souvent. A Paris, nous sommes de vieux membres de la société bourgeoise industrielle et administrative. Dans la rue, dans un restaurant, il est rare que nous ne tombions pas sur quelqu'un de connaissance. Si nous quittons la capitale pendant le week-end, nous prenons la direction des demeures de nos meilleurs amis, les Chaine ou les Méra en Normandie, les Charmet dans le Morvan, les Guéroult dans le Maine. Notre vie est pleine à craquer, d'autant que nous allons au cinéma et au théâtre plus volontiers à Paris qu'à Londres.

A Londres, nous avons des amis très chers, mais bien sûr beaucoup moins nombreux, nous sortons beaucoup moins, nous allons assez souvent à l'opéra, mais moins au théâtre (rebutés quelquefois par la crainte de mal comprendre) et au cinéma (il y a tellement moins de cinémas à Londres qu'à Paris) ; nous pouvons errer dans Londres un jour entier sans rencontrer quelqu'un qui nous connaisse (nous apprécions la liberté que cela nous donne, c'est une liberté de jeunes, elle nous rajeunit) ; quand nous nous éloignons de la capitale, nous allons à l'hôtel (nous aimons en particulier les sensations proustiennes et viscontiennes que nous procure le séjour dans les nobles hôtels 1900 des stations balnéaires déchues : Brighton, Eastbourne...). Il nous a plu de, peu à peu, assez bien connaître les paysages de Grande-Bretagne, les cathédrales, les vieux petits villages, les collections privées, et surtout peut-être les parcs : moins bons architectes et moins bons urbanistes que les Latins, les Britanniques aiment la nature avec une intensité inconnue sur le continent, et excellent à la conduire, sans la violenter, jusqu'à son plus sublime accomplissement : c'est cela, les jardins et les parcs anglais. Nous ne nous en lassons pas.

109

Voilà qui ressemble beaucoup à un solide égoïsme à deux. Il m'arrive de jeter sur ma vie — sur notre vie — un regard hostile, de souffrir qu'elle ne soit pas consacrée à quelque grande cause. La défense et la promotion des pays du Sud ont certes occupé une place assez considérable dans mon existence ; l'action que j'ai pu accomplir dans ce domaine pendant un certain nombre d'années s'est confondue avec mes tâches professionnelles ; il n'est pas douteux, cependant, que ces tâches professionnelles avaient une connotation militante. Quand j'ai quitté la Banque Mondiale pour les assurances, puis Paribas, certains de mes amis, sensibles à l'importance des choses spirituelles, se sont inquiétés pour moi de ce glissement vers le monde glacé des affaires financières. J'aurais théoriquement pu réintroduire une certaine générosité dans mon existence en consacrant une part de mon énergie — en marge de mes fonctions — à quelque activité désintéressée. Mais est-ce excès d'esprit critique ? Aucun mouvement politique ne provoque mon enthousiasme. Il y a trente-cinq ans, Mendès France m'avait arraché à mon indifférence, j'ai évoqué plus haut ce souvenir. Depuis lors, je n'ai plus retrouvé cette foi, cet appétit de mobilisation personnelle pour un projet politique. Un jour, cependant, vers 1975, je suis allé trouver Jean Monnet, que je connaissais un peu et admirais beaucoup ; je croyais assez fortement à l'Europe pour envisager de consacrer à la promotion de l'unité européenne une part de mon temps, malgré le surmenage que m'imposaient mes fonctions de directeur général de Paribas. J'ai assisté à plusieurs réunions, je n'ai finalement pas trouvé de point d'application à ma volonté de servir.

En dehors des grandes causes, quelle place occupe dans notre vie le dévouement au prochain ? Quand nous nous comparons à certains de nos amis, nous découvrons que nous consacrons à autrui beaucoup moins de temps qu'eux. Je ne fais pas allusion ici au fait que nous sommes un couple sans enfant, ce qui, bien sûr, ajoute beaucoup à cette impression d'égoïsme à deux. Les Bérard-Quélin, les Méra, les Beau, pour ne citer que trois ménages proches de nous, quand ils ont l'occasion de rendre service à d'autres gens n'ayant rien à voir avec leurs familles ni avec leurs intérêts professionnels ou personnels, se mobilisent avec plus de générosité que nous dans les mêmes circonstances. Je parle de la générosité du temps et de l'attention, la plus précieuse.

Nous avons pris quelques timides initiatives pour réagir contre cette sécheresse que nous apercevions en nous-mêmes. Gilbert Cotteau, dont nous avions admiré le désintéressement et l'efficacité dans le cadre de l'œuvre philanthropique Delta 7, monta en 1987, avec deux amis de la même trempe, Jean-Claude et Raymonde Ricourt, une nouvelle association caritative, appelée Astrée, qui se propose un but très simple : rassembler des personnes désireuses de consacrer une partie de leur temps aux malchanceux, apprendre à ces bénévoles comment se rendre vraiment utiles. Avant de démarrer, il sollicita notre soutien. Ce fut une grande joie ; plus encore que de contribuer au financement d'Astrée, il nous demandait à tous les deux de lui donner un peu de notre temps. Nous avons décidé de lui répondre oui.

D'où nous vient cette attirance pour Astrée, en dehors de la sympathie que nous éprouvons pour ses initiateurs ? Peut-être, en partie, de la simple joie de construire, ou de participer à une construction. Peut-être, en partie, du conformisme : la bourgeoisie d'affaires considère qu'il est décent d'affecter à des tâches altruistes une certaine fraction de son potentiel d'action (est-ce que je « fais du social » comme je porte une cravate ou une chemise à poignets mousquetaires ?) Sûrement, en partie, du désir de nous donner meilleure conscience. Mais, tout de même, peut-être avons-nous aussi la volonté sincère d'aider autrui dès l'instant que nous avons trouvé une manière efficace de le faire.

Je dois dire que lorsqu'en février 1989 Annie et moi nous sommes rendus à Montpellier pour constater — et modestement fêter — le démarrage effectif d'Astrée, nous avons été tous deux vivement impressionnés par le contact que nous avons ainsi établi, pour quelques heures, avec les déshérités et ceux dont la vocation est de leur consacrer une grande partie de leurs forces. Deux catégories humaines que — je le dis avec un peu de honte — nous connaissions peu. Deux catégories entre lesquelles Astrée prétend simplement jouer le rôle de catalyseur. Voir que l'opération réussit, que tout cela aboutit à faire un tout petit peu plus de bonheur ou un tout petit peu moins de détresse sur terre, quelle satisfaction, et de quelle qualité !

Ce souci du prochain — qui reste sage et bien tempéré — ne s'adosse chez nous à aucune adhésion religieuse. Tous deux avons été élevés dans l'Eglise catholique. Nous nous en sommes tous deux éloignés. Cet éloignement n'empêche pas, au moins pour ce qui me concerne, mais attise plutôt, à quelque degré, une secrète passion pour le fait religieux, une curiosité tourmentée pour le mysticisme, une réflexion sur l'au-delà qui, chez moi, n'est pas apparue — comme il est fréquent — à l'approche du soir de la vie, mais a toujours été présente sous diverses formes, et qui me vient sans doute de ma grand-mère maternelle.

Annie et moi, nous nous sentons bien souvent (avec un mélange de contentement et de mécontentement) fort différents de nos contemporains. Nous regardons peu la télévision, nous ne nous intéressons pas aux grands événements sportifs, nous ne connaissons pas la plupart des chanteurs à la mode ; quand nous allions applaudir Thierry Le Luron, nous ne comprenions que la moitié du spectacle, celle consacrée aux hommes politiques, et restions de marbre lorsqu'il imitait les vedettes de la chanson ou du petit écran ; l'absence d'enfant nous a rendus étonnamment ignorants des choses de l'enseignement (qui constituaient au contraire tout mon univers il y a un demi-siècle). Quand nous sommes dans un restaurant, une salle de spectacle, nous avons souvent l'impression de n'être pas en harmonie avec les gens qui nous environnent. Ceux-ci sont un peu trop visiblement des parvenus. Ceux-là, trop bourgeois conventionnels. Mais le « parti intellectuel » et la « gauche caviar » nous horripilent aussi. Quelquefois, cependant, dans un cinéma d'essai, dans un musée, l'un de nous dit à l'autre : « Regarde, ces gens autour de nous, c'est le genre de gens que nous aimons. » Nous dénonçons fréquemment le snobisme chez les autres (avec indulgence, d'ailleurs, car souvent il est loin de nous déplaire), mais nous percevons aussi en nous-mêmes, non sans agacement, l'orgueil de la particularité. Quand nous nous délectons en contemplant une œuvre, ou une ville, il nous arrive de constater qu'une part de notre plaisir vient de ce que la plupart des personnes que nous connaissons ont à portée de la main cette ville ou cette œuvre, et l'ignorent ou la négligent. Faut-il avouer que nous ressentons un certain sentiment de supériorité (totalement dénué de fondement, assez ridicule, refusé par notre moi conscient, mais présent dans notre subconscient) sur les chasseurs, les mondains et les gastronomes ?

Tels nous sommes. Des hédonistes, somme toute. Hédonisme relativement raffiné (le plus souvent), hédonisme à deux, mais hédonisme — comportement qui a le mérite de ne faire de mal à personne, mais qui n'est ni le plus noble ni le plus généreux comportement possible.

VIII

INTERMÈDES

Pour quelle raison, entre mes deux périodes « africaines » (à Paris d'abord, à Washington ensuite), me suis-je occupé de transports aériens (1959-1962)? Et pour quelle raison, au retour de Washington, me suis-je consacré au secteur de l'assurance (1965-1968)? Le hasard a joué ici le rôle majeur.

Dans le premier cas, ce hasard prit la forme de Georges Pompidou et de Robert Buron.

De par mes fonctions, j'avais été amené à rencontrer souvent Georges Pompidou. Il était, dans la seconde moitié des années cinquante, directeur général de la Banque Rothschild et s'occupait, à ce titre, d'affaires minières (Miferma, Le Nickel) dont j'avais également à connaître au ministère de la France d'outre-mer. De bonnes relations étaient nées entre nous, confiance professionnelle et camaraderie de normaliens. Le 6 mai 1958, il dîne chez nous, rue de Constantine, en compagnie de Ludovic Tron, de Robert Buron et de leurs épouses. Au cours de ce repas, nous discutons ferme des événements d'Algérie. J'exprime l'opinion que seul de Gaulle pourra régler l'affaire algérienne.

— Vous vous trompez complètement, dit Pompidou. *De Gaulle ne reviendra jamais.* Vous ne le connaissez pas, je le connais. Ce qui compte pour lui aujourd'hui, c'est sa silhouette historique.

(Je suis persuadé que Pompidou était sincère, et qu'il ignorait alors tout de ce qui se préparait dans l'ombre.)

Soudain, le téléphone sonne. Bérard-Quélin m'annonce qu'à Alger la révolte gronde. C'est donc moi qui ai prévenu Pompidou, Buron et Tron du déclenchement brutal des opérations qui, en quelques semaines, allaient ramener de Gaulle au pouvoir. Buron quitte précipitamment le salon pour se rendre à l'Assemblée, toute proche. Tous les autres restent, y compris Pompidou.

Très peu de temps après, de Gaulle, constituant son gouvernement, chercha un M.R.P. d'esprit suffisamment indépendant. Pompidou, qui se souvenait du dîner du 6 mai, suggéra le nom de Buron. Ce dernier eut le ministère des Travaux publics et des Transports. « Ce dîner chez Moussa, d'où Buron est sorti ministre... », se rappelait Pompidou un jour en souriant... Quelques mois plus tard, je quittai mon poste de la France d'outre-mer dans les conditions dont j'ai parlé. J'étais disponible, un peu inquiet pour l'avenir. Buron me fit venir à son bureau du boulevard Saint-Germain et me proposa le poste de directeur des Transports aériens, que j'acceptai.

J'étais satisfait d'occuper une position purement administrative, à l'écart de la politique ; car, admirateur d'une grande partie de ce que de Gaulle avait fait auparavant, je n'étais pas enthousiasmé par les conditions dans lesquelles il avait repris le pouvoir en 1958. C'est la raison pour laquelle — bien que j'eusse à peu près l'âge et le genre de réputation qui m'eussent normalement conduit à occuper des fonctions dans les cabinets ministériels — je restai volontairement à l'écart. Dans les années qui suivirent, il me fut offert de devenir directeur du cabinet du ministre de l'Education nationale, conseiller technique auprès du Premier ministre pour les affaires économiques et finan-

116

cières. Je refusai, malgré l'attirance qu'exerçait sur moi le monde de l'Université, et malgré le profond respect que j'avais pour Michel Debré (dont je ne partageais cependant pas la vision du monde, fiévreuse et quelque peu troublée par le goût des anathèmes).

Les transports aériens : c'était un monde moins immense que celui des pays sous-développés, mais tout de même très vaste, qui avait encore, en 1959, un fort parfum d'innovation et d'aventure. Il m'arriva d'y rencontrer des personnages de légende : Daurat, compagnon de Mermoz, Bellonte, le coéquipier de Costes (Costes et Bellonte, héros sans égal pour tous ceux qui ont été enfants en 1930...). Le monde de l'avion était un club où je fus admis peu à peu. Ou plutôt, deux clubs, et j'avais à faire avec les deux. D'un côté, les transporteurs : les compagnies françaises et étrangères, les syndicats de pilotes et du personnel commercial, les juristes du transport aérien, les avocats, les médecins, les journalistes du transport aérien... De l'autre côté, les constructeurs : les ingénieurs, les industriels, les nationalisés (à l'époque Sud-Aviation, la Snecma...) et les privés (Dassault, Potez, Turbomeca...).

Pour entrer vraiment dans ces clubs, je résolus d'apprendre à piloter (comme Buron l'avait fait avant moi). Je me rendais sur le petit terrain de Guyancourt aussi souvent que je le pouvais. J'apprenais moins vite qu'un jeune homme — d'abord parce que la qualité des réflexes est déjà moins bonne à presque quarante ans — et surtout parce que j'arrivais toujours à mes leçons tendu, irrité si la météo m'obligeait à rester au sol, pressé d'apprendre et de repartir vers les tâches qui m'attendaient (alors que, m'expliquait le moniteur, la majorité de ses élèves étaient parfaitement décontractés, ce qui facilitait grandement l'apprentissage). En plus, je n'étais pas tellement doué pour la mécanique et pour l'orientation. Cette formation dura des mois. Je demandais quelquefois timidement au moniteur : « Serai-je bientôt lâché ? » (Lâcher un élève, c'est le laisser seul à bord.) « On verra, monsieur Moussa, on verra, peut-être bientôt. » Je me disais : moi qui ne pratique aucun sport, voici que j'ai réussi à en trouver un qui a cette particularité d'être un sport très coûteux en temps, et totalement déconnecté de tout exercice physique. Mes leçons se passaient, ficelé à ma place de gauche à côté d'un moniteur corpulent qui débordait un peu sur moi, dans un vieux coucou où l'on respirait mal et où, souvent, on mourait de chaleur. Et puis, un jour, après quelques minutes de vol à deux, le moniteur me prie d'atterrir, de stopper ; il défait sa ceinture et ouvre la porte : « Allez-y, monsieur Moussa. » Je me rappelle que je voulus le retenir : « Attendez, je voudrais encore vous demander... — Vous n'avez rien à me demander, allez-y, décollez », et il descend. Cela s'est bien passé ; mais quelle sensation ! Sans conteste, une des plus fortes de ma vie ; solitude tridimensionnelle ; neuve liberté spatiale. Quelques jours plus tard, j'étais soumis aux épreuves du brevet qui consistent à atterrir successivement et à se faire pointer sur quatre aérodromes français ; j'ai oublié quel était mon circuit, je crus me perdre, mais tout finit bien.

La direction des Transports aériens était l'organisme de tutelle des transporteurs aériens. Sous l'autorité du secrétaire général à l'Aviation civile, Paul Moroni, qui coiffait aussi d'autres directions comme les Bases aériennes et la Météorologie, je m'occupais des réglementations, des questions sociales, des affaires juridiques, des mille problèmes liés au contrôle de l'Etat actionnaire sur Air France. Mais la partie la plus créative de mon rôle touchait aux négociations internationales (par lesquelles les nations s'accordent mutuellement certains droits de trafic sur leurs territoires respectifs). Buron m'avait dit : votre première tâche sera de rétablir des relations amicales avec les Etats-Unis. La situation avec eux était assez grinçante, pour j'ai

oublié quelle obscure affaire de « cinquième liberté[*] ».
Nous étions à deux doigts d'interdire les aéroports français
aux avions américains, et réciproquement. Le Quai
d'Orsay était excédé par cette tension qui détériorait nos
relations avec l'allié dont nous avions par ailleurs tellement
besoin. Buron trouvait aussi que nous ne devions pas être
intransigeants. La négociation dura de longues semaines, à
Paris, à Washington ; tout s'arrangea et c'est alors que
nous obtînmes pour les compagnies françaises le droit de
desservir la Californie. Beaucoup d'autres négociations
eurent lieu : Japon, Argentine, Australie (cette dernière
fut la plus désagréable, la plus brutale)... Avec les
négociateurs du Brésil, qui étaient très intelligents et très
civilisés, les conversations étaient un vrai plaisir de
l'esprit. De même avec les Indiens. Pourtant, dans ce cas,
cela commença mal ; comme, au début de l'été, nous les
pressions d'entrer en négociations, nous eûmes cette
réponse : si vous voulez, la semaine prochaine, mais à
New Delhi. Nous câblâmes notre accord et débarquâmes.
Or, c'était le point culminant de la chaleur, tous les
fonctionnaires étaient déjà partis pour la montagne, leur
proposition n'avait été destinée qu'à nous faire porter la
responsabilité du refus ; ils durent revenir en grande hâte
dans leur capitale, stupéfiés par notre inconscience. Chaque matin, lorsqu'à 6 heures, pour nous rendre dans les
locaux de l'administration indienne, nous quittions notre
hôtel climatisé d'où nous n'étions pas sortis depuis douze
heures d'horloge, 45 degrés centigrades nous tombaient
dessus comme une matraque et nous nous disions : ce

---

[*]. Dans les relations bilatérales entre deux pays A et B, la cinquième liberté
consiste, pour les compagnies du pays A, à être autorisées à prendre du trafic
entre le pays B et d'autres pays situés sur la même ligne aérienne. Par
exemple, il s'agit du droit, pour une compagnie américaine, de prendre des
passagers entre Paris et Téhéran ou Bangkok ; ou pour une compagnie
française, entre New York et Mexico.

n'est pas possible, comment, avec cette température, allons-nous pouvoir réfléchir, discuter, nous défendre? Heureusement, l'autre partie souffrait également. Ce fut quand même une belle négociation, subtile et inventive, un bon souvenir. Et puis ce fut l'occasion de faire pour la première fois, ruisselant mais ébloui, la connaissance de Delhi, Jaipur, Agra, Fatahpur-Sikri et Mathura.

Un projet international d'une nature différente occupa beaucoup mon équipe : la création d'Air Union. Il s'agissait de rapprocher les unes des autres les compagnies de l'Europe des Six (la C.E.E., c'était alors la France, l'Allemagne, l'Italie et le Benelux) pour donner naissance à un organisme extrêmement puissant, qui serait fort de tous les droits de trafic appartenant aux six nations. Pour résoudre tous les problèmes posés, des trésors d'imagination furent déployés pendant des années par les compagnies, les administrations du transport aérien, les ministères des Affaires étrangères, les jurisconsultes. Un des grands débats portait sur la répartition du capital d'Air Union entre les diverses compagnies. La Lufthansa pouvait exciper de la puissance industrielle actuelle et potentielle de l'Allemagne, Alitalia de l'importance de la diaspora italienne à travers le monde. Air France, en revanche, avait — provisoirement — une substantielle avance sur elles et — provisoirement aussi — une position hors pair dans les liaisons avec l'Afrique. Les négociateurs français, disons-le sans modestie, se débrouillèrent assez bien, obtenant que les parts de Lufthansa et Air France fussent égales, et supérieures à celles des autres, tout en mettant le trafic entre la France et l'Afrique hors du pot commun : Air France et les compagnies privées françaises gardaient ce secteur pour elles seules. De plus, la langue française était acceptée par tous comme unique langue de travail. Malheureusement, ce beau projet échoua, et largement du fait de la France. Une vigoureuse campagne contre Air Union était conduite par Francis Fabre, président du groupe des Chargeurs Réunis, dont faisait partie l'U.A.T.* ; le projet d'Air Union lui semblait barrer l'avenir de l'U.A.T. ; il dénonçait, dans la future société multinationale, une monstrueuse et inefficiente bureaucratie. Par ailleurs, Air Union ne pouvait évidemment fonctionner si les gouvernements prétendaient exercer un droit de veto sur ses décisions ; celles-ci devaient nécessairement être prises à la majorité, non à l'unanimité. Cela avait un parfum de supra-nationalité que le gouvernement français, tout bien pesé, se refusa à admettre. On enterra Air Union.

Il me faut avouer que j'étais responsable des transports aériens lorsque fut décidé le lancement, en collaboration avec les Britanniques, d'un avion commercial supersonique, baptisé d'abord Super-Caravelle (j'ai encore une des premières maquettes de la Super-Caravelle), mais connu ensuite sous le nom de Concorde, rêve de la technologie et cauchemar de la finance. Sous ma houlette, et ensuite sous celle de mon ami Robert Vergnaud, qui me succéda quand je partis pour la Banque Mondiale, la direction des Transports aériens joua bien son rôle : négociation avec les Finances, négociation avec les Britanniques. Il demeure que l'administration française commit alors une faute coûteuse, qui fut de donner une importance excessive aux pressions des constructeurs, avides d'innover, de devancer, d'étonner. On aurait dû, avant toute chose, interroger les transporteurs pour savoir avec précision le type d'appareils dont ils auraient besoin quinze ans plus tard. Une fois cette demande définie, l'offre se serait adaptée, modestement mais efficacement. Le programme Airbus a suivi cette démarche de bon sens. Dans le domaine industriel,

*. Union Aéromaritime de Transports. L'actuelle U.T.A. résulte de la fusion de cette société avec la T.A.I. (Transports Aériens Intercontinentaux).

121

c'est à l'utilisateur de dicter sa loi, jamais au concepteur. Ou alors il faut s'attendre à régler, des années durant, la note de l'ambition. Dans certains cas, cette ambition est justifiée par les retombées qu'elle entraîne, la confiance en soi qu'elle instille dans un pays, mais mieux vaut alors ne plus parler de commerce.

Après mes trois ans à la Banque Mondiale, je souhaitais revenir en France. Deux possibilités s'ouvrirent. Joseph Roos, président d'Air France, se souvenant de nos excellents rapports du temps où j'étais directeur des Transports aériens, me proposait la direction générale de sa compagnie. Divers assureurs amis, notamment Georges Bouquet, Georges Lutfalla et Dominique Leca, me poussaient vers la présidence de la Fédération française des sociétés d'assurances. Malheureusement, ni d'un côté ni de l'autre l'affaire n'était simple. Roos ne pouvait procéder à cette nomination sans une série de feux verts. Du côté des assurances, la lutte faisait rage entre divers clans, et je n'étais le candidat que de l'un de ceux-ci. Si différentes qu'elles fussent, les deux perspectives m'attiraient également ; je résolus de laisser le hasard choisir, et de dire oui à la première offre qui deviendrait ferme et définitive. Ce fut celle des assurances. Je fus un an conseiller du président, puis président de cette Fédération qui joue le rôle de syndicat patronal des sociétés d'assurances, chargé, comme tout syndicat patronal, de défendre la profession vis-à-vis de l'administration, des syndicats d'employés, des médias ; comme il s'agit de la profession la plus réglementée de France (avec la banque), la tâche est beaucoup plus substantielle que pour la plupart des associations de ce genre.

Après l'Afrique, le changement était brutal. Je quittais un continent neuf pour retrouver nos vieilles féodalités françaises : un fort secteur nationalisé, éparpillé en une trentaine de sociétés ; un secteur privé regroupant des entités de toute taille, de l'entreprise familiale au véritable groupe ; et le secteur mutualiste, lui-même éclaté en deux univers qui se détestaient cordialement : les mutuelles traditionnelles, d'inspiration plutôt catholique, profondément implantées dans les provinces, souvent autour d'un hobereau local ; les mutuelles « de gauche » qui, comme la Garantie Mutuelle des Fonctionnaires ou les Mutuelles dites de Niort, représentaient le monde des voltairiens, souvent des maçons, sinon des partageux. Mon premier rôle était de faire vivre ensemble ces divers morceaux de la France que presque tout séparait : le poids économique, les modes de gestion, les conceptions du monde. Je devins politicien, non sans délices, dégageant des majorités et mitonnant des consensus. Ainsi, la Garantie Mutuelle des Fonctionnaires appartenait déjà à notre Fédération, mais sans jouer un rôle correspondant à sa puissance ; au grand effroi des orthodoxes, je la fis entrer à la commission exécutive, le saint des saints. Je sautais sans cesse d'un milieu à l'autre, petits patrons, grands patrons, hauts fonctionnaires, gentils campagnards qui tenaient leurs réunions annuelles dans le château de l'un des leurs (ils me trouvaient l'âme un peu laïque et l'air assez métèque, mais ils m'avaient adopté).

Dans ce microcosme de la société française que constituait pour moi le monde de l'assurance, je fis aussi l'apprentissage des relations avec les syndicats. Les négociations salariales et sociales me prenaient beaucoup de temps, les discussions étaient parfois dures, mais j'en garde un souvenir globalement positif. Avec une nuance, cependant : une fausse note qui dura si peu de temps que je serais presque tenté de me demander si je n'ai pas rêvé. Lors des troubles de 1968, la Fédération des assurances eut, bien entendu, des problèmes ; mes collaborateurs et moi-même avons même été séquestrés pendant quelques heures dans nos locaux (j'avais prévu la possibilité de cet événement et avais prié mon fidèle délégué général, Paul Robillard, de rester à son domicile et de demeurer en contact téléphonique avec nous). Il y avait, du côté cégétiste, un brave délégué toujours de bonne humeur, aimant trinquer avec les uns et les autres, et avec qui nous entretenions des relations cordiales. Au cours des journées dont je parle, j'ai eu tout à coup la surprise de le voir complètement transfiguré, la voix dure, cinglante : « Il y a assez longtemps, monsieur Moussa, que vous vous moquez des droits des travailleurs », etc. Fouquier-Tinville ! J'avais l'impression que sur un coup de sifflet un masque était soudainement tombé. Mais, comme on le sait, le vent eut tôt fait de tourner, la raison reprit le dessus, je retrouvai mon délégué cégétiste tel qu'auparavant, comme si rien ne s'était passé.

Un jour de 1968, je fus appelé au téléphone par mon ancien élève Jean-Yves Haberer, conseiller technique très écouté de Michel Debré, alors ministre des Finances. De sa voix douce et timide, qui contraste avec sa robuste intelligence et son implacable volonté, il dit :

— J'aimerais bien faire le point avec vous, un de ces jours. Etes-vous présent la semaine prochaine ? Oui ? Que diriez-vous de, par exemple, je regarde mon agenda... jeudi à 16 heures 15 ?

Je lui dis que je serais dans son bureau ce jour-là, à cette heure-là. Je devais m'apercevoir ensuite que le jour et l'heure n'avaient nullement été improvisés, qu'ils faisaient partie d'un plan très minutieux établi à l'avance, à quelques minutes près. Haberer est un extraordinaire organisateur et un maître du secret. C'est qu'il voulait, ce jeudi à 16 heures 15, ni avant ni après, m'annoncer *la* nouvelle.

En 1947, on avait nationalisé une trentaine de compagnies d'assurances ; elles constituaient une dizaine de

groupes : l'Union, l'Urbaine, le Soleil, la Nationale, etc.,
chacun de ces groupes comprenant en général deux, trois
ou quatre sociétés distinctes, avec à peu près le même
actionnariat et en général le même président, une pour
l'assurance-vie, une ou deux pour les accidents et l'incendie, une pour la réassurance. On s'était alors posé la
question : allait-on, après nationalisation, nommer une
dizaine de présidents, un pour chacun des anciens
groupes, ou bien ne convenait-il pas de faire un regroupement horizontal et d'avoir trois ou quatre grandes sociétés
nationales, l'une réunissant toute l'assurance-vie, une
autre toute l'assurance-accidents, etc. ? Ce dilemme avait
été résolu par un coup de génie : on n'allait pas créer trois
ou quatre groupes horizontaux, ni maintenir les dix
groupes verticaux, mais faire une bonne trentaine de
sociétés complètement distinctes : l'Union Vie, l'Union
Incendie, Accidents et Risques divers, la Nationale Vie, la
Nationale Accidents, la Nationale Incendie, etc. Bref, tout
le damier ! Cela faisait trente postes de présidents à
distribuer, sans parler des sièges d'administrateurs ! Chaque fraction de la société française avait reçu sa part de la
manne : fonctionnaires, cadres supérieurs des compagnies, agents d'assurances, partis, centrales syndicales.
(Jusqu'à un petit syndicat, si pauvre en cadres qu'il ne
trouva dans ses rangs personne à proposer ; ses dirigeants
offrirent donc à un assureur de bon renom le marché
suivant : démissionnez de votre syndicat, inscrivez-vous
au nôtre et vous serez président d'une société. Ainsi fut
fait.)

Cette dispersion absurde, qui durait depuis vingt ans,
Debré et Haberer avaient décidé d'y mettre fin. Haberer
m'apprit qu'il y aurait, en dehors de la Mutuelle Générale
Française qui restait à part, trois grandes sociétés publiques au sein desquelles toutes les autres seraient regrou
pées et dont les noms mêmes étaient déjà trouvés :

l'U.A.P., les A.G.F. et le G.A.N. ; il me dit aussi les noms des trois présidents : Leca, Chenot, Olgiati. Les autres présidents allaient recevoir des compensations, telles que devenir vice-présidents. Il m'indiqua à partir de quels jour et heure précis je pouvais mettre la profession au courant. Je pris congé et croisai dans l'antichambre, puis dans l'escalier, plusieurs de mes mandants à qui on allait annoncer l'ukase, en un ballet minutieux où chacun, selon son rang, était reçu à l'heure idoine et par la personnalité *ad hoc* : le ministre pour les gros poissons, le directeur du cabinet Dupont-Fauville ou le conseiller technique Haberer pour les autres. Haberer avait été le grand ordonnateur et le metteur en scène de cette énorme opération. Dans cette mécanique de précision, qui reste encore aujourd'hui un modèle proposé à l'admiration et à la méditation des jeunes fonctionnaires, un seul raté, une seule entorse au protocole : le représentant d'une grande centrale, qui venait d'être affranchi à son heure, croisa, en quittant le ministère, le chauffeur (syndiqué) du président de l'Urbaine-Seine, lequel président gravissait au même moment l'escalier ministériel. Cette fois, cette seule fois, la hiérarchie ne fut pas respectée et l'employé apprit avant l'intéressé la disgrâce de son maître.

L'opération était grandiose et, à la réflexion, tout le monde admit peu à peu — y compris certaines victimes — qu'elle était rationnelle. La création de sociétés puissantes était une nécessité. La seule critique qui me paraît pouvoir être élevée contre les modalités de cette action, c'est que, dans le choix des sociétés-pivots et des présidents des nouvelles sociétés, une importance excessive fut attachée à la comparaison des chiffres d'affaires, et une importance insuffisante à la performance des uns et des autres dans les dernières années : c'est un vice courant dans la haute administration, sur lequel j'aurai l'occasion de revenir.

Si bénéfique qu'elle fût pour l'essentiel, la réforme

m'apparut vite menacer l'intérêt de ma propre fonction : mon métier se vidait d'une bonne part de sa substance. Autant il était stimulant de jouer le rôle d'un petit pape fédérant des entreprises dont aucune ne dominait le secteur, autant la création de groupes publics aussi puissants que l'U.A.P. ou les A.G.F. minait mon propre pouvoir. J'avais jusqu'ici réussi la tâche, essentiellement politique, de faire marcher ensemble quelques dizaines de sociétés, dont une dizaine d'assez grandes ; cela devenait beaucoup plus difficile avec deux ou trois très puissants féodaux. L'U.A.P., en particulier, avait 10 % du marché de l'assurance en France. Si elle disait non à une proposition de la Fédération et menaçait de se retirer de l'association, je devais céder, car la Fédération sans l'U.A.P. n'existait plus.

Or, le patron de l'U.A.P. était une formidable personnalité, Dominique Leca. Trapu, chauve, assez égocentrique et comme tel peu populaire, il fascinait cependant par ses dons extraordinaires d'intelligence, d'expression et de caractère. Ce Corse, d'origine modeste, normalien, inspecteur des Finances, avait connu en alternance la gloire et l'ombre. Tout-puissant directeur du cabinet de Paul Reynaud, président du Conseil dans les derniers temps de la IIIᵉ République, il avait été foudroyé en 1940 par la chute de son patron, l'avènement de Pétain, et par une sombre histoire à la frontière espagnole où on l'avait arrêté, chargé de valeurs appartenant à l'Etat français. Honni à Vichy, réfugié à Londres, il n'entretint pourtant pas les meilleures relations avec les gaullistes. Après la Libération, il mit du temps à refaire surface. Il connut de nombreuses années de pénitence ; il finit par recevoir la présidence de la compagnie d'assurances l'Union Vie, puis y ajouta celle de l'Union Incendie, Accidents et Risques divers. Et c'est alors qu'il fut appelé par Michel Debré à la tête de l'U.A.P. qui regroupait, avec celles qu'il présidait déjà, cinq ou six autres sociétés. Il m'aimait bien, je crois, et il me l'a prouvé abondamment quinze ans plus tard, lors de mes mésaventures qui lui parurent établir entre lui et moi une ressemblance de plus : je reçus alors de lui une lettre bouleversante d'amitié.

Mais revenons aux conséquences de la grande réforme de Haberer. Je me heurtai à Leca à plusieurs reprises. J'étais un suzerain trop faible pour un vassal trop fort ; cela acheva de me persuader, après quatre ans aux assurances, que l'heure d'un nouveau changement avait sonné pour moi.

Vers l'année 1968, je pouvais, si je le voulais, devenir président de l'U.A.T., je pouvais succéder à Georges Tattevin au Groupe Drouot, à André Rosa à la Concorde, à Raymond Meynial à la tête des assurances du groupe Worms, et peut-être ensuite du groupe Worms lui-même. Mais les deux propositions qui m'attiraient le plus étaient celles de l'Union des Mines et de Paribas.

A l'Union des Mines, Jack Francès me proposait de devenir son bras droit ; il me laissait entendre que son groupe était destiné à brève échéance à ne faire qu'un avec le groupe Suez et que si je savais bien jouer, tous les espoirs m'étaient permis derrière Michel Caplain et lui-même qui avaient exactement le même âge, sept ans de plus que moi.

Paribas m'appelait aussi, par deux voix distinctes et même antagonistes. Jean Reyre et Gustave Rambaud d'une part, Jacques de Fouchier de l'autre. Reyre, président de Paribas, et Rambaud, son directeur général, m'invitaient à les rejoindre avec le titre de directeur général adjoint et la présidence de quelque filiale à déterminer. Reyre, je le connaissais depuis bon nombre d'années ; j'avais eu la grande chance de faire par hasard un voyage au Gabon à ses côtés et je gardais un souvenir ébloui de mes longues conversations avec lui ; il m'avait appris des tas de choses, avec un plaisir évident. Il m'avait même proposé, vers la fin des années cinquante, de rejoindre Paribas, mais j'avais alors la vocation du service public et j'avais dit non. Il était vif, mince, pas très grand, la tête ronde, pratiquement pas de cheveux, une voix placée assez haut, à la fois un peu zozotante et un peu nasale. Il se levait tard, arrivait souvent au bureau en fin de matinée. Il travaillait aussi très tard — tout Paribas travaillait extrêmement tard sous sa présidence : il convoquait des collaborateurs à neuf ou dix heures du soir. Au sortir de la rue d'Antin (Paribas occupe rue d'Antin un vaste pâté de maisons, comprenant en particulier deux beaux hôtels du dix-huitième siècle), il hantait les spectacles, les restaurants, les cabarets avant de se coucher. Sa résistance physique était fabuleuse. Rambaud aussi, je l'avais connu dans l'administration où cet ingénieur des Mines avait fait un très brillant passage. J'aimais bien sa vigoureuse intelligence, sa gentillesse, ses airs de grand gosse.

Reyre et Rambaud sont alors engagés dans une formidable bataille dont je reparlerai. Ils se battent contre Suez (et l'Union des Mines, son associée) pour la conquête du Crédit Industriel et Commercial ; et, en même temps, ils se battent à l'intérieur même de Paribas contre les anciens présidents Emmanuel Mönick et Henri Deroy, qui, appuyés par une partie du conseil d'administration, veulent empêcher Reyre de conquérir le C.I.C. et souhaitent placer à la tête de Paribas un nouvel homme, le créateur de la Compagnie Bancaire, Jacques de Fouchier. Je connaissais Fouchier depuis mes toutes premières années à l'inspection des Finances, dont il était un des membres les plus prestigieux. Pas très grand lui non plus, il avait un physique de joueur de rugby, le cou court, la tête enfoncée dans des épaules larges, mais un certain embonpoint. Il aimait la bonne chère, le whisky, les bons vins. Il était brillant, gai, très convivial, généreux. Il maniait remarquablement la langue française, avait une belle écriture, parlait avec autorité et élégance, avec une diction quelquefois un peu lente. Il aimait la littérature, avait publié des poèmes à vingt ans, avait un faible pour P. J. Toulet. Chacun lui reconnaissait de grandes qualités de jugement, et une impeccable loyauté. A cinquante-sept ans, il jouissait d'une réputation à peu près sans égale dans la communauté financière française, parce qu'il avait créé à partir de rien une série d'établissements spécialisés, l'un dans le crédit à l'équipement des entreprises — l'Union Française des Banques —, deux autres dans les financements immobiliers — l'Union de Crédit pour le Bâtiment et la Compagnie Française d'Epargne et de Crédit —, un quatrième dans le crédit à l'équipement des ménages — le Cetelem —, d'autres encore, et parce qu'il avait su fédérer toutes ces créations dans une nouvelle entité, la Compagnie Bancaire, devenue rapidement l'une des étoiles du monde bancaire parisien.

Et Fouchier, lui aussi, me disait : « Venez avec moi. Je vais m'installer rue d'Antin avec les pleins pouvoirs. Soyez du voyage, vous ne le regretterez pas. Concluez au plus vite vos discussions avec Rambaud. Il est très bon que vous n'arriviez pas dans mes bagages à moi, mais que vous soyez recruté par le management en place. Acceptez ce que Rambaud vous propose, allez, ne chipotez pas sur les conditions, faites-vous engager de votre côté, et rendez-vous rue d'Antin ! »

Parler simultanément avec Francès, avec Rambaud, avec Fouchier ne me rendait pas la tâche facile, car je devais garder secret vis-à-vis des autres ce que chacun d'eux me disait. Rambaud ne savait pas que je parlais avec Fouchier, mais, bien sûr, je prenais le plus grand soin de ne pas révéler à Fouchier les confidences ou les injures à son endroit que je pouvais entendre rue d'Antin. Cependant, quand Rambaud apprit un peu plus tard mes liens avec Fouchier, il se persuada que j'avais scrupuleusement tout répété à ce dernier, ce qui n'était pas vrai. Il ne m'a jamais complètement pardonné le soupçon injustifié qu'il conçut à ce moment et qui, je pense, ne s'est pas depuis lors effacé de son esprit.

Au début de l'année 1969, les événements se précipitèrent. Je fus engagé par Reyre et Rambaud comme directeur général adjoint de Paribas ; Jack Francès accueillit cette nouvelle avec son intelligence et sa bienveillance habituelles. Fouchier, dans le même temps, entrait en force à Paribas dont, après quelques étapes, il était convenu qu'il prendrait la présidence. Les assureurs qui, je crois, appréciaient mon action, se désolaient de mon départ, et chez certains d'entre eux, ce mécontentement prenait une forme agressive. Je pense notamment à Jacques Merlin, président de la Société Française d'Assurances pour Favoriser le Crédit (S.F.A.F.C.), et l'un des leaders incontestés de la profession. Sa grande taille, sa tranquille assurance lui donnaient beaucoup d'autorité naturelle. Modérément cultivé, il manquait quelquefois de finesse, mais jamais de vitalité ni de caractère. Imaginatif et entreprenant, il avait brillamment réussi dans trois carrières successives : courtier d'assurances, puis président d'une compagnie, la S.F.A.F.C. précisément (métamorphose à peu près unique dans l'histoire), et enfin banquier (cumul alors exceptionnel : l'assurance et la banque) : grâce à lui, le Crédit Commercial de France était sorti de son sommeil. A la Fédération des assurances, je n'avais pas été à l'origine son candidat, mais, à un certain moment, il avait fait volte-face, m'avait soutenu et j'étais devenu à ses yeux « son Moussa ». Il supportait mal de me voir partir, surtout pour aller dans un groupe bancaire non seulement rival du sien, mais beaucoup plus puissant que le sien. Il grondait. Il excitait contre moi les autres assureurs.

Reyre s'inquiétait du mécontentement des assureurs, clients irremplaçables de Paribas. Par ailleurs, j'apparaissais à Paribas comme l'homme lige et le possible successeur de l'envahisseur Fouchier. Rambaud, je l'ai dit, me trouvait désormais peu sûr. Ce tournant de ma vie, qui était à beaucoup d'égards une bénédiction, s'accomplit donc dans des conditions assez cauchemardesques.

Heureusement, j'avais quelques vieux amis à Paribas, notamment mon ancien camarade de Sciences Po, Jacques Jonnart, que j'aimais tendrement et qui, à mes yeux, était une sorte d'archange. Il y avait aussi Charles Bouzanquet, François Homolle, avec qui j'avais quelquefois joué au tennis (Jonnart, Bouzanquet et Homolle étaient les trois principaux animateurs de la direction financière, à la tête de laquelle je fus placé à mon arrivée rue d'Antin), Jean Denizet, un ancien des Finances comme moi, Jean-Claude Richard, normalien littéraire comme moi, secrétaire général de Paribas, avec qui je développai vite des relations de réelle affection, Bernard de Margerie, directeur général adjoint chargé des affaires internationales ; hormis les anciens présidents Mönick et Deroy c'était le seul inspecteur des Finances de la rue d'Antin avant l'arrivée de Fouchier et la mienne ; dans ces circonstances comme en bien d'autres occasions, il montra une exemplaire noblesse de cœur, une rare élégance morale. Il y avait donc une petite dizaine de visages qui me souriaient à mon arrivée rue d'Antin en janvier 1969. Ce n'était pas beaucoup.

Le climat changea vite. Fouchier sut s'y prendre. Pour ce qui me concerne, je bénéficiai du fait que Rambaud ne faisait pas l'unanimité dans la maison et que l'arrivée d'un *challenger* était considérée par beaucoup comme une bonne chose. Il me semble qu'on me trouvait moins sérieux, moins compétent, moins professionnel que lui, mais, en contrepartie, moins administratif, plus ouvert et peut-être plus constructif. Je fus adopté.

Réciproquement, Paribas fit plus que me séduire. Elle me fascina. On ne pouvait qu'être bouche bée devant une telle concentration d'intelligences, devant une telle densité de savoir au mètre carré (les savoirs les plus divers : sur n'importe quel sujet macro-économique, micro-économique, financier, industriel, international, on n'avait que quelques dizaines de mètres à faire, une porte à pousser, et l'on était en face de l'un des cinq ou six hommes de France les mieux informés et les plus expérimentés sur ce sujet), et aussi devant un tel degré d'imagination et de créativité. Je me souviens d'Olivier Moreau-Néret, ancien président du Crédit Lyonnais, me parlant avec enthousiasme, lors de mon entrée rue d'Antin, des « grandes orgues » de Paribas auxquelles il était heureux de me voir accéder. J'avais bien, en effet, l'impression d'un formidable instrument, et j'espérais me rendre digne d'en être un jour l'organiste.

En même temps et curieusement, Paribas m'apparaissait aussi comme une petite ville méditerranéenne, grouillante d'agitation et d'astuce. Contribuait à cette sensation l'admirable Orangerie que Reyre avait fait installer au premier étage, sur une ancienne cour, avec des éclairages qui réussissaient à évoquer le chaud soleil du Midi. Toute une population pleine de projets parcourait d'un pas pressé l'Orangerie et les galeries voisines, on se croisait, on se saluait, on discutait le coup rapidement, les cervelles se frottaient, des étincelles jaillissaient, l'information circulait vite (trop vite, quelquefois), c'était une atmosphère vraiment particulière !

Ainsi donc, entré à Paribas au milieu des imprécations et du tumulte, dans le bruit et la fureur, comme je devais en sortir, treize ans plus tard, dans un beaucoup plus grand bruit et une beaucoup plus grande fureur, j'y vécus de 1969 à 1981 très heureux, plein de fierté et d'ambition.

IX

PARIBAS

Paribas était constituée par une architecture de sociétés ; pour ne nommer que les principales, au sommet était la Compagnie Financière, holding qui contrôlait essentiellement trois grandes filiales : la Banque Paribas, l'Omnium de Participations Financières et Industrielles (O.P.F.I.), holding tourné vers l'industrie, et Paribas International, holding tourné vers l'étranger. A travers ces sociétés et un grand nombre d'autres contrôlées par elles, Paribas exerçait un éventail d'activités que l'on peut, pour simplifier, ranger en trois catégories (bien que certaines sortes d'opérations chevauchent la frontière entre ces catégories) : les prêts et emprunts (où le groupe gagne sa vie par une *marge* entre les taux débiteurs et créditeurs) — cette catégorie inclut notamment les crédits et les dépôts ; le conseil financier (où le groupe gagne sa vie par une *commission*, versée par les entreprises et les particuliers qui font appel à lui) ; et les prises de positions sur les marchés des capitaux (où le groupe gagne sa vie par une *plus-value* entre le prix d'achat et le prix de revente). Toutes les banques importantes pratiquent ces trois sortes d'activités ; ce qui varie, c'est l'importance relative des trois catégories. Pour les prêts et emprunts, Paribas était loin derrière la B.N.P., le Crédit Lyonnais ou la Société

Générale ; elle était dans le peloton de tête pour le conseil financier ; elle occupait incontestablement la première place pour les prises de positions sur les marchés des capitaux (c'est en cela que Paribas était la *banque d'affaires* typique, par opposition aux *banques commerciales* où l'activité de prêts et emprunts est prédominante).

L'activité de prêts et emprunts était loin d'être secondaire pour Paribas, notamment dans le compte de profits et pertes, mais elle n'était pas le domaine de son excellence. Paribas avait peu d'agences ; or, les agences sont ce qui permet la vaste collecte de dépôts et le contact avec des entreprises de toutes dimensions sur le territoire. A l'origine, elle n'en avait aucune ; sous l'Occupation, elle en avait ouvert une en zone non occupée, à Marseille ; par la suite, elle en avait créé quelques autres. Elle continuait à développer ce réseau, qui néanmoins ne pouvait à aucun degré être comparé à celui des grandes banques commerciales. C'est que les banques d'affaires recherchent surtout la clientèle des entreprises d'importance nationale ou internationale, ainsi que celle des exportateurs (c'est ce que les Américains appellent *wholesale banking,* la banque de gros). Une banque dont la clientèle est constituée principalement de grandes sociétés ne saurait disposer d'une masse considérable de dépôts, ceux-ci venant en fait essentiellement des petites entreprises et des personnes privées.

Les banques commerciales qui disposent de vastes réseaux de guichets — on les appelle souvent « les grands établissements de crédit » — peuvent couvrir une partie importante, voire la totalité des crédits qu'elles accordent par les dépôts qu'elles collectent, tandis que les banques d'affaires n'ont pas cette facilité et doivent recourir très largement au marché monétaire pour financer leurs opérations de crédit. Le marché monétaire, on le sait, est un marché (purement immatériel : il consiste essentiellement en un entrecroisement de relations téléphoniques) où les banques, les établissements financiers et divers autres organismes ajustent leurs trésoreries, ceux qui ont une trésorerie excédentaire prêtant à ceux dont la trésorerie est déficitaire, à un taux qui peut varier chaque jour en fonction de l'offre et de la demande.

Vers la fin des années soixante, juste avant mon arrivée aux côtés de Jacques de Fouchier, Paribas avait pris une conscience aiguë de la situation d'infériorité qui résultait pour elle du fait de n'avoir contact qu'avec les grandes entreprises, et surtout d'être entièrement dépendante du marché monétaire. On se persuada qu'il était plus favorable de financer ses crédits à l'aide de dépôts : la rémunération moyenne des dépôts, même si l'on y ajoute le coût de la main-d'œuvre affectée à leur collecte, était d'ordinaire plus faible que les taux du marché. Lorsque ces derniers atteignaient des niveaux très élevés, toute banque qui se refinançait complètement ou en grande partie par le recours au marché monétaire se trouvait dans une situation très inconfortable, étranglée entre un prix de revient de l'argent considérablement accru et un prix de vente (c'est-à-dire le taux des crédits) qui montait lui aussi, mais toujours plus modérément et plus lentement. Ces réflexions avaient conduit Jean Reyre à souhaiter une transformation drastique de la conception même de Paribas, qui eût fait d'elle une « banque universelle », à la manière des grandes banques allemandes (la Deutsche Bank, la Dresdner Bank et la Commerzbank sont à la fois de grands établissements de crédit et des banques d'affaires ; c'est cela qu'on appelle « banque universelle »). Pour cela, il était bon, assurément, de développer le jeune réseau de Paribas, mais il fallait aller beaucoup plus loin et beaucoup plus vite. La seule solution était de s'emparer d'un établissement de crédit disponible ou, mieux, de plusieurs. Les plus grands, les trois nationalisés, étaient évidemment hors de portée, mais restaient le Crédit Industriel et Commercial (C.I.C.), le Crédit du Nord et le Crédit Commercial de France. Reyre pensa, je crois, sérieusement à conquérir les trois. Il s'attaqua en tout cas aux deux premiers en 1968 — et ce fut l'origine de la crise qui entraîna finalement son départ et son remplacement par Jacques de Fouchier.

Pendant l'automne 1968 et le début de l'hiver suivant, Reyre était comme un gouvernement qui doit faire face à la fois aux armées ennemies et à une rebellion intérieure : bataille externe contre Suez pour le contrôle du C.I.C., et bataille interne contre une partie du conseil d'administration qui, tout en se plaignant d'avoir été insuffisamment informée, le blâmait d'avoir déchaîné contre Paribas les fureurs de l'*establishment* (en essayant de mettre la main sur des firmes ressortissant à l'*establishment*) et d'avoir écœuré Fouchier (en attaquant, à son insu, le C.I.C. que présidait un grand ami de Fouchier, Christian de Lavarène, et le Crédit du Nord que présidait le propre frère de Fouchier) au point qu'il s'était démis de ses fonctions d'administrateur de Paribas. Le haut personnel de la maison était indigné de voir Reyre ligoté au moment suprême de son combat contre Suez. Tout Paribas faisait bloc avec lui. Le conseil d'administration adopta pour finir une solution qui sauvait la face des deux parties, mais qui, en fait, donnait le pouvoir à Fouchier au terme d'un assez court délai. Fouchier arriva comme l'usurpateur (et moi comme le brillant second de l'usurpateur). Cela dura peu. Fouchier prit la maison bien en main. Bien que moins convaincu que Reyre de la nécessité d'avoir le contrôle de banques commerciales, il fit de son mieux pour maintenir les chances de Paribas contre Suez dans ce domaine. Au cours des combats de 1968-1969, et grâce aux divisions internes de Paribas, Suez avait pris une certaine avance, et détenait un peu plus d'actions du C.I.C. que Paribas. Une sorte d'armistice était intervenu. Suez et Paribas coexistaient au conseil d'administration du C.I.C. où ils se regardaient en chiens de faïence. Suez espérait bien l'emporter définitivement un jour ou l'autre.

Une occasion lui en fut fournie peu après. La Compagnie de Pont-à-Mousson avait une banque, appelée l'Union Bancaire et Industrielle (U.B.I.); elle proposa d'en faire apport au C.I.C., contre des actions de celui-ci. Pour le C.I.C., c'était une occasion d'accroître sa taille et son réseau de clients. Mais en même temps, comme Pont-à-Mousson était très proche de Suez, l'opération permettait à ce dernier de renforcer sa position dans le tour de table du C.I.C., et de distancer Paribas. Le président de Suez était alors un homme intelligent et vigoureux, mais qui manquait parfois de finesse : Jacques Georges-Picot. J'ai toujours été persuadé qu'il aurait eu gain de cause s'il avait dit à Fouchier : « L'acquisition de l'U.B.I. est une grande chance pour le C.I.C., nul ne peut le contester ; cependant, si Paribas s'y oppose, on ne le fera pas, mais nous aurons alors agi contre les intérêts de la société dont nous sommes, vous et moi, administrateurs. » L'honnêteté foncière de Fouchier l'eût conduit à se dire : je n'ai pas le droit de dire non. Mais le langage de Georges-Picot fut moins habile ; ce fut en substance : « J'aimerais que le C.I.C. fasse cette acquisition avec l'accord de tout le monde, mais si vous vous y opposez, nous le ferons tout de même, car nous disposons de la majorité des voix. » Fouchier ressentit l'outrage.

Or, depuis de longues semaines, je nourrissais, avec Serge Varangot, directeur de la Bourse à Paribas, un projet ambitieux qui consistait à racheter un substantiel paquet de titres du C.I.C. détenu par le groupe d'assurances La Fortune, afin de rétablir l'équilibre entre Suez et Paribas, mais il y avait deux obstacles sur notre route : d'une part,

La Fortune avait une sorte de pacte avec Suez, Paul de Chalus, son directeur financier, ayant les relations les meilleures avec Jack Francès, l'un des principaux alliés de Suez ; d'autre part, Fouchier, qui voulait sincèrement la paix avec Suez, n'était pas enthousiaste pour faire ce coup ; la maladresse de Georges-Picot eut raison de ses réticences. Quant à Chalus, une seconde maladresse de Georges-Picot le fit également basculer. Chalus était allé le voir pour lui expliquer qu'il fallait un vrai patron au C.I.C. et qu'un nom s'imposait : Francès. Avec une certaine hauteur, Georges-Picot lui avait répondu qu'il n'en était pas question, et lui avait fait comprendre que Suez n'avait pas l'intention de se concerter avec lui. Offensé, Chalus accepta de négocier la vente de son paquet d'actions du C.I.C. à Paribas. Et nous conclûmes. C'est moi qui eus le grand plaisir d'annoncer que le marché était signé, à la fois à Fouchier et à Reyre, au cours de je ne sais quel cocktail où ils se trouvaient tous deux et où j'arrivai fort en retard, après avoir terminé la négociation avec Chalus. J'exultais.

L'équilibre était ainsi à peu près rétabli. Suez et Paribas continuèrent quelque temps à coexister. Quand Michel Caplain succéda à Georges-Picot à la tête de Suez en 1971, un de ses premiers soins fut de proposer à Fouchier un Yalta dans toute cette affaire des banques commerciales. Je fus mêlé de près à ces négociations qui furent longues, difficiles mais amicales. A la fin, Paribas abandonna le contrôle du C.I.C. à Suez, lequel lui céda en revanche la Banque de l'Union Parisienne, qui était une partie de son groupe et que Paribas rapprocha du Crédit du Nord dont, dans l'intervalle, nous avions achevé de prendre le contrôle. Ainsi, chacun des deux protagonistes avait une grande banque de dépôt ; celle qu'obtenait Suez était la plus belle, mais le déséquilibre était compensé par diverses concessions en d'autres domaines. Par ailleurs, Paribas n'allait pas tarder à acquérir un autre réseau de première importance, celui qu'avait naguère créé Fouchier sous le nom de Compagnie Bancaire, qui était un holding de banques spécialisées (l'Union Française de Banques, l'Union de Crédit pour le Bâtiment et la Compagnie Française d'Epargne et de Crédit, le Cetelem... ; la création de chacune d'elles avait été une innovation en France, mise au point par Fouchier et une petite équipe très imaginative et très unie ; la Compagnie Bancaire fait aujourd'hui encore partie du groupe Paribas et en constitue une des composantes les plus dynamiques, sous la direction du remarquable André Lévy-Lang). Les autres grands actionnaires de la Compagnie Bancaire, le Crédit Lyonnais, la Société Générale et la maison Worms, voulurent bien laisser à Paribas la possibilité de se mettre seul au premier rang. Avec la Compagnie Bancaire, et avec le Crédit du Nord grossi de la Banque de l'Union Parisienne, Paribas faisait fort bonne figure.

La paix était complètement revenue. Les relations des deux grands groupes, détestables quand les deux patrons étaient Georges-Picot et Reyre, convenables quand ils s'appelaient Georges-Picot et Fouchier, étaient devenues très bonnes sous Caplain et Fouchier ; et elles allaient devenir excellentes sous Caplain et Moussa.

Vingt ans ont passé depuis que cette guerre a éclaté. Bien des choses ont changé (en dehors de la nationalisation, puis de la privatisation des deux protagonistes). Suez n'a pas vraiment cherché à conserver le contrôle du C.I.C. (qui est aujourd'hui passé entre les mains du G.A.N., groupe nationalisé d'assurances). Paribas paraît plutôt encombré du Crédit du Nord. L'idée que ces banques d'affaires ont un besoin vital de contrôler des banques de dépôt paraît désormais beaucoup moins évidente.

On redevient sensible au fait qu'il s'agit de deux métiers bien distincts qui exigent des mentalités fort différentes. L'attention des hauts dirigeants des banques commerciales est en grande partie mobilisée par les problèmes de productivité des vastes organisations qu'elles constituent; les banquiers commerciaux sont, dans une certaine mesure, des industriels, parce que leurs entreprises présentent beaucoup des caractères de l'industrie de masse : personnels nombreux, clientèle dispersée et abondante, innombrables actes répétitifs dont, avant toute chose, si l'on est soucieux de la « profitabilité » de l'entreprise, il convient de concevoir la forme et d'agencer le traitement dans les conditions les plus économiques. Comme les industriels, les banquiers commerciaux pensent beaucoup en termes de parts de marché. Beaucoup plus légères, plus artisanales à certains égards, les banques d'affaires semblent devoir demeurer toujours plus maniables, et une partie plus notable de l'activité de leurs hauts dirigeants peut légitimement être consacrée à la solution originale des problèmes financiers de leur clientèle publique et privée. Plus qu'aux parts de marché, les banquiers d'affaires pensent en termes de profit.

Par ailleurs, deux faits viennent éroder progressivement l'avantage des banques commerciales : l'accroissement des charges salariales alourdit continuellement le prix de revient des dépôts; d'autre part, une partie croissante des déposants deviennent conscients de leurs intérêts et attentifs à la rémunération que leurs fonds reçoivent. Ainsi, le handicap que subissent les banques qui s'approvisionnent largement sur le marché monétaire tend sans doute à s'atténuer. Une preuve éclatante en a été donnée : il y a quelques années, l'une des plus puissantes banques des Etats-Unis, Bankers Trust, n'a pas hésité à vendre tout son réseau d'agences, considéré comme un moyen trop onéreux de s'approvisionner en argent, et à entreprendre de se financer par le recours au marché monétaire, au moment où elle décidait de don-

142

ner une importance majeure à ses activités de *trading*. Elle est devenue beaucoup plus « profitable ».

En tout cas, le mythe de la banque universelle à l'allemande n'est plus à la mode en France. Autrement dit, on assiste à la renaissance du concept ancien de banque d'affaires : prêts et emprunts, oui, mais surtout conseil financier et prises de positions sur les marchés des capitaux.

Le conseil financier est au cœur du concept de banque d'affaires. Et d'abord, le conseil aux entreprises ; quand il s'agit du financement de celles-ci, les banques commerciales sont les plus puissants *pourvoyeurs* de fonds, mais les banques d'affaires sont souvent chargées d'*arranger* les financements, qu'il s'agisse de financements bancaires, s'ils sont compliqués ou délicats, ou bien d'émissions d'obligations ou d'actions, ou de l'un des produits intermédiaires entre actions et obligations, qui aujourd'hui abondent. Les services que la banque peut rendre aux entreprises au titre du conseil financier vont beaucoup plus loin que l'organisation des financements. Ils peuvent concerner leurs problèmes de structure financière : préparer leur introduction en Bourse, trouver un partenaire prêt à prendre une part dans leur capital pour appuyer leur développement, les débarrasser d'une filiale ou d'une branche d'activité qui ne correspond plus à la stratégie choisie ; à l'inverse, les aider à acquérir le contrôle d'une autre société nationale ou étrangère. Par toutes ces interventions, les banques apportent une contribution substantielle à la mobilité de l'économie nationale et internationale. C'est l'ensemble des services ainsi rendus aux entreprises que l'on baptise souvent *corporate finance*.

Le conseil financier des banques peut également s'adresser aux gouvernements ou aux collectivités publiques, amenés à vouloir emprunter, rembourser ou conver-

143

tir un emprunt, ou à privatiser une société du secteur public.

Il peut aussi s'adresser à la clientèle « capitaliste », particuliers ou sociétés qui disposent de fonds et souhaitent les placer de la manière la plus productive et la plus sûre. C'est l'activité qu'on nomme souvent « gestion de fortune », ou encore « gestion d'actifs » (*asset management*).

Dans tous les cas, le mot « conseil », qui est employé faute de mieux, ne doit pas tromper : la banque ne se borne pas à donner des avis ; elle a souvent *mandat*, par exemple pour gérer une fortune, ou pour négocier une fusion ou une acquisition. Elle est donc plus qu'un conseiller, elle est investie de pouvoirs, mais sa contribution est de caractère essentiellement *intellectuel*, en ce sens que ce qu'elle fournit, c'est avant tout de l'intelligence. L'entreprise qui veut emprunter souhaite qu'on lui dise s'il vaut mieux le faire en monnaie nationale ou en eurodollars, à quel taux (le taux le plus bas qui soit compatible avec la réussite de l'opération), à quel moment exact, quelles doivent être les caractéristiques de l'emprunt, et ainsi de suite. Ou encore, une entreprise voudrait prendre le contrôle d'une société ayant dans un autre pays le même métier qu'elle : il faut identifier la cible possible, approcher la direction et les principaux actionnaires de cette firme, négocier au mieux, prendre toutes précautions vis-à-vis des diverses autorités qui peuvent être tentées d'opposer un veto à l'opération... (c'est ce que l'on appelle, dans les banques, le service des « fusions-acquisitions » : c'est probablement le secteur le plus sophistiqué de la banque d'affaires). Ces services exigent de vastes connaissances, beaucoup d'allant et d'imagination, et aussi beaucoup de relations. Selon que la cible a été plus ou moins bien choisie, que la négociation a été plus ou moins habilement menée, l'enjeu pour l'entreprise se compte souvent par centaines de millions de francs, quelquefois par milliards. On conçoit que les excellentes banques d'affaires (de même que les *merchant banks* en Grande-Bretagne, les *investment banks* aux Etats-Unis) puissent recevoir des commissions considérables : un bon nombre de millions, souvent de dizaines de millions, pour une seule opération. Bien que les sociétés industrielles, s'intéressant de plus en plus à la finance, soient capables, aujourd'hui plus qu'hier, de maîtriser elles-mêmes les techniques en question, l'avantage qui reste aux banquiers spécialisés, et qui les rend indispensables, c'est d'avoir vu se développer un nombre élevé d'opérations de ce type et d'avoir acquis de ce fait un jugement plus sûr, plus instinctif, sur la « faisabilité » de tel ou tel projet particulier.

Paribas avait de brillants services spécialisés dans le conseil financier : la direction des affaires financières, celle des affaires financières internationales (alors distincte de la première) et aussi les directions des affaires industrielles, qui travaillaient surtout sur les participations de Paribas, mais qui étudiaient aussi des opérations pour le compte de clients lorsque celles-ci avaient une forte connotation industrielle. La haute qualité de ces directions faisait que la direction générale n'avait pas, en général, à se mêler des affaires de conseil financier, sauf, bien sûr, lorsqu'il s'agissait de sujets très importants concernant de grands clients : ainsi, quand Paribas, aux côtés de Lazard et de Neuflize, conseilla B.S.N. pour son O.P.A. inamicale — et finalement malheureuse — sur Saint-Gobain en 1968-1969 (au moment même où Fouchier et moi arrivions rue d'Antin). En fait, le président et la haute direction avaient surtout à donner de leur personne lorsque la concurrence entre les banques se disputant le client était très vive et qu'il fallait à tout prix emporter pour Paribas un contrat ou un *chef-de-filat* (ce mot horrible signifie « position de

145

chef de file » ; la banque chef de file est, dans une opération financière nécessitant plusieurs banques, et quelquefois même de nombreuses banques, celle qui mène le jeu, d'où elle tire à la fois prestige et rémunération additionnelle). On n'est plus alors dans la haute technique financière, mais plutôt dans la rhétorique et l'art dramatique : on rappelle les services rendus à la société qui est tentée de choisir une autre banque, on fait jouer toutes les fibres de l'affectivité, on menace. Comme le monde économique devient de moins en moins sentimental, il est probable que l'efficacité de ce genre d'intervention n'est plus ce qu'elle était et que le rapport qualité-prix des services offerts par les divers banquiers joue un rôle plus grand que naguère. En tout cas, du temps où j'étais directeur général ou président de Paribas, c'était encore une part notable des tâches du patron.

Par exemple, j'avais vis-à-vis de Hachette un rôle, assez peu flatteur, de chien de garde : Paribas avait les liens les plus étroits avec la « Librairie », et les relations étaient d'ailleurs tout à fait cordiales, mais les dirigeants de Hachette recevaient assez souvent la visite de concurrents de Paribas qui tentaient de les séduire en leur proposant des prêts, des opérations alléchantes..., avec d'autant plus d'ardeur qu'ils ne couraient aucun risque, la présence de Paribas dans le capital de Hachette étant considérée comme une remarquable garantie (un peu comme un séducteur qui, pour pousser ses avantages auprès d'une femme, lui proposerait un énorme prêt d'argent, la fortune du mari étant considérée comme tout à fait rassurante). Il fallait que je joue précisément le mari jaloux, que j'essaie de dégoûter la direction de Hachette de ses soupirants, au grand risque de m'entendre répondre : soit, nous vous restons fidèles, mais alors montez-nous une opération comparable à celle que votre concurrent nous a proposée...

Cette mobilisation des dirigeants se justifie vis-à-vis des

sociétés clientes ; beaucoup moins, bien sûr, vis-à-vis des clients privés. C'est pourquoi la direction générale de Paribas a toujours été moins mêlée aux affaires de gestion de fortunes qu'aux affaires de *corporate finance*. Cela ne veut pas dire que la gestion de fortunes nous semblât sans importance. Nous étions heureux de la voir progresser vigoureusement sous l'impulsion d'un homme remarquable, Jean Richard, qui avait cette particularité d'être le seul des directeurs de Paribas à ne sortir ni d'une grande école ni même d'un établissement d'enseignement supérieur ; et pourtant, il avait autant ou plus de jugement et d'efficacité que la plupart des autres, et — chose plus curieuse — plus de culture au sens réel du terme. Celui qui l'avait repéré et fait monter dans la hiérarchie (il était entré tout en bas de celle-ci) n'était autre que Serge Varangot, directeur de la Bourse à Paribas, qui montra plus d'une fois une remarquable aptitude à juger les hommes.

Un des problèmes relatifs à cette direction et dont Fouchier et moi avons eu à connaître a consisté à la protéger contre l'influence des autres directions de la maison. Nous touchons ici à l'un des aspects les plus délicats de la déontologie bancaire. Souhaitant aider et satisfaire tel client industriel, une banque peut être tentée d'inciter ses clients capitalistes à souscrire aux emprunts de ce client industriel, ou à son augmentation de capital, ou à ne pas se défaire des obligations ou actions de cette entreprise s'ils y sont enclins. On peut donc être poussé à trahir les intérêts de la clientèle capitaliste au bénéfice de la clientèle industrielle. Ou encore au bénéfice de la banque elle-même : pour assurer son contrôle sur une entreprise, elle peut trouver commode de placer un grand nombre des actions de celle-ci dans les portefeuilles de ses clients, puisqu'elle aura ainsi de grandes chances de disposer des pouvoirs de vote correspondant à ces actions lors des assemblées générales. Il s'agit là de risques bien réels, et auxquels Paribas, dans le passé, n'a pas toujours échappé. Fouchier donna pour instruction à Jean Richard de considérer à l'avance comme nulle et non avenue toute injonction qu'il pourrait recevoir dans l'avenir, en ce qui concerne la gestion des portefeuilles de ses clients, de la part de qui que ce soit dans la banque, y compris lui-même. Je donnai une instruction semblable lorsque je devins président.

Le département de la banque qui pouvait être le plus tenté de faire pression sur la direction de la gestion de fortunes était peut-être la direction financière, c'est-à-dire la direction chargée des opérations sur les marchés financiers pour la clientèle industrielle, puisque c'était elle qui avait constamment des augmentations de capital ou des emprunts à placer. Or, la direction de la gestion privée était, à l'origine, une partie de la direction financière. Il a donc fallu établir peu à peu une cloison de plus en plus étanche entre les deux activités. Ce processus aboutit à son terme lorsque, en 1975, la direction de la gestion privée devint un service complètement indépendant de la direction financière.

J'eus à m'occuper activement de la direction de la gestion privée dans la dernière année de ma présidence. Un jour de novembre 1980, un commando de douaniers déboule à l'improviste dans les locaux de la banque, se précipite à la direction de la gestion privée et saisit des documents qui prouvent que certains cadres de cette direction ont aidé des clients à transférer des capitaux vers la Suisse et un client, l'industriel Latécoère, à exporter clandestinement de l'or à l'étranger. Mauvaise histoire. Pendant l'hiver et le printemps, je suis moi-même, à plusieurs reprises, en contact avec la direction générale des Douanes, le cabinet du ministre, l'Elysée. Il est entendu que Paribas devra payer un prix très élevé pour cette bavure, en consentant à verser une très substantielle amende de composition (c'est ainsi qu'une mésaventure semblable s'est terminée quelques mois plus tôt pour une autre grande banque française). Je fais l'impossible pour obtenir que ce règlement ait lieu avant les élections présidentielles de mai 1981 ; je n'y parviens pas. Quelques mois après la victoire de François Mitterrand, au moment où le règlement est sur le point d'intervenir, le gouvernement, outré des opérations par lesquelles des filiales de Paribas ont été soustraites aux conséquences de la nationalisation, va trouver dans ce dossier un moyen providentiel de persécuter Paribas et son président. Mais n'anticipons pas.

Le conseil financier, qu'il s'agisse du *corporate finance* ou de la gestion de fonds, était, dans une certaine mesure, le domaine privilégié des banques d'affaires. Mais le « décloisonnement » apparu dans le paysage bancaire français à partir des années soixante-dix fit que ce domaine se trouva progressivement envahi par les grandes banques commerciales. De tout temps, celles-ci ont joué un rôle très important dans l'émission et le placement des emprunts obligataires et dans les augmentations de capital : c'est ainsi que la B.N.P., le Crédit Lyonnais et la Société Générale, qui sont les trois plus grands établissements de crédit, étaient traditionnellement les trois premiers placeurs d'emprunts publics et privés, Paribas ne venant qu'en quatrième position. En revanche, d'autres créneaux étaient à l'origine moins familiers aux grands établissements de crédit français, mais, par un effort persévérant, ils se sont initiés, dans les années soixante-dix, aux domaines qu'ils avaient négligés jusque-là. Par exemple, ils étaient peu habitués à gérer des fortunes privées ou des portefeuilles d'investisseurs institutionnels ; cela est si vrai que, lors de la création en France des premières Sicav (Sociétés d'Investissement à Capital Variable), en 1964, ils se sont souvent adressés aux

149

banques d'affaires pour fonder ensemble des Sicav, l'un apportant la majeure partie de la clientèle, l'autre la meilleure part de la compétence. C'est ainsi que Paribas et la Société Générale coopérèrent activement autour de deux Sicav. Mais le temps a passé, la compétence s'est diffusée et les associations créées autour des Sicav se sont défaites, les banques commerciales ayant moins besoin de l'assistance technique des banques d'affaires. Même l'activité très sophistiquée des « fusions-acquisitions » est aujourd'hui pratiquée — souvent avec beaucoup de talent — par les banques commerciales ou par des filiales créées par elles.

C'est dans le domaine des prises de positions sur les marchés des capitaux que Paribas se distinguait le plus. Certaines des positions en question étaient à terme court : achats et ventes sur les marchés des changes, sur les marchés monétaires, ou en Bourse sous forme d'allers et retours rapides. Ce genre d'activité s'est aujourd'hui beaucoup développé dans toutes les banques, en particulier à Paribas. Mais à l'époque dont je parle, les positions les plus importantes étaient de loin les positions à long terme, autrement dit les investissements : Paribas gérait un considérable portefeuille de participations (à la fin de 1981, à mon départ, la valeur comptable du portefeuille consolidé était de 5,9 milliards, sa valeur estimée de 9,4 milliards). Il s'agissait de participations, en général minoritaires, dans plusieurs centaines de sociétés.

Cette activité d'investisseur était organiquement unie aux activités plus proprement bancaires, consistant dans les prêts et emprunts et dans le conseil financier.

D'abord en termes de compte de profits et pertes : le fait, pour un groupe bancaire, d'être un actionnaire substantiel d'une firme industrielle ou commerciale permet de bénéficier de la clientèle de celle-ci en ce qui concerne les services bancaires et financiers : l'activité de holding est donc génératrice de revenus proprement bancaires.

Mais l'union des deux activités est plus intime encore : elle définit la philosophie même du métier. Une banque d'affaires est une banque qui, en vue de la restructuration de l'économie nationale ou internationale, utilise conjointement des moyens très divers, allant du crédit et de l'émission des emprunts jusqu'à la prise de participation dans le capital des sociétés. Sans ce dernier élément, la panoplie est incomplète : pour modifier les structures, il faut quelquefois pouvoir entrer dans les structures. Veut-on accroître les fonds propres d'une société asphyxiée ou surendettée ? Bien souvent, les investisseurs s'enhardissent s'ils voient une banque d'affaires prête à s'impliquer elle-même. S'agit-il de redresser la barre dans une entreprise mal gérée, ou, plus généralement, d'inspirer des mesures salvatrices dans une société dont l'avenir est menacé ? Le rôle du banquier-actionnaire peut être décisif. Je voudrais en donner deux exemples qui concernent Poliet & Chausson et Fougerolle.

A la suite d'une fusion, Paribas était devenu actionnaire de Poliet & Chausson en 1968. Cette société, brillante avant la guerre, était alors handicapée par la présence dans son capital de ses deux principaux concurrents ; une mésentente entre les dirigeants — due sans doute à cette mauvaise répartition du capital — paralysait l'entreprise qui, en 1968, était en perte. Après une laborieuse négociation, Paribas parvint à racheter en 1969 et 1970 les parts des deux autres principaux actionnaires et mit en place une nouvelle direction. Il apparut alors que Poliet n'avait plus la taille critique dans son activité cimentière et qu'un rapprochement avec une autre entreprise de ce secteur serait bénéfique. En 1971, Paribas, devenu l'actionnaire principal de Poliet, et les nouveaux dirigeants de la société

151

se mirent d'accord avec la Société des Ciments Français pour lui apporter le patrimoine cimentier de Poliet. Cette opération plaçait les Ciments Français au premier rang en France, aux côtés de Lafarge. Poliet devenait actionnaire — et, peu après, l'actionnaire principal — des Ciments Français.

Ayant ainsi consolidé ses intérêts cimentiers, Poliet gardait une activité propre dans les matériaux de construction et dans les activités de second œuvre et de distribution. Pour lui donner toutes ses chances, Paribas augmenta l'importance de Poliet en lui faisant apport de diverses participations complémentaires et en l'aidant à acquérir de nouvelles entreprises. Grâce à cette politique, Poliet est devenu en un peu plus de quinze ans le plus grand groupe français dans la distribution des matériaux de construction, la menuiserie industrielle et les enduits de revêtement de façades, ainsi qu'un important fabricant de serrures, tout en commençant à développer ses implantations en Europe.

La Société des Ciments Français, à la suite de l'apport de Poliet, était mieux placée pour faire face à la récession qui, à partir de 1975, devait conduire, en dix ans, à une réduction de près de 40 % de la consommation de ciment en France. D'une façon générale, la profession cimentière, correctement structurée, n'eut pas à recourir à l'Etat pour résoudre le grave problème ainsi posé ; la Société des Ciments Français, en particulier, sut faire de bons choix techniques pour adapter progressivement sa capacité de production aux besoins du marché, réduire ses effectifs, moderniser son outil de production, puis amorcer un large développement en France et à l'étranger. Les Ciments Français sont ainsi devenus le cinquième groupe cimentier du monde, et prennent une place de plus en plus importante parmi les producteurs d'agrégats et de produits en béton, tant en Amérique qu'en Europe.

Sans l'entrée de Paribas dans le capital de Poliet & Chausson en 1968, ni Poliet ni la Société des Ciments Français ne figureraient aujourd'hui, par le niveau de leurs bénéfices, dans la liste des cinquante premières entreprises françaises.

L'histoire de Fougerolle n'est pas moins significative. En 1964, le propriétaire de cette entreprise familiale, qui ne pouvait faire face à ses échéances, était venu demander le secours de Jean Reyre qui, sachant la valeur du nom de la société dans le monde des travaux publics, avait pris le risque d'assumer la responsabilité de Fougerolle. Dans un premier temps, Paribas proposa — sans succès — aux grands de la profession une solution corporative, ayant dès cette époque le souci d'une nécessaire restructuration. A défaut d'une telle solution, Paribas s'engagea dans une autre stratégie, fondée sur l'accroissement des dimensions de Fougerolle. Grâce à une première fusion avec une entreprise très spécialisée de génie civil, la société Limousin, le groupe trouva en la personne de Louis Lesne, directeur général de Limousin, l'homme capable de bâtir l'avenir. En 1970, Paribas racheta et apporta à Fougerolle une entreprise travaillant outre-mer ; en 1973, elle lui donna la possibilité de prendre le contrôle d'une entreprise de bâtiment et d'une entreprise routière. Devenu ainsi l'une des grandes sociétés françaises dans le secteur des travaux publics, Fougerolle procéda ensuite à un regroupement d'entreprises régionales en France, préparant le relais des opérations d'outre-mer ; elle emploie aujourd'hui quinze mille personnes et obtient des résultats très satisfaisants.

Ces exemples montrent comment, dans une banque d'affaires, l'activité de conseil financier est inséparable du rôle d'investisseur. Je pourrais de la même façon évoquer le rôle de Paribas, marieur et actionnaire à la fois, dans les grandes créations industrielles qu'ont été Babcock-Fives ou Thomson-C.S.F. De même, Alsthom n'est devenu un ensemblier complet de centrales électriques qu'à partir du moment où il s'est agrégé Stein et Roubaix d'une part, Rateau d'autre part, et, dans les deux cas, la présence de Paribas parmi les actionnaires de ces sociétés a été un facteur déterminant du rapprochement.

Ces opérations ont été principalement l'œuvre du brillant département industriel de Paribas, notamment d'hommes tels que Maurice Doumenc, Roger Schulz, François Morin, Jean-Pierre Fontaine. Mais les directeurs généraux et les présidents successifs eurent aussi à intervenir dans leur déroulement, vu leur importance. Pour ma part, j'ai un bon nombre de souvenirs personnels afférents à la gestion du portefeuille de Paribas.

Certains sont désagréables. L'un date de 1974 et concerne la Compagnie Luxembourgeoise de Télédiffusion (C.L.T.), dont Paribas était actionnaire. De Luxembourg où se tenait une séance du conseil, Maurice Doumenc, qui y représentait Paribas, m'appelle, ayant obtenu non sans mal une suspension de séance : Havas et le Groupe Bruxelles Lambert voulaient être autorisés à apporter toutes leurs actions de la C.L.T. à une société nouvelle qu'ils venaient de créer ensemble, Audiofina, qui allait dès lors détenir le contrôle de la C.L.T., Paribas, Schlumberger et Prouvost étant réduits au rôle de figurants. J'appelle en hâte le cabinet du ministre des Finances pour dénoncer l'étrange comportement de Havas, société contrôlée par l'Etat français, qui s'allie aux privés belges contre les privés français. Je n'obtiens aucun soutien, et pour cause. J'appris par la suite que l'opération avait la pleine approbation du ministre des Finances lui-même, Valéry Giscard d'Estaing. Elle avait été stoppée un certain temps par Georges Pompidou, président de la République. Mais celui-ci venait de donner son feu vert, sous le coup de la colère que lui avait inspirée un article de Georges Suffert dans *Le Point,* qui réclamait l'éviction du Premier ministre : « Messmer doit partir ! » ; or, *Le Point* appartenait alors à Hachette, Hachette était proche de Paribas, et l'Elysée pensait que l'article était voulu par Fouchier, ami de Jacques Chaban-Delmas que Pierre Messmer avait supplanté à Matignon. Bien entendu, Fouchier n'avait ni inspiré ni même approuvé l'article, qu'il avait lu en même temps que tout le monde dans le magazine. Même les hommes politiques les plus expérimentés et les plus sages ont quelquefois d'étonnantes crédulités. En tout cas, je mesurai, pour la première fois, les inconvénients qu'il y a, pour une banque, à avoir des intérêts dans un groupe de communication. Audiofina prit comme prévu le contrôle de la C.L.T. ; il l'a encore (malgré les efforts que Jean Riboud, président de Schlumberger, exaspéré plus que tout autre par cette opération, déploya jusqu'à sa mort pour la défaire, sans succès, même après 1981, période où, comme chacun sait, son influence fut considérable).

Un autre souvenir désagréable concerne Hachette lui-même. Paribas était actionnaire de la « Librairie » depuis des décennies ; bien que cette participation ne fût que de quelques points pour cent, elle s'accompagnait d'une profonde influence. J'ai moi-même siégé au conseil de Hachette pendant de longues années. C'est moi qui avais pensé, pour la présidence de la société, à faire appel à Jacques Marchandise, qui était alors un des principaux directeurs de Péchiney. Tout à coup, durant l'hiver 1980-1981, il devient clair que quelqu'un ramasse des titres Hachette en Bourse : une menace se dessine donc. Pour y parer, j'imagine une solution que je crois brillante et qui, comme on va le voir, ne l'est pas. J'appelle Yves Cannac, président de Havas, et lui demande s'il est prêt à considérer un rapprochement entre Havas et Hachette. Industriellement, cela avait un sens, puisque cela dotait la France d'une très grande entreprise de communication.

Pour Havas, cela pouvait représenter un mouvement vers la privatisation (l'Etat détenait une partie importante de son capital). En même temps que, au bénéfice de Havas, on diluait cette part de l'Etat, on diluait simultanément, au bénéfice de Hachette, la participation accumulée par l'agresseur inconnu.

Je sentis Cannac très gêné au téléphone et n'en compris la raison que quelques jours plus tard : l'agresseur inconnu était précisément Cannac lui-même, ou, en tout cas, une coalition au sein de laquelle Havas occupait une place importante. Il se trouva cependant que le président Giscard d'Estaing jugea de très mauvais goût l'idée de Havas de participer à une agression contre Hachette et invita Cannac à interrompre l'opération (c'est un exemple entre mille de la dépendance dans laquelle sont les entreprises du secteur public et semi-public vis-à-vis des autorités politiques). Le paquet qui avait été accumulé (par les soins de Jean-Luc Gendry, le très astucieux président de la Banque Privée de Gestion Financière) fut offert à Matra. Jean-Luc Lagardère accepta de devenir l'unique conquérant de Hachette. Il redoutait cependant notre réaction.

Ce n'est pas très glorieux, mais nous décidâmes de ne pas nous battre, considérant que nous risquions de dépenser beaucoup d'argent pour, au mieux, nous retrouver au bout du compte avec une participation cette fois massive, et payée très chère, dans le capital d'une société pour laquelle nous n'avions pas de plan industriel très constructif en tête. Lagardère et son bras droit Yves Sabouret semblaient avoir fait preuve en d'autres circonstances de dynamisme et de savoir-faire. La principale raison de livrer bataille eût été l'amour-propre. Les directeurs généraux et moi décidâmes d'oublier notre amour-propre et de traiter avec Lagardère. Je le fis vite et facilement. Paribas restait banquier de la société, la responsabilité de la stratégie passait à l'équipe de Matra. La presse se moqua un peu de notre humiliation. Le brillant redressement de Hachette justifia, pour nos actionnaires, notre décision.

J'en tirai une leçon : il est très malsain, pour une banque d'affaires, de conserver indéfiniment ses participations, il faut les garder un certain temps seulement, et avec une attitude active, en élaborant et en appliquant une stratégie claire. Je devais un jour m'en souvenir en construisant Pallas.

Plus plaisant est le souvenir que je garde du mariage du Club Méditerranée et du Club Européen du Tourisme. Ce dernier vocable était le nom d'une société qu'avait fondée Paribas, peu après la naissance du Club Méditerranée. Elle faisait à peu près le même métier, tout en visant une clientèle un peu plus bourgeoise. Les deux clubs se trouvaient souvent en concurrence pour l'acquisition de terrains propices à la construction de villages de loisirs. Gilbert Trigano vint voir Paribas et lui tint en substance ce langage : « Nous sommes en train de nous ruiner tous deux dans cette folle compétition qui fait que nous n'arrêtons pas de surpayer les terrains. Si vous voulez continuer cette guerre, d'accord, c'est moi qui la gagnerai, car le Club Méditerranée a plus de réserves que le Club Européen du Tourisme, ayant commencé plus tôt et ayant fait de très bonnes opérations au départ. Au lieu de cette bataille qui va nous coûter très cher à tous deux (à vous surtout), pourquoi pas la paix ? C'est-à-dire la fusion. C'est la prospérité assurée. » Après étude, nous conclûmes qu'il avait raison. Au terme d'une âpre négociation, la fusion fut réalisée, et la prospérité l'accompagna. Paribas fut, à la suite de cette opération, un actionnaire important et actif du Club pendant de longues années.

Devenu, à la suite de cette fusion, administrateur du Club et grand admirateur de la gestion de Gilbert Trigano,

157

je songeai à divers rapprochements qui pourraient se faire autour du Club. Entre le Club et la Compagnie des Wagons-Lits, d'abord, mais les Wagons-Lits n'étaient pas mûrs alors pour cette opération. Je pensai aussi à faire du Club un actionnaire de la Compagnie Luxembourgeoise de Télédiffusion : il me paraissait y avoir une mutuelle fécondation possible entre les experts des loisirs populaires et ceux de la communication populaire. J'essayai de promouvoir cette idée au moment où un paquet d'actions de la C.L.T. était disponible. Ma proposition n'eut aucun succès. J'y ai repensé depuis lors et j'imagine que mon projet, qui avait été conçu d'un point de vue purement économique, a pu, en haut lieu, avoir des résonances politiques, Trigano étant un homme de gauche et la C.L.T. étant une société extrêmement surveillée par les politiques de tous bords. Certains ont même chuchoté que cette suggestion avait pu contribuer à créer une certaine méfiance vis-à-vis de moi dans l'entourage du président Giscard d'Estaing.

Un des meilleurs souvenirs que je garde des investissements de Paribas est l'opération Power. Paul Desmarais, un des plus vigoureux hommes d'affaires du Canada, avait eu par le passé quelques relations avec Paribas. J'avais saisi l'occasion d'un voyage à Montréal pour lui faire une visite et j'avais été ébloui ; je lui avais fait promettre de visiter Paribas à son tour, lors de son prochain passage à Paris. Plusieurs mois plus tard, le hasard me fit apprendre qu'il avait fait plusieurs séjours à Paris, oubliant sa promesse de se rendre rue d'Antin ; j'en fus déçu, conclus que je ne lui avais probablement pas fait une aussi bonne impression que celle qu'il avait lui-même produite sur moi. Plusieurs années plus tard, Robert Lattès, l'un des directeurs de Paribas (aujourd'hui président de Pallas Venture), rencontre le bras droit de Paul Desmarais, Claude Bruneau, et vient me faire son rapport : « C'est un groupe fascinant, il faut absolument que tu noues des liens avec Paul Desmarais ! » Je lui explique que j'aurais bien voulu, mais qu'il n'avait pas l'air, lui, de le souhaiter. Lattès insiste : « Tu devrais réessayer. » Je saisis la première occasion ; il se trouve que je tombe à pic : il est en train de prendre la majorité de Power Corporation, un puissant holding d'assurances, d'industrie papetière et de transports, dans lequel il a déjà une participation considérable. Il a besoin de financiers alliés. Il offre à Paribas d'être l'un des trois groupes faisant l'affaire à ses côtés. A Paris, Eskenazi étudie les documents, exulte : « C'est remarquable, il faut y aller ! » Je dis à Desmarais que nous sommes prêts à prendre les trois parts qu'il destinait à trois financiers distincts. « Impossible », répond-il, et il nomme un très important groupe européen sur lequel il compte ; mais il est d'accord pour réduire le nombre des participants à deux. « Et si ce grand établissement ami vous lâchait ? — Je ne le crois pas, répond-il, mais, si c'était le cas, vous auriez le tout. » A sa surprise, c'est ce qui arriva. Nous eûmes le tout. Eskenazi et Haas allèrent à Montréal pour négocier les conditions de l'opération ; il suffit de quelques jours. Un montage financier très original fut adopté, selon le système dit de l'*income debenture*, que le Canada autorisait pour le financement des prises de participation : il s'agit d'un emprunt dont, grâce à certaines caractéristiques fiscales, le service peut être couvert par les dividendes que l'emprunteur tire de la participation qu'il a ainsi acquise. Eskenazi réussit à monter le financement sans que Paribas eût à effectuer aucun versement de fonds en provenance de Paris. Très vite, cet investissement fit apparaître une extraordinaire plus-value. Ce fut l'origine des relations intimes entre Paribas et Power Corp, qui sont devenues beaucoup moins intimes à la suite du drame de la nationalisation.

Tous les cas que je viens d'évoquer illustrent l'intervention d'une banque d'affaires dans une société préexistante, que cette intervention contribue à transformer ou à réorienter. Une banque d'affaires peut aussi jouer un rôle majeur dans la conception et la venue au jour d'une entreprise nouvelle. J'ai déjà mentionné la création de Cofimer par Paribas et Rothschild. J'ai été associé au début des années soixante-dix à la construction de Finextel — par Paribas et la Société Générale — et de Cofiroute — par un groupe d'entreprises et de banques parmi lesquelles Paribas et la Compagnie Générale d'Electricité assumaient les tâches essentielles. Dans les deux cas, il s'agissait, dans le cadre de dispositions législatives nouvelles, d'organiser le financement, par des moyens privés, de vastes investissements dans des domaines ressortissant traditionnellement à la compétence du secteur public : les téléphones d'une part, les autoroutes de l'autre. Près de vingt ans ont passé ; ces deux entités, l'une comme l'autre premières de leurs catégories, à la fois par la date de leur création et par leur succès ultérieur, ont accompli de façon très satisfaisante la tâche pour laquelle on les avait créées, et comptent toutes deux parmi les grandes sociétés cotées à la Bourse de Paris.

Un des moments les plus exaltants de mon temps à Paribas a été celui de la construction de Transgène. Au cours de l'été 1978, j'avais demandé à Robert Lattès de jeter un regard neuf sur le portefeuille de participations de Paribas et de me faire part de ses réactions. Quelque temps plus tard, il m'avait donné sa réponse qui comportait en particulier ces deux avis : « On devrait investir beaucoup plus aux Etats-Unis », et : « On devrait s'intéresser à la haute technologie. » Le prenant au mot, je le convainquis de s'immerger lui-même quelques mois dans la haute technologie américaine, et de revenir avec des suggestions. Sur sa demande, un autre directeur, Michel Jaugey, fut chargé de cette mission conjointement avec lui. En août

1979, à Salzbourg, au cours d'une longue promenade de travail entre deux opéras, Lattès me parle des résultats de ce travail ; il braque le projecteur sur le génie génétique et la biologie moléculaire ; il évoque leurs possibilités futuristes, mais désormais réalistes, ajoute que la France, qui dispose dans ce domaine de grands scientifiques, ne doit pas rester passive. Pourquoi Paribas ne prendrait-elle pas une initiative ? Après l'avoir beaucoup questionné, je finis par m'enthousiasmer. Paribas, dans un passé déjà lointain, a été le fer de lance français pour le développement de tant de nouvelles techniques (le pétrole, l'électricité : elle a joué un rôle décisif à l'origine de la création de la Compagnie Française des Pétroles, de la Standard Française des Pétroles — aujourd'hui Esso S.A.F. — et de la Compagnie Générale d'Electricité). Ne pourrait-elle pas reprendre cette tradition et jouer un rôle moteur dans le démarrage, chez nous, du génie génétique ? La compréhension des professeurs Kourilsky et Chambon, l'indomptable énergie de Robert Lattès ont permis de mettre en place, en quelques mois, une société pour laquelle Kourilsky imagina le nom de Transgène, et qui, innovatrice par son objet, l'était aussi, à un haut degré, par sa structure, puisque les actionnaires — Paribas, B.S.N., Moët-Hennessy, les A.G.F., Elf-Aquitaine —, qui fournissaient à eux cinq plus de 80 millions, acceptaient dès l'abord d'abandonner gratuitement non seulement 12 % au personnel de Transgène, mais, en outre, 8 % à une fondation consacrée à la recherche fondamentale, et 15 % à divers instituts de recherche. Les laboratoires de Transgène commencèrent à travailler en janvier 1981 ; ils emploient aujourd'hui, à Strasbourg, plus de cent personnes de dix nationalités différentes, et la société peut se targuer de remarquables résultats. Ses travaux ont par exemple rendu possible la fabrication, contre le virus de la rage, d'un vaccin beaucoup moins cher, indolore et

161

absorbable par voie buccale. Ou encore, celle d'un vaccin contre la bilharziose — maladie parasitaire qui tue chaque année huit cent mille personnes dans le monde —, mis au point par Transgène en collaboration avec l'Institut Pasteur de Lille. Les succès de Transgène ne se situent pas tous dans le domaine de la santé : on lui doit l'utilisation de « gènes dormants » dans les industries alimentaires, permettant la protection de la propriété industrielle contre un piratage qui, jusque-là, laissait les innovateurs entièrement démunis.

Pendant les trois ans et demi de ma présidence, Paribas s'est efforcé, dans trois cas au moins, de promouvoir de vastes opérations de nature à renouveler profondément son portefeuille industriel. Deux ne se réalisèrent pas, une vit le jour. C'est une assez bonne proportion : dans ce métier, il faut savoir entreprendre jusqu'à dix fois pour réussir une fois.

En premier lieu, nous avons longuement et secrètement négocié, en 1979-1980, la prise de contrôle de Bruxelles Lambert. C'était un groupe un peu comparable à Paribas, en plus petit, avec de grands intérêts bancaires et des investissements industriels qui, sur certains points, complétaient les nôtres, par exemple dans les Wagons-Lits et dans la Compagnie Luxembourgeoise de Télédiffusion. C'était, après la Société Générale de Belgique, la première puissance financière belge. Les conversations allèrent fort loin. Nous eûmes, en très petit comité, plusieurs longues séances de travail. La difficulté principale résidait dans le fait que le baron Lambert ne savait pas exactement ce qu'il voulait. C'était un homme charmant, très intelligent, fort imaginatif, d'une culture exquise. Il disait ce qu'il souhaitait, nous bâtissions un schéma en fonction de ce vœu ; quand tout était bien au point, il avait changé d'avis. Au fond, il est probable que l'idée d'abandonner le pouvoir le navrait profondément. Il était sincère en négociant cette fusion, mais lorsque le projet devenait vraiment concret, matérialisé par un dossier précis, il reculait d'effroi. Nous ne rompîmes pas vraiment les conversations, mais Eskenazi et moi étions las, à la fin, de cet insaisissable interlocuteur. Nous n'avions pas enterré l'affaire, mais elle était en hibernation lorsque la foudre frappa Paribas en 1981. L'idée fut habilement reprise par Albert Frère l'année suivante. Il réussit. A défaut d'une union Paribas-Bruxelles Lambert, ce fut l'union Pargesa-Bruxelles Lambert. Le baron mourut prématurément en 1985.

Une autre grande idée qui ne vit pas le jour fut celle de la fusion de Paribas avec les Chargeurs Réunis. Francis Fabre, président des Chargeurs Réunis, était un des plus anciens administrateurs de Paribas et un des plus assidus. J'avais pour lui une affection colorée d'admiration : pour moi, il était un des hommes d'affaires les plus accomplis de cette époque. Quand il devint évident, en 1980, qu'il souhaitait passer la main, j'imaginai un projet qui comportait la fusion des Chargeurs avec Paribas, le rapprochement des activités maritimes des Chargeurs avec celles de la maison Worms, et l'entrée substantielle de Paribas dans le capital de cette dernière (dont faisait alors partie la banque du même nom, qui n'en a été disjointe qu'en 1982 par la nationalisation). Le groupe Worms se déclara très intéressé à discuter ce projet. Je ne doute pas que les principaux collaborateurs de Francis Fabre lui auraient été très favorables. Cette proposition parut cependant ennuyer Francis Fabre lui-même, qui ne manifesta aucune ardeur à se pencher sur ce dossier et me pria de n'en pas parler jusqu'à nouvel ordre à ses principaux adjoints. Je compris mieux cette hostilité quand furent connus les accords qu'il négociait dans le même temps avec Jérôme Seydoux, qui convenaient fort bien à lui-même et à sa famille. Manifestement il lui déplaisait de voir se dessiner une solution alternative.

La troisième opération de grande envergure réussit. Elle concernait Schneider. Le 3 février 1981, à 20 heures, Didier Pineau-Valencienne, depuis peu de temps vice-président de Schneider, téléphone à Gérard Eskenazi, son ancien camarade de H.E.C., et son ami ; il lui apprend que le baron Edouard-Jean Empain est prêt à céder ses actions de contrôle de Schneider, que certaines conversations sont déjà amorcées, et suggère que Paribas se mette sur les rangs. Une demi-heure plus tard, Pineau-Valencienne est dans le bureau d'Eskenazi. La nuit suivante est consacrée par une équipe de Paribas et une équipe de Schneider à analyser la situation du groupe et à préparer une proposition que Paribas pourrait faire à Empain. Suit, dès le lendemain matin, une négociation avec ce dernier. Le 16 février, nous nous croyons au bout de nos peines. Au dernier moment, Empain n'est plus d'accord. Dans l'intervalle, la température a considérablement monté entre lui et Pineau-Valencienne ; le conflit est ouvert. Il est de plus en plus évident que l'un ou l'autre sera éliminé. Le 24 février, un conseil d'administration est convoqué à 18 heures, sans ordre du jour officiel ; en fait, le but de cette réunion est de statuer sur la révocation d'Empain. Celui-ci, cinq minutes avant le conseil, comprend que Pineau-Valencienne va avoir la majorité, compte tenu de la position prise par son oncle le baron Edouard Empain. Il accepte *in extremis* nos propositions et cède sa participation dans la société dite L'Auxiliaire Luxembourgeoise, qui, à travers une série de holdings successifs, détient le contrôle du groupe. Nous nous mettons très vite d'accord avec Pineau-Valencienne sur la manière dont Schneider devra désormais être conduit. Il y a énormément de réformes à apporter pour en faire un ensemble prospère et respectable. Cette gigantesque restructuration, aujourd'hui accomplie, est due à Didier Pineau-Valencienne, et aussi au soutien sans faille de Paribas au cours de l'année 1981.

Ce coup d'éclat, qui fit un bruit considérable et suscita beaucoup de jaloux, suivit de quelques semaines notre mésaventure concernant Hachette, et montra que nous existions encore fortement ; ce fut aussi, quelques mois seulement avant la nationalisation, le chant du cygne.

X

LE GRAND LARGE

Toutes ces activités, prêts et emprunts, conseil financier, investissement, étaient développées par Paribas sous
un éclairage fortement international. Dès l'origine, Paribas avait eu l'habitude de franchir les frontières et de se
manifester sur tous les continents. Par exemple, son rôle
avait été très important dans la création de la Banca
Commerciale Italiana, de la Banque Ottomane, du Crédit
Foncier Franco-Canadien, de la Banque Nationale du
Mexique et de Sudameris, ainsi que de la Norvégienne de
l'Azote (aujourd'hui Norsk Hydro). Ses responsabilités
avaient été décisives dans la construction économique du
Maroc de Lyautey, et, au lendemain de la dernière guerre,
elle contrôlait encore, dans le royaume chérifien, la
plupart des grandes sociétés, y compris la banque d'émission.

Jean Reyre s'était passionné pour les prolongements de
Paribas hors du territoire national. C'est lui, notamment,
qui avait, pour assurer l'expansion de Paribas en Belgique,
recruté Maurice Naessens, dont les succès furent prodigieux. C'était un pari assez téméraire : Naessens venait du
monde des Caisses d'Epargne, ses idées et ses relations
étaient à gauche, il était flamand, flamingant, et assez anti-
français, c'était un vrai paradoxe que de le mettre à la tête

de Paribas-Belgique. Il en fit une grande chose. C'est également Reyre qui eut l'aplomb de bâtir à New York (avec l'appui amical de Lehman Brothers, une des plus fameuses maisons de Wall Street) une petite banque d'affaires appelée Paribas Corporation, bien avant que tout le monde se mette à faire de même. Il avait aussi devancé la concurrence à Moscou, où il n'avait pas hésité à installer une société commerciale. Sous la présidence de Fouchier et sous la mienne, ce mouvement vers l'international prit des proportions croissantes. Comme directeur général d'abord, puis comme président, j'ai été mêlé de près à cette aventure que j'ai trouvée passionnante.

Le financement du commerce international était une des spécialités de Paribas : parmi les banques françaises, sa part dans les crédits à la grande exportation était très supérieure à sa part dans les crédits en général. Des hommes comme Bernard de Margerie, Daniel Bedin, Patrick Deveaud ont marqué de leur empreinte cette équipe du commerce international qui était un des très beaux fleurons de la banque et qui entretenait des relations de premier ordre, maintenues actives par d'incessants voyages, dans toutes les contrées du Sud et de l'Est. Ils étaient constamment engagés dans des combats acharnés, aux côtés d'industriels et d'entrepreneurs français, contre des concurrents étrangers, et quelquefois français, pour enlever une commande de grandes dimensions dans tel ou tel pays lointain. La bataille la plus spectaculaire de toute la période que j'ai passée à Paribas est sans doute celle qui a opposé en 1978 les Japonais et les Français autour du métro de Caracas. Au moment de la décision, l'offre française (libellée en francs) l'emportait sur l'offre japonaise (libellée en dollars) en ce qui concernait le prix, les délais de financement, le taux d'intérêt. Mais, vu les tendances inflationnistes de l'époque, l'administration vénézuélienne attachait la plus grande importance aux modalités de révision de prix : celles-ci comportent traditionnellement un plafond annuel de hausse à la charge de l'acheteur ; le plafond était de 8 % dans la proposition française, de 5 % dans la proposition japonaise, ce qui, le contrat devant s'exécuter sur quatre ou cinq ans, pouvait entraîner un écart de prix de 12 à 15 % en faveur de la solution japonaise. C'est pour compenser ce handicap que Paribas, en liaison avec Morgan Guaranty Trust, monta une opération de change à terme portant sur l'ensemble des échéances de paiement différé du contrat français : on organisa l'achat à terme des dollars à livrer par le métro de Caracas pour couvrir les échéances du crédit français ; le déport ainsi obtenu pour la durée totale du financement permit d'offrir à l'acheteur un rabais d'environ 15 %, qui lui fit finalement donner la préférence au groupement industriel français. Cela semblait tenir de la magie. En fait, ce schéma financier complexe — où apparut pour la première fois en pleine lumière l'ingéniosité de notre jeune et brillant collaborateur Patrick Stevenson — a constitué une première en matière de *swaps* à moyen terme, sorte d'échelon précurseur des opérations que réalisent couramment aujourd'hui les spécialistes des salles de marché. Et ce succès commercial et financier a permis quelques années plus tard au groupe français Interinfra d'obtenir la commande de la deuxième ligne de métro de Caracas, sur des bases de financement cette fois classiques.

Un deuxième aspect de l'expansion internationale du groupe a été le développement d'un réseau d'agences hors des frontières. Quand je suis arrivé à Paribas, la Banque était déjà installée à Londres, à Francfort, et surtout, par l'intermédiaire de grandes filiales, en de nombreux points de Belgique, de Hollande, du Luxembourg et de Suisse. De ce réseau ancien je me suis relativement peu occupé, bien que son importance fût, au total, considérable : sous

169

la présidence de Fouchier, il relevait de la compétence de Gustave Rambaud, qui était comme moi directeur général. Une fois président, j'eus à me manifester plus activement dans les pays européens. Mais mes domaines de prédilection demeuraient l'Amérique du Nord, l'Extrême-Orient, les pays du Golfe. Je pris une part active à l'expansion de notre banque dans ces régions. Je note en passant que, dans le Golfe, nous réussîmes à nous installer en plusieurs points stratégiques avant les autres, grâce à la remarquable information et aux aptitudes diplomatiques de Claude de Kémoularia (conseiller de Reyre, puis de Fouchier, puis de moi-même, il devait devenir ambassadeur à La Haye en 1982, puis aux Nations Unies). Cependant, nous échouâmes en Arabie Saoudite, malgré des efforts considérables et malgré une décision écrite du roi Khalid, à laquelle ses services ne donnèrent aucune suite. Ce réseau international grandissant était vigoureusement organisé et géré par Hubert de Saint-Amand, aujourd'hui directeur général de Paribas.

Un autre secteur très actif était celui des opérations financières internationales, où Paribas réussit à figurer parmi les grands acteurs mondiaux. Depuis l'origine des euro-émissions (c'est-à-dire des émissions d'emprunts en eurodollars — autrement dit, en dollars déposés hors des Etats-Unis —), Paribas n'a jamais cessé d'être parmi les leaders de ce marché. Là aussi, nous livrions des combats sans merci à nos concurrents étrangers et français. La plus belle victoire à laquelle j'ai assisté et participé est celle qui a fait de Paribas, en 1980, le chef de file de la première émission en eurodollars de la Banque Mondiale, le plus prestigieux et le premier emprunteur mondial de capitaux. Jusqu'alors — pendant les trente-cinq premières années de son existence —, la Banque Mondiale avait levé tous ses emprunts en dollars exclusivement sur le marché domestique américain, mais diverses modifications dans la réglementation aux Etats-Unis rendaient possible pour elle de procéder à une émission en eurodollars. Encore fallait-il que le taux fût acceptable : Pierre Haas — très dynamique directeur des opérations financières internationales de Paribas — et son remarquable adjoint Olivier Brunet se mirent à surveiller attentivement les taux du dollar à cinq et à sept ans en Europe, dans l'espoir de les voir croiser ceux de Wall Street. Cela arrive le 4 juin 1980 : pour la première fois depuis 1939, la devise américaine, à moyen terme, est ce jour-là moins chère (en termes de taux d'intérêt) en Europe qu'à New York. Au début de la nuit, Brunet, qui est à Paris, appelle Haas, en mission à Londres. Haas appelle Washington où l'on est encore heureusement en fin d'après-midi, il peut joindre Gene Rotberg, trésorier de la Banque Mondiale, et l'informe de la possibilité de lancer en Europe une émission de 300 millions de dollars à un taux d'intérêt plus compétitif que celui du marché américain. Pensif et impressionné, Rotberg demande vingt-quatre heures de réflexion. Le lendemain 5 juin, il donne à Haas jusqu'au 6 à 15 heures, heure de Paris, pour confirmer que Paribas est bien en mesure de lever 300 millions de dollars à sept ans, à 10,25 %, et de rallier à ces termes un groupe de chefs de file dont la composition est laissée à sa discrétion. Haas m'appelle à minuit chez moi et me convainc sans grande peine d'accepter que Paribas prenne le risque d'offrir ferme 300 millions de dollars, l'engagement le plus important jamais pris par la banque dans une opération de cette nature. Le premier geste de Paribas est d'offrir à la Deutsche Bank, la plus puissante banque d'Europe, d'être co-chef de file à ses côtés, mais la Deutsche Bank ne dit pas oui et paraît agacée et embarrassée. Elle appelle Rotberg, puis le président de la Banque Mondiale, Robert MacNamara, pour réclamer la position de chef de file à la place de Paribas. *Quia nominor leo*. Rotberg nous demande de nous montrer conciliants vis-à-vis des Allemands, mais confirme loyalement l'engagement pris et donne le feu vert pour le lancement dès le dimanche après-midi 8 juin, afin que les invitations soient reçues par les banques le lundi matin. Le 8 juin, plus de quatre cents télex sont envoyés à la communauté bancaire internationale (à l'exception des banques américaines aux Etats-Unis, les euro-émissions ne pouvant être distribuées sur le territoire américain). Le secret ayant été bien gardé, le lundi 9 juin au matin, l'emprunt de la Banque Mondiale fait l'effet d'un coup de tonnerre dans le marché, provoquant un flux de demandes inouï. Dès le début de l'après-midi, les souscriptions représentent plus de deux fois le montant offert. Devant l'extraordinaire succès de l'opération, Rotberg accepte le jour même que l'on éponge une partie du surplus non satisfait de demandes en émettant le lendemain matin une tranche supplémentaire de 200 millions de dollars à cinq ans, comportant un coupon, cette fois, de 9,75 %. Cette seconde tranche est absorbée avec la même facilité, et l'émission close le même jour. Ainsi, entre le moment où l'idée fut avancée par Paribas, le mercredi soir 4 juin, et la clôture de la seconde tranche, le mardi suivant, moins d'une semaine s'était écoulée. Grâce à Paribas, la Banque Mondiale avait conquis un nouveau marché et, par là même, renforcé encore son crédit. La Deutsche Bank, avec qui nous n'avions pu nous mettre d'accord, n'avait pas participé à l'opération. Les relations, traditionnellement excellentes, entre elle et Paribas, furent affectées quelque temps par le souvenir de cette affaire : les Allemands avaient jugé d'une incroyable irrévérence notre prétention de prendre la place qui, à leurs yeux, leur revenait, et nous les avions trouvés insupportablement arrogants.

Très active en matière d'euro-émissions, Paribas se montra en revanche très prudente (on disait alors :

timorée) en matière d'eurocrédits (c'est-à-dire de crédits exprimés en eurodollars). Pierre Haas était fort pessimiste sur l'avenir des prêts en question. Il nous convainquit, Fouchier et moi, de nous laisser distancer en ce domaine par les autres banques. La suite lui a donné raison. Il a évité à Paribas bien des déconvenues.

Qu'il s'agisse du financement de la grande exportation, du développement du réseau d'agences ou des opérations financières internationales, Paribas excellait, mais n'était pas seule à le faire : les trois banques nationalisées, Indosuez, d'autres encore y brillaient aussi. On peut dire que les banques françaises dans leur ensemble ont montré un très remarquable dynamisme international pendant toute cette période. Ce qui, à cette époque, constitua un mérite plus particulier de Paribas, fut le prolongement hors des frontières de son activité de conseil financier et d'investisseur. Cela était particulièrement vrai en Belgique, où la Cobepa, grâce à Naessens et à Pierre Schohier (un des meilleurs poulains de l'écurie Naessens, aujourd'hui administrateur délégué, directeur général de Cobepa et aussi vice-président et directeur général de Pargesa), était l'un des grands holdings industriels du pays, et très probablement le plus créateur. Mais l'inventivité de Paribas s'étendait à bien d'autres lieux, à l'Australie, par exemple, et aussi au Japon : nous étions fiers d'avoir amené au Gabon Mitsui pour le manganèse, C. Itoh pour le pétrole, et d'avoir associé la puissante firme Orient Leasing avec la Compagnie Bancaire pour la construction d'une filiale commune.

Un des atouts majeurs de Paribas était un réseau de grandes alliances, officielles ou officieuses, à travers le monde. A ces alliances tout l'état-major était à quelque degré associé, à commencer par le président et la direction générale. Sous ma présidence, ceux qui jouaient le rôle

173

le plus important dans leur entretien et leur développement étaient Gérard Eskenazi, Bernard de Margerie, Pierre Haas, Hervé Pinet, et, parmi les plus jeunes, Michel François-Poncet, le plus international de nous tous, plus à l'aise que tout autre dans la langue et le style d'affaires des Anglo-Saxons (il est aujourd'hui président de Paribas).

Aux Etats-Unis, une profonde amitié avait existé avec Lehman Brothers, mais la disparition de Bobby Lehman, l'éloignement de Jean Reyre entraînèrent une lente érosion de cette amitié. Elle fut remplacée par une autre alliance avec un partenaire tout à fait différent, la Bank of America, qui était alors la première banque commerciale des Etats-Unis et du monde ; pendant quinze ans, elle et Paribas eurent des rapports très étroits et montèrent ensemble de notables *joint ventures*. Au Canada, l'association avec Power Corporation — le groupe Desmarais — fut l'un des points forts des dernières années avant la nationalisation. Parmi nos amis fidèles figuraient aussi le Banco Nacional de Mexico (Agustin Legoretta) et l'Uniao de Bancos Brasileiros (Walther Moreira Salles).

Paribas avait une relation particulière avec le groupe de l'Anglo-American (or, diamants, industrie et finance en Afrique du Sud et ailleurs) : nous connaissions tous ses dirigeants, en particulier le patron, Harry Oppenheimer, dont la timidité et l'extrême politesse s'accordaient mal avec l'image que l'on se fait en général des hommes les plus riches du monde.

En Asie, nous essayâmes dans les années soixante-dix de forger des alliances du même genre. A vrai dire, au Japon, nous partions de zéro. Pour étudier les développements possibles et créer une base de relations d'affaires, Fouchier confia une mission permanente à Hervé Pinet qui y réussit fort bien ; mais ce sont là des choses qui mûrissent lentement. Quand je quittai Paribas, nous étions sur la voie d'amitiés sérieuses avec la Dai-Ichi Kangyo Bank, la première banque du Japon, et avec la grande firme commerciale C. Itoh.

En Europe, nous jouissions de relations particulières avec la Deutsche Bank (elles furent fortement perturbées par l'affaire de l'emprunt de la Banque Mondiale que j'ai rappelée ci-dessus), et plus encore avec la Banca Commerciale Italiana ; avec un certain nombre de familles industrielles belges, et tout spécialement avec Albert Frère dans le monde wallon, et André Leysen dans le monde flamand. Mais, surtout, il y avait l'association avec Warburg.

Les relations entre Warburg et Paris étaient anciennes ; Siegmund Warburg avait pour Jean Reyre de l'affection et de l'admiration. Fouchier hésita quelque temps entre Warburg et Hill Samuel, un autre des grands noms du *merchant banking* britannique. Au début de la décennie soixante-dix, nous flirtâmes avec les deux sans cacher cette infidélité à l'un ni à l'autre, essayant même de les rapprocher l'un de l'autre à cette occasion. Il apparut vite que nous devions choisir. Les collaborateurs de Fouchier étaient unanimes (moi compris) : c'est Warburg qui nous convenait le mieux (en outre, mais ce point est secondaire, je n'ai jamais réussi à comprendre l'anglais de Kenneth Keith, alors président de Hill Samuel). On choisit donc Warburg et on négocia longuement un accord complexe qui comprenait des participations réciproques et une association pour contrôler ensemble une *investment bank* américaine (ce fut A.G. Becker, qui fut rebaptisée Warburg-Paribas-Becker). Pendant toute une décennie, les relations entre Warburg et Paribas furent très intenses, quelquefois grinçantes, mais au total assez constructives. Le développement de cette coopération a été une de mes tâches importantes pendant toute cette période. J'ai beaucoup appris au contact de cette maison. Mes liens étaient particulièrement étroits avec Eric Roll, Geoffrey Seligman, David Scholey et surtout Siegmund Warburg. Ce dernier est un des personnages qui ont sans doute le plus compté dans ma vie.

D'une grande famille de financiers de Hambourg, il était parti dès les débuts du nazisme, s'était installé à Londres, et, peu à peu, s'y était fait une place. La firme qu'il avait fondée était devenue *accepting house*, c'est-à-dire était entrée dans l'aristocratie des *merchant banks*, lorsqu'elle avait absorbé la banque Seligman. Quand je le rencontrai, Siegmund avait environ soixante-dix ans. Il était plutôt petit, mince, la tête un peu enfoncée dans des épaules assez larges, avec un superbe front d'intellectuel et des yeux étincelants. Il était toujours habillé de façon très classique, plutôt ennuyeuse, le pantalon tenu assez haut par des bretelles ; ses cheveux assez incolores étaient toujours parfaitement plaqués. Il avait officiellement laissé la direction de sa maison entre les mains de son ami Henry Grunfeld, mais en fait, de sa résidence de Blonay, au bord du lac Léman, armé de plusieurs téléphones, il continuait à se tenir informé, à dire son avis, et bien souvent à l'imposer. Très maître de lui, très civilisé, on s'apercevait vite qu'il était très autoritaire et même dur. En dehors de la supervision de la marche de la maison Warburg, ce qu'il aimait le plus, c'était de longues conversations très paisibles avec un petit nombre d'hommes sur la terre qu'il choisissait avec soin pour leur profondeur et leur puissance. Avec ces hommes, il parlait affaires, mais aussi politique mondiale, philosophie, beaux-arts. Et toujours sans se presser. Une expression qu'il aimait bien était le terme français *haute banque*, qui, disait-il, n'a d'équivalent ni en anglais, ni en allemand. Il est clair qu'il voulait faire de la haute banque et qu'il en faisait. Il pensait que la haute banque est un style qui exclut, entre autres choses, la précipitation. Non seulement il faut avoir le goût de parler longtemps et lentement, mais encore il faut savoir que les grandes affaires ne se font pas au bout d'une conversation, mais peut-être de cinq ou dix, de préférence échelonnées sur plusieurs années. Il adorait voir lentement mûrir un projet, le modeler doucement de trimestre en trimestre en allant voir les dirigeants concernés et en leur parlant de beaucoup d'autres choses en même temps que du projet. Cette patience ne l'empêchait pas d'avoir une volonté de fer.

Un jour — vers 1970 — qu'il était à Paris et devait prendre un train à une heure tardive, je m'étais enhardi à lui proposer de dîner avec moi. Ce fut notre première conversation, le courant passa, et nous eûmes pendant dix ans quatre ou cinq grandes rencontres par an à Paris (en général au Ritz, où il descendait), à Londres (ses hôtels variaient : le Ritz, le Churchill... il cherchait surtout, je crois, la commodité des liaisons téléphoniques), ou chez lui à Blonay où je me rendis souvent, ou à Genève où nous arrivions lui de Blonay, et moi de Paris. Nous passions toujours de trois à cinq heures ensemble. C'était surtout lui qui parlait. Il aimait parler. J'aimais l'écouter. Je jouais le rôle qui est, dans plus d'un ouvrage de Platon, celui de l'interlocuteur de Socrate. Je prenais des notes, il ne s'en offusquait pas. Il m'offrait le plus souvent un repas simple et très raffiné, des vins superbes (il avait cru noter que j'aimais le haut-brion). Nous parlions à la fois d'affaires et de toutes choses. Sur les affaires, nous arrivions chacun avec, dans notre poche, une petite liste de sujets à traiter ensemble. Nousparlions aussi de politique française, de politique anglaise, de l'Allemagne, du Moyen-Orient, des Etats-Unis, du monde en général. Nous parlions de littérature. Il m'entretenait, je crois avec beaucoup de sincérité, de la maison Warburg, de son jugement sur les uns et les autres. Ses opinions souvent variaient d'une année à l'autre. Je m'amusais à voir les principaux collaborateurs monter ou descendre dans l'estime du prince. Je crois qu'il m'aimait bien. Il m'a beaucoup enseigné ; il m'a aussi fait rencontrer un petit nombre de personnes à travers le monde dont la connaissance, d'une manière ou d'une autre, m'a été extrêmement précieuse.

Notre amitié connut une grave crise en 1981, sur laquelle je reviendrai. Il eut ensuite des regrets, sinon des remords ; nous nous réconciliâmes. Il avait exprimé le vœu d'être parmi les fondateurs de la société que je voulais créer, et qui est finalement devenue Pallas. Il allait fêter ses quatre-vingts ans et avait très soigneusement établi la liste des invités d'un grand dîner qui devait être donné à cette occasion. J'y étais, m'a-t-on dit, le seul Français. Le dîner fut décommandé au dernier moment. Il était souffrant. Il mourut quelques semaines plus tard.

XI

PRÉSIDENCE

J'étais arrivé rue d'Antin en 1969 avec le titre de directeur général adjoint et une vocation à devenir bientôt directeur général, puis, beaucoup plus tard, président. C'était seulement une vocation, non un engagement. Fouchier m'avait dit clairement que si, pour une raison ou une autre, j'en venais à décevoir les espoirs qu'il plaçait en moi, je ne deviendrais pas son bras droit, encore moins son successeur. C'était la sagesse même : on ne peut préfigurer le dessin d'une carrière lorsqu'elle se situe au-dessus d'un certain niveau. Quelques mois plus tard, j'étais directeur général, partageant ce titre avec Gustave Rambaud, ingénieur du corps des Mines, mon aîné d'une année, qui, lors de la présidence de Jean Reyre, avait accédé à ce titre et le détenait seul jusque-là.

En 1971, je devins membre du conseil d'administration. Outre les anciens présidents Mönick, Deroy et Reyre, outre Fouchier et Rambaud, ce conseil comprenait alors Maurice Bérard, seul représentant de la catégorie des capitalistes non dirigeants d'affaires (c'était un homme riche, exquis et très cultivé), Pierre Bercot, président de Citroën, Pierre de Calan, président de Babcock-Fives, René Damien, président d'honneur d'Usinor, Pierre David-Weill, l'un des deux patrons de la Banque Lazard,

179

Maurice Doumenc, président de Heurtey, Francis Fabre, président des Chargeurs Réunis, François de Flers, président de la Banque de l'Indochine, Renaud Gillet, président de Pricel, Harry Oppenheimer, président de l'Anglo-American, Raoul de Vitry, président de Péchiney, et le C.I.C., représenté par son président, Christian de Lavarène.

La loi ne permettait pas de dépasser douze membres dans un conseil d'administration, sauf en cas de fusion. D'où une tricherie fréquemment utilisée : les personnes qu'on voulait faire entrer en surnombre étaient nommées membres du conseil d'administration d'une société *ad hoc* que l'on constituait pour les besoins de la cause, puis, avec toutes les formalités d'usage, on fusionnait la société *ad hoc* avec l'autre. C'est par ce mécanisme que je devins administrateur de Paribas en même temps que deux personnes de très haute qualité, les deux frères Riboud ; Jean était président de Schlumberger, et Antoine de B.S.N.

C'était donc, au sein du conseil, une promotion marquée du sceau de Fouchier. Les deux Riboud étaient ses amis. A l'annonce de son arrivée rue d'Antin en 1969, ils avaient décidé de se rapprocher de Paribas. Schlumberger avait proposé d'acquérir des mains de Paribas le contrôle de l'importante Compagnie des Compteurs, Paribas recevant en échange des titres Schlumberger ; cette opération s'était faite après une longue négociation et Paribas en avait tiré une étonnante valorisation de ses actifs. Par ailleurs, la banque dont ils étaient proches, Neuflize Schlumberger Mallet (N.S.M.), fut invitée par eux à considérer la possibilité d'un rapprochement avec Paribas. Ces conversations menées dans le plus grand secret n'aboutirent pas, ce qui entraîna le départ de ceux qui, chez N.S.M., constituaient le parti Riboud, en tête desquels était Jérôme Seydoux, lequel prit alors la présidence de la Compagnie des Compteurs. L'entrée simultanée des deux Riboud au conseil de Paribas fit quelque bruit.

Je me rappelle qu'avant de donner le branle à tous ces développements, Jean Riboud avait souhaité me connaître, m'avait invité à déjeuner à la salle à manger de son bureau, rue Saint-Dominique, et ne m'avait pas caché que, compte tenu des grands projets qu'il avait en tête avec son frère, il était nécessaire qu'il voie s'ils pouvaient avoir confiance dans le bras droit et éventuel successeur de Fouchier. Je fus, je pense, reçu à l'examen, mais ni Jean ni Antoine Riboud n'eurent pour moi des sentiments aussi chauds que ceux qu'ils portaient à Fouchier. L'un et l'autre firent cependant de réels efforts pour développer des relations personnelles avec moi, ce à quoi je fus très sensible. Ils étaient à la fois de très fortes personnalités et de très habiles hommes d'affaires. Les événements de la fin de 1981 devaient m'éloigner d'eux assez durement.

Après 1970, je prends une place croissante dans l'activité de Paribas, la confiance que Fouchier me fait se fortifie progressivement. Mais, en 1973, une hépatite d'une exceptionnelle gravité me foudroie. Je me conforme à la lettre aux instructions du médecin : vingt-trois heures cinquante de lit par jour. Je vais à peine mieux lorsque je reçois un coup de téléphone de Fouchier, très affectueux mais inquiétant : il me dit que je ne devrais pas trop tarder à revenir, que Rambaud — qui n'a jamais abandonné l'espoir de redevenir dauphin — fait feu des quatre fers et que, si mon absence se prolongeait, cela pourrait m'être dommageable. Cet avertissement me tourmente et, dès que j'ai la permission du médecin, je viens, à peine capable de me tenir sur mes jambes, assister à une grande réunion organisée par Paribas dans je ne sais quelles circonstances, et y faire moi-même un exposé, de manière à faire sentir que j'existe encore.

Puis la vie reprend son train normal. En 1975, je suis fait vice-président-directeur général, c'est-à-dire dauphin officiel. L'âge de la retraite avait été fixé par Fouchier à soixante-huit ans pour le président. Il eut l'élégance, vis-à-vis de moi, de partir en 1978 à soixante-sept ans exactement. Je lui succédai et cette succession donna lieu à une impressionnante série de cérémonies administratives et mondaines, car Fouchier a le sens du faste et de la fête. Le point culminant fut un certain jour de juin, chaleur et ciel bleu du matin jusqu'à la nuit. Peut-être ma mémoire est-elle trompeuse et partiale, mais je ne me rappelle pas réception plus somptueuse que celle où nous reçûmes ensemble le Tout-Paris dans les jardins du Pré-Catelan. J'allais de fête en fête, d'hommage en hommage ; le moindre signe de ma nouvelle dignité ne fut pas l'autorisation que me donna Fouchier, un jour de ce mois de juin, de l'appeler Jacques (car j'appelais Warburg Siegmund, Rockefeller David, Oppenheimer Harry, les Riboud Jean et Antoine, mais j'avais appelé Fouchier Président jusqu'à ce jour-là).

Ce n'est pas sans émotion que l'on s'assied pour la première fois dans le fauteuil du président de Paribas, que l'on prend possession du bureau légendaire où fut célébré — chacun le rappelle fièrement, rue d'Antin, comme pour affirmer quelque légitimité historique — le mariage de Bonaparte et de Joséphine de Beauharnais. Mais l'accession ayant été préparée de longue date, l'apprivoisement se fit naturellement. Et, forfanterie ou non, je me sentais prêt pour ces nouvelles responsabilités.

Mes premières actions furent des nominations, comme c'est l'usage en pareilles circonstances. Gustave Rambaud devint vice-président ; il eût souhaité le titre de vice-président-directeur général, mais je refusai, disant que le titre de directeur général implique l'autorité directe sur les services et que je souhaitais des hommes nouveaux et plus jeunes comme directeurs généraux. François Morin directeur général, cela fut admis sans peine par tout le monde ; il était major de l'X, ingénieur du corps des Mines, et jouissait d'un grand prestige intellectuel ; il était directeur général adjoint depuis de longues années. La promotion au rang de directeur général de Gérard Eskenazi, alors simple directeur parmi quinze autres en général plus âgés que lui, allait moins de soi, malgré l'admiration que tout le monde lui portait. On le trouvait un peu trop jeune, on estimait qu'il était un formidable officier d'état-major, mais qu'il lui restait à apprendre l'activité opérationnelle ; certains me disaient : « Nommez-le directeur général adjoint d'abord ; comme cela, vous aurez encore une promotion à lui donner dans quelques années ; sinon, il est condamné à ne pas avancer, sauf le jour où vous lui céderez votre place. » Il y a quelque chose que personne ne m'a dit, mais que je suis persuadé que certains ont pensé : Moussa, Eskenazi, tout cela ne sonne pas français à cent pour cent ; en nommant Eskenazi tout de suite à un poste aussi important, Moussa aggrave la connotation un peu exotique qu'il véhicule lui-même. Je tins bon : je considérais qu'Eskenazi était l'homme qu'il me fallait ; il connaissait la maison à fond, il avait l'intelligence et l'imagination ; il savait motiver les collaborateurs. Mon pari fut gagné : il a été un merveilleux directeur général.

Par ailleurs, Fouchier et moi étions depuis plusieurs années en conversation avec Jean-Yves Haberer. Fort lié avec lui depuis qu'il avait été mon étincelant élève à l'Institut d'Etudes politiques, je n'avais pas eu de peine à convaincre Fouchier de le considérer sérieusement pour un recrutement. Cela avait déjà failli se faire lorsque, chef de service au Trésor, il s'impatientait devant une carrière administrative qui lui paraissait trop lente. Puis cette carrière avait redémarré en trombe. Il avait accédé aux fonctions de directeur du Trésor — les plus hautes de l'administration économique et financière — mais, le temps passant, il redevenait ouvert à des conversations pour la suite... Paribas le fascinait, il admirait Fouchier, et il avait pour moi une réelle affection. En 1980-1981, nous eûmes de longues conversations. Fouchier, qui était très favorable à sa venue, pensait qu'une première étape pour lui devrait consister à prendre la tête de la Compagnie Bancaire, filiale majeure de Paribas : c'était, à ses yeux, la meilleure façon de lui faire faire l'apprentissage du commandement ; il pensait aussi, sans doute, que l'arrivée d'un homme de la dimension de Haberer constituerait une véritable consécration pour la Compagnie Bancaire, sa fille chérie. Haberer, quant à lui, aurait mieux aimé venir directement rue d'Antin, mais je ne voulais pas heurter Fouchier, qui tenait visiblement beaucoup à son idée. Nos conversations rencontraient une deuxième difficulté Haberer aspirait à devenir un jour mon successeur, tout en acceptant pleinement de n'avoir pas de certitude absolue, mais seulement l'assurance que s'il ne me décevait pas, il obtiendrait cette succession. Fouchier, qui m'avait donné à moi une telle assurance, faisait pression pour que je la lui accordasse de même. C'est moi qui résistais, car les mérites d'Eskenazi me paraissaient si grands qu'il me semblait nécessaire de maintenir le jeu ouvert entre ces deux individus exceptionnels. Et je m'enthousiasmais en pensant à l'efficacité de l'équipe que nous allions composer, Eskenazi, Haberer, Morin et moi. Nous avions abouti à un accord, qui n'était connu que de Fouchier, des intéressés et de moi-même, lorsque se produisirent les événements de 1981 qui, sur ce point comme sur bien d'autres, bouleversèrent gravement l'avenir de Paribas.

Je procédai aussi à une série d'autres nominations importantes ; en particulier, Pierre Decker, qui dirigeait depuis de longues années le département « banque » (celui qui gère l'activité de crédit) de Paribas, devint directeur général de la Banque Paribas, et Pierre Haas, directeur général, puis président de Paribas International.

A mon arrivée à la présidence, mon intention était pour l'essentiel de mener la barque de Paribas dans la même direction que Fouchier ; je ne pensais à aucune révolution dans la gestion. Intellectuellement, affectivement, j'étais très proche de mon prédécesseur. Cependant, je souhaitais donner une impulsion nouvelle dans un certain nombre de secteurs de la maison. Je trouvais le département « banque » trop traditionnel, pas assez moderne, je cherchai un homme nouveau à insérer dans le dispositif ; j'avais rencontré Jean-Louis Masurel dans des dîners en ville, sa réputation était excellente, il était jeune, très international, formé à la meilleure école, celle de Morgan Guaranty. Eskenazi avait, lui aussi, la plus grande estime pour lui. Masurel nous rejoignit quelques mois plus tard. Il ne devait malheureusement rester qu'un petit nombre d'années à Paribas ; après mon départ et celui d'Eskenazi, il s'éloigna à son tour en 1982 pour aller assister Alain Chevalier à la tête de Moët-Hennessy.

L'idée me vint aussi qu'il convenait de changer sur-le-champ l'image de Paribas ; pour cela, je décidai de consacrer une partie substantielle de mon temps aux contacts avec les journalistes, avec l'aide de mon remarquable collaborateur André Azoulay qui avait les fonctions de directeur de la communication et était en outre mon conseiller très écouté pour beaucoup de questions concernant l'Afrique, le Moyen-Orient, le tiers monde. Il ne s'agissait pas pour nous de « vendre » Paribas, comme on dit aujourd'hui. Il s'agissait de l'expliquer, de la faire comprendre, de montrer ses modes d'action, jusqu'alors si mal perçus. Autour de moi, beaucoup s'inquiétaient, disant ou bien que je perdais mon temps, ou bien qu'il ne convenait pas de démythifier notre groupe, dont le prestige était largement fait de mystère. Entre autres initiatives, j'organisai chaque mois une petite réunion de quelques journalistes, à mon domicile, sans ordre du jour, priant seulement les invités de poser les questions qu'ils voulaient soit à moi-même, soit à trois ou quatre de mes collaborateurs (renouvelés chaque fois) qui m'entouraient. Je crois, sans me vanter, que ces conversations ont beaucoup fait pour modifier la réputation de Paribas; la tâche n'était évidemment pas terminée en 1981, mais je suis persuadé que, sans la politique médiatique qu'Azoulay et moi avions menée pendant plus de trois ans, les attaques orchestrées contre Paribas et contre ma personne en 1981-1982 auraient connu plus de succès. Depuis lors, les mœurs ont beaucoup évolué. L'approche qui fut mienne il y a dix ans est devenue banale chez les chefs d'entreprise d'aujourd'hui. Les rapports des sociétés et des médias, et donc de l'économie et de la nation, ont, au cours des années quatre-vingt, changé du tout au tout. Je suis fier d'avoir joué un rôle dans cette mutation.

Par ailleurs, je souhaitais instaurer une politique budgétaire plus rigoureuse. Je me sentais personnellement peu doué pour l'animer moi-même; les directeurs généraux croulaient sous les tâches opérationnelles; je décidai donc d'avoir recours à Jean-Pierre Fontaine, très solide polytechnicien, qui avait jusque-là travaillé exclusivement dans le secteur des affaires industrielles de Paribas. Tout en conservant d'importantes responsabilités dans ce secteur, principalement comme président de Poliet, il voulut bien accepter, avec le titre de directeur général adjoint, la supervision directe de l'équipe de contrôle de gestion que je dotai en même temps de moyens supplémentaires. Il devint possible de discuter avec chaque centre de profit de son budget, de déterminer les prix de revient des différents services de traitement des opérations et le coût des services généraux. Nous pouvons ainsi disposer d'éléments d'information permettant une meilleure gestion de la banque. Je crois sincèrement que de grands progrès furent faits à cet égard (non sans grincements).

Dans le domaine bancaire, notre empire comprenait trois royaumes : la Banque Paribas, la Compagnie Bancaire et le Crédit du Nord. Je choisis dans chacun des royaumes un homme particulièrement ouvert et constructif et je demandai à ces trois personnes de réfléchir aux effets de synergie que l'on pourrait faire jouer entre les trois royaumes. Ils se voyaient sans moi, et je les réunissais fréquemment. Malgré la qualité des hommes, je dois reconnaître que cet effort ne donna pas grand-chose. L'expérience m'apprit ainsi combien il est difficile de développer des synergies à l'intérieur d'un groupe, même lorsqu'il y existe théoriquement d'évidentes complémentarités, même quand la bonne volonté des uns et des autres n'est pas en cause : les sociétés sont vraiment des organismes vivants et rien n'est plus délicat que de faire vivre deux ou plusieurs êtres vivants en symbiose. C'est pourquoi je suis toujours un peu sceptique lorsque des groupes financiers font des acquisitions successives et clament trop haut les effets de complémentarité qu'ils en escomptent.

Nous décidâmes aussi de constituer un groupe de vingt-six personnes composé des dirigeants de toutes les sociétés industrielles ou commerciales appartenant à Paribas ou très proches d'elle ; et nous faisions, tous les six mois, une réunion et un déjeuner des « 26 » pour leur dire ce que faisait Paribas et pour obtenir qu'ils se connaissent entre eux.

A partir de mon accession à la présidence, j'allai visiter en détail, un à un, tous les services de la maison, surtout ceux qui, en général, n'avaient pas beaucoup à faire avec la haute direction : les services d'intendance, le pool de dactylographie, l'imprimerie... Mon attention fut particulièrement attirée par la situation de ce que l'on appelait les services centraux bancaires, c'est-à-dire les services qui traitent les opérations de portefeuille, de virement, de caisse, de crédit documentaire... Leur rattachement au département « banque » avait l'avantage de placer ces services près des exploitants qui initiaient ces opérations. Mais la priorité obligatoirement attachée aux activités commerciales ne permettait pas toujours aux dirigeants de ce département de s'intéresser suffisamment au fonctionnement de ces services, qui jouissaient d'une autonomie restreinte. Je décidai donc de les ériger en une direction rattachée au directeur général adjoint chargé de superviser la gestion de la banque, Jean-Pierre Fontaine. Cette mesure fut bien accueillie par le personnel concerné ; l'expérience a montré que dans cette nouvelle organisation, les cadres, les gradés et les employés pouvaient mieux donner leur mesure et améliorer eux-mêmes la gestion et le fonctionnement des services, tout en conservant le souci de bien répondre aux demandes de la clientèle et des exploitants.

Par ailleurs, je décidai d'aller, chaque trimestre, passer un jour ou deux dans un des grands centres de province pour y voir nos collaborateurs, y recevoir la clientèle, donner une impulsion. J'adorais ces visites régionales qui me donnaient, mieux que Paris, une idée concrète de notre travail et de nos clients.

J'allai aussi visiter, l'une après l'autre, nos filiales et sous-filiales bancaires et industrielles, passant quatre ou cinq heures dans chacune d'entre elles.

Le temps s'écoulait ainsi, bourré d'occupations et d'espérances. Avec quelques épreuves aussi. J'ai déjà évoqué la descente des Douanes dans notre service de gestion de fortunes, qui nous rendit fort malheureux (bien qu'ignorant les catastrophes qu'elle portait en germe et que les années suivantes allaient voir se déployer). Je voudrais aussi évoquer les dures semaines de grève que nous connûmes à la fin de 1978.

Lors de mon accession à la présidence, j'avais indiqué que le remplacement des partants ne serait pas automatique et que la décision devrait être prise cas par cas en fonction des besoins : les sorties naturelles dues aux démissions et aux départs en retraite étaient suffisamment importantes à Paribas pour qu'une bonne gestion des effectifs fût possible sans aucun licenciement. La principale revendication des syndicats était alors la semaine de trente-cinq heures et la création d'emplois nouveaux ; ils estimaient que la banque était assez riche pour apporter sa contribution à la solution du problème de l'emploi en France. Leur position était donc différente de la mienne. Pour inquiéter le personnel, les délégués syndicaux mirent en avant quelques mutations, et ayant eu connaissance de notre intention de ne pas remplacer plusieurs garçons de bureau qui partaient en retraite, ils décidèrent le 24 novembre un mouvement de grève, sans doute pour tester les capacités de résistance de la nouvelle direction. Cette grève, suivie par environ 12 % de l'effectif, fut dure. Les grévistes cherchèrent à paralyser la marche de la société en interdisant l'accès des locaux aux non-grévistes et en tentant de bloquer les centres vitaux de la banque : informatique, téléphone, telex... Le personnel de ces centres fit des prouesses pour continuer à assurer leur fonctionnement. Nous dûmes faire appel à la police pour dégager les accès bloqués à certains services ; cela se passa sans aucune violence de part et d'autre. J'écrivis à chacun des agents de la banque, le 29 novembre, une lettre où je rappelais ma position. Le personnel non gréviste supportait de plus en plus mal cette grève ; les grévistes s'exaspéraient, mais s'essoufflaient ; j'étais pour ma part atterré : je sentais combien le trouble apporté à nos services pouvait nuire à notre fonds de commerce. Un de nos plus grands clients et amis me téléphona pour m'expliquer que, du fait du désordre de la rue d'Antin, il allait être obligé, pour une opération importante, de recourir à une autre banque à notre place. Je me rappelle ce mois de décembre comme l'un des plus tristes de ma vie. Pour terminer cette grève qui durait depuis quatre semaines, j'acceptai d'inclure dans le temps de travail le trajet entre les locaux de travail et notre cantine, ce qui représentait environ un quart d'heure par jour ; cette mesure, qui n'aurait dû logiquement concerner que le siège de Paris, il fallut bien entendu l'étendre à la province. La reprise du travail fut décidée par les délégués syndicaux le 22 décembre. Notre horaire hebdomadaire était passé de quarante heures à trente-huit heures et quarante-cinq minutes (il resta à ce niveau en 1982, lorsque le gouvernement socialiste ramena la durée hebdomadaire du travail à trente-neuf heures).

Je voudrais essayer de donner une idée de ce qu'était mon emploi du temps (à des détails près, la réponse est la même pour mes années de présidence et pour mes années de direction générale). Je prenais, en plusieurs morceaux, un bon mois de vacances ; mes voyages d'affaires occupaient environ deux mois. Pendant les neuf autres mois, mes week-ends étaient à peu près saufs (j'aimais bien cependant marcher dans Paris le dimanche en discutant à loisir avec un de mes collaborateurs parmi ceux qui y consentaient, Haas, Azoulay, Lattès, Jonnart...), mais, en semaine, je travaillais de onze à douze heures par jour (le temps des repas d'affaires étant inclus), lesquelles, me semble-t-il, se répartissaient en cinq cinquièmes que je voudrais décrire en allant du plus périphérique au plus intérieur : l'un consacré aux réunions externes, commissions au C.N.P.F., à l'Association Française de Banques ou au Commissariat au Plan, visites aux filiales, conseils d'administration — j'appartenais à une bonne quinzaine de conseils et, pour beaucoup d'entre eux, j'étais assidu : Compagnie Bancaire, Crédit du Nord, Crédit National, Française des Pétroles, Péchiney, Thomson, Hachette, Club Méditerranée... ; un autre cinquième était occupé par les réunions internes de Paribas à objectifs généraux : conseils d'administration, comités de direction, réunions périodiques consacrées à chacun des départements de la maison, comités d'entreprise et d'établissement, assemblées des cadres... ; une troisième partie du temps allait à l'information, à la lecture de quelques journaux, à la réception des visiteurs sans objectif particulier, ainsi qu'aux nombreux cas où le président doit jouer ce que j'appelais le rôle de « figurant sublime ». (Par exemple : la maison vient, à un échelon souvent fort en dessous du mien, de terminer une négociation fructueuse, tout est achevé, il n'y a plus aucune décision à prendre, le moment est venu de montrer le président, on l'affranchit sommairement sur le dossier, on lui explique ce qu'il faut dire et ne pas dire, quels mots aimables il devrait adresser à telle ou telle personne, et le président apparaît au cours d'une réunion finale, purement formelle, ou d'un dîner, ou d'un cocktail : cette sorte d'exhibition est souvent imposée aux présidents de grandes banques, c'est très éprouvant, c'est l'équivalent — toutes proportions gardées — des inaugurations de chrysanthèmes pour le président de la République, mais ceux qui veulent s'y dérober — j'en ai connu un parmi les plus brillants — démotivent profondément leur état-major.) Il ne me restait que deux cinquièmes du temps pour travailler de manière constructive au service de Paribas : l'un, consacré à des réunions sérieuses avec quelques collaborateurs ou quelques partenaires extérieurs, en vue de l'étude d'une question précise concernant soit tel ou tel problème relatif à l'intendance ou aux comptes, soit un accident dans la marche d'une filiale, soit une affaire possible (ces réunions étaient souvent improvisées : il y avait quelques dizaines d'hommes, rue d'Antin, qui savaient qu'en cas d'urgence, ils pouvaient, sans passer par ma secrétaire et sans frapper, pousser la porte de mon bureau et demander un court entretien, qu'il s'agisse de m'informer d'un événement ou d'une opportunité, ou de me demander si je donnais le feu vert à telle ou telle proposition) ; le dernier cinquième consacré à la politique générale, aux orientations stratégiques, à la méditation et à la poursuite de projets à long terme.

J'ai évoqué dans les chapitres précédents quelques-uns de ces grands projets auxquels j'ai réfléchi, rarement seul, le plus souvent avec un très petit nombre de collaborateurs très proches. Je voudrais ici en évoquer deux autres, d'une tout autre nature : ceux dont j'ai parlé jusqu'ici étaient fort importants, mais ne touchaient pas à l'essence de Paribas ; je vais maintenant parler de deux tentatives qui, si elles avaient réussi, auraient complètement transfiguré notre groupe.

Dans l'été qui suivit mon accession à la présidence, j'allai voir mon ami Michel Caplain, président de Suez, et lui demandai s'il serait prêt à réfléchir à la possibilité de fusionner nos deux maisons. J'ajoutai immédiatement que, dans ce cas, je proposais qu'il soit président-directeur général, et moi vice-président-directeur général de l'ensemble. J'avais sept ans de moins que Caplain ; nous nous aimions bien et, de plus, son *alter ego*, Jack Francès, était aussi mon ami. Je n'avais parlé de cette idée à personne. Je voulais d'abord savoir si Caplain était tenté ou non. Il demanda à réfléchir, il s'entretint avec Francès, et vint avec une réponse négative, assortie de beaucoup de regrets. Sa principale raison était que le formidable ensemble que nous constituerions appellerait la nationalisation. De fait, si nous avions fait ce rapprochement, il est probable que nous eussions été nationalisés en 1982, mais nous l'avons été tout de même sans nous être rapprochés. Bien qu'il ne me l'ait pas dit, il se peut que Caplain ait pensé que la part serait trop belle pour Paribas, institution ancienne, riche en hommes de grande valeur et très structurée, en face d'un Suez où la fusion des divers éléments (ancienne Compagnie de Suez, Union des Mines, Banque de l'Indochine…) n'était pas encore complète. En tout cas, ces deux maisons réunies, avec des états-majors parfaitement aptes à s'entendre, auraient constitué l'une des grandes puissances financières du monde. On mesure aujourd'hui, dix ans après, combien, en face de la concurrence internationale, les groupes français, même les plus importants, sont encore trop petits. La première victime de la défunte doctrine nationalisatrice de la gauche n'a donc été ni Paribas, ni Suez, mais — trois ans plus tôt, par anticipation — le groupe Suez-Paribas, qui eût été le premier groupe financier européen.

L'autre idée, tout aussi ambitieuse, que j'ai poursuivie pendant ces années-là, a été celle d'un intime rapprochement de Paribas et de Warburg : ne plus constituer qu'un seul groupe au sein duquel l'équipe de Warburg aurait eu la responsabilité des affaires britanniques, des affaires américaines et des opérations financières internationales. Je m'ouvris de ce projet à Siegmund, qui ne dit pas non. Nous en parlâmes pendant des heures à l'occasion de plusieurs entretiens successifs. Seules quelques personnes étaient au courant de chaque côté de la Manche. Le grand danger était que l'orgueil de la maison Warburg la fît se cabrer devant ce qui, mal présenté, pouvait apparaître comme une annexion. D'autant plus que Paribas était beaucoup plus volumineux que Warburg, et qu'il était, d'autre part, entendu dès l'abord que je serais le premier président de l'ensemble. Finalement, la maison Warburg se cabra, en effet. L'affaire n'était cependant pas nécessairement enterrée à jamais. Suivant les préceptes du maître

Siegmund, je savais que les grandes choses demandent de très longs délais. Cette aventure, ou cette rêverie, fut bien entendu interrompue à l'automne de 1981.

Ai-je été un bon président de Paribas ? Ce n'est pas à moi de répondre. Il y a deux sortes de dirigeants d'affaires, les gestionnaires et les meneurs (j'aime mieux les mots anglais *managers* et *leaders*). Le gestionnaire connaît une maison à fond, est extrêmement attentif à ce qui lui arrive au jour le jour ; il consulte avec fréquence et régularité des indicateurs sur les leçons desquels il réfléchit afin de redresser la barre à temps. Le meneur influence les hommes, les motive, les fait travailler ensemble, les rend compatibles, leur donne des forces pour le combat ; il doit avoir de la chaleur, de la force vitale ; il sait convaincre ; les tâches commerciales de l'entreprise l'attirent plus que les tâches d'organisation. Bien entendu, un grand chef d'entreprise doit être les deux, mais il est rare qu'il soit les deux au même degré. De tous les chefs d'entreprise que j'ai connus, c'est probablement Gilbert Trigano qui me paraît faire la plus extraordinaire synthèse du gestionnaire et du meneur. Il est autant l'un que l'autre. Pour ma part, je suis plus meneur que gestionnaire. Il me semble que cela n'est pas trop grave lorsqu'on le sait (et lorsqu'on est bien persuadé que, si le président n'est pas lui-même gestionnaire, il lui faut mettre près de lui un gestionnaire de premier ordre, avec une grande autorité).

J'ai souvent réfléchi aux devoirs du chef d'entreprise depuis que j'ai exercé cette fonction. Une part importante de ce que j'ai pensé à ce sujet peut se résumer ainsi : le patron doit se défendre contre trois tentations qui sont, de la plus minable à la plus subtile, celle de se servir, celle de poursuivre la grandeur, et celle de se consacrer à l'intérêt général.

Se servir, c'est, pour le patron, chercher à s'enrichir

indûment, certes, mais ce peut être aussi travailler moins ;
ce peut être pousser au-delà de leurs mérites ses fils et ses
gendres ; ce peut être rechercher tellement la popularité
auprès des syndicats qu'on fait de la démagogie, ou auprès
des journalistes qu'on privilégie les opérations spectacu-
laires par rapport aux opérations discrètes et profitables.
Qui, même parmi les meilleurs, peut jurer n'avoir jamais
succombé à la tentation, ainsi définie, de se servir ?

La deuxième tentation est de poursuivre la grandeur, de
vouloir que le groupe que l'on conduit soit le premier, non
pas en termes de « profitabilité », mais en termes de
chiffre d'affaires ou de total des actifs. J'ai vu en France et
aux Etats-Unis des entreprises faire des folies pour conserver ou conquérir la première place au classement par
chiffre d'affaires. A ce risque échappent les patrons de
sociétés petites et moyennes, et aussi, en général, les
patrons des grandes entreprises lorsqu'ils les ont connues
petites ou moyennes et les ont fait grandir. Sont particulièrement exposés à ce risque, en revanche, ceux qui
atterrissent dans une grande entreprise en venant directement de quelque brillante école ou en quittant l'administration. Les journalistes aggravent d'ailleurs souvent cette
tendance en classant trop systématiquement les entreprises
par ordre de taille : « Il devient ainsi le numéro deux de
l'automobile en Europe... », « Si cette fusion se fait, il sera
le numéro un de la pharmacie en France... », etc.

Cette perversion est malheureusement assez fréquente
dans les affaires privées. Elle l'est encore plus dans les
affaires du secteur public ; y contribuent l'origine de la
plupart des dirigeants de ce secteur, issus le plus souvent
de la fonction publique, et l'indifférence relative ou totale
de l'Etat aux dividendes que ses participations lui rappor-
tent (c'est tellement négligeable en comparaison du produit des impôts). Lorsque, comme je l'ai évoqué plus
haut, Michel Debré, ministre des Finances, décida en

1967 de regrouper les assurances nationalisées et de faire tomber le nombre des groupes d'une trentaine à quatre, il fallut déterminer sur quelles sociétés se feraient les regroupements, et lesquels des présidents d'hier resteraient présidents demain, après cette hécatombe. Dans tous les cas, on fit le regroupement sur les sociétés qui avaient les plus gros chiffres d'affaires. On ne songea pas une seconde au critère de la performance. J'entendis ce commentaire de la part d'un des directeurs du groupe qui devenait le deuxième par la taille : « Maintenant, à tout prix, il nous faut rester numéro deux, car si un jour l'Etat imaginait de regrouper en deux unités les quatre éléments qu'il vient de créer, les deux sociétés sacrifiées seraient certainement les deux plus petites. » Autrement dit, l'administration ne cesse de pousser, le plus souvent inconsciemment, les dirigeants d'affaires du secteur public à penser en termes de chiffre d'affaires et non pas en termes de profit. Ce qui est criminel, car rien n'est plus facile que de faire du chiffre d'affaires si le profit n'a pas d'importance. Dans le cas de l'assurance, il suffit de sous-tarifer les risques, ou de ramasser tous les risques dont les autres compagnies ne veulent pas. On va à la ruine, mais on a pour quelques années un superbe chiffre d'affaires !

La plus subtile des tentations, pour le dirigeant d'entreprise, c'est de se mettre au service de l'intérêt général. J'emploie à dessein une expression qui peut paraître choquante, afin de me faire bien comprendre. Bien sûr, le souci de l'intérêt général doit être présent, mais plutôt comme un butoir que comme un objectif. Cela veut dire : il faut respecter la loi, les réglementations, et, même s'il n'y a ni loi ni réglementation, dire non à quelque chose qui apparaîtrait comme contraire à l'intérêt général. Mais il n'appartient pas au chef d'entreprise de se dire : « Cherchons ce qui peut le mieux servir l'intérêt général. » La meilleure façon pour lui de le servir, c'est de chercher le succès de son entreprise. Si chaque entreprise cherche son propre succès — dans le respect des lois et de l'éthique —, la résultante sera probablement un intérêt général bien servi. Dans un procès, l'avocat ne doit pas se prendre pour le juge. Il doit avant tout servir son client — en respectant la déontologie de son métier. Et l'avocat de l'adversaire pareillement. Si chacun des deux a parfaitement fait son métier, il y a des chances pour que le juge soit éclairé, et c'est cela qui sert la justice. De même, l'économie est constituée par une multitude d'entreprises. Sous réserve du respect d'un certain nombre de règles du jeu (que l'Etat doit assurer), c'est de la concurrence entre toutes ces entreprises, cherchant chacune son profit, que naît le progrès économique. Un chef d'entreprise qui se croit investi de la tâche de déterminer ce qui est bon pour l'économie nationale ou internationale, au lieu de chercher le profit de sa société, commet un péché d'angélisme. Et le mot de Pascal s'applique à lui : « Qui veut faire l'ange fait la bête. »

Le profit : je sais que le mot, dans la France catholique profonde, sonnait mal — et, encore aujourd'hui, à quelque degré, ne sonne encore pas tout à fait bien. Pourtant, par-delà le mot, voyons la chose. Admettre qu'une entreprise dont on a la responsabilité soit en perte, c'est admettre de contribuer à une certaine diminution du total des biens mis à la disposition de la communauté. C'est une destruction de valeur, exactement comme celle que provoque l'homme qui allume un incendie de forêt, endommage une œuvre d'art ou pollue un fleuve. Vouloir qu'une entreprise fasse des profits, c'est vouloir que son fonctionnement ajoute de la valeur au total des éléments qu'elle met en œuvre et qu'elle ajuste ensemble.

Quant à l'intérêt général, il appartient aux pouvoirs publics de le défendre, et ses impératifs s'imposent bien entendu à tous, en particulier à toutes les entreprises. Encore faut-il qu'ils évitent de définir cet intérêt général d'une manière trop détaillée, trop passionnée ou trop agressive. C'est là une grande tentation de l'administration française d'aujourd'hui : parce que les gens qui la composent sont, dans l'ensemble, d'une grande intelligence et ont été exercés à manier des idées vastes et généreuses, ils sont tentés, au nom de l'intérêt général, de jouer vis-à-vis des entreprises le rôle du « conducteur du siège arrière » (*back seat driver*). Or, si le haut fonctionnaire est normalement très intelligent, il a par définition une faible connaissance des problèmes concrets de l'entreprise, et, surtout quand il est très jeune, il a rarement la lucidité de reconnaître cette infériorité.

Je puis en parler, car j'ai moi-même donné dans ce grave travers lorsque j'étais haut fonctionnaire, notamment comme directeur des Affaires économiques de la France d'outre-mer. En 1957, Péchiney voulait construire une grande entreprise à Fria, en Guinée, exploitant la bauxite et la transformant en alumine. J'ai évoqué plus haut cette opération. C'était une prodigieuse aventure dont les gens de Péchiney connaissaient les difficultés et moi pas, car j'en parlais d'une manière purement livresque. Je prétendais, dans l'intérêt de la Guinée (dont j'étais responsable de par la Constitution de l'époque), poser comme condition à la réalisation de ce projet l'engagement d'entreprendre, aussitôt après, la mise en œuvre d'un autre projet, la construction du barrage du Konkouré, et d'une usine d'électrolyse d'alumine. Une telle attitude partait d'un bon sentiment et d'une estimable ambition pour le développement industriel de la Guinée, mais je montrais par là-même ma méconnaissance des difficultés techniques, financières et politiques que présentent les projets de cette dimension, j'en parlais avec grande aisance dans la mesure où je n'avais pas la responsabilité de les réaliser. Péchiney, qui avait cette responsabilité, résista de son mieux à mes exigences. Je finis par admettre qu'on se bornât à réaliser le projet concernant la bauxite et la production d'alumine. Quelques années plus tard, je visitai Fria, je fus fasciné par la dimension et la qualité de ce qui avait été construit, et j'eus honte de ma légèreté.

En face des jeunes hauts fonctionnaires, les entreprises sont trop souvent dans la situation de l'esclave qu'on abandonne à la discrétion de jeunes princes du sang, pour distraire ces derniers. J'ai le droit de dire cela, puisque le seul fonctionnaire que j'accuse, c'est moi.

Je veux dire : le seul que j'accuse nommément, car je pense sans les nommer à bien d'autres que j'ai vus opérer plus récemment. Par exemple, à la fin des années soixante-dix, j'ai assisté aux événements suivants : Thomson envisage de s'associer avec telle entreprise japonaise pour l'un des grands secteurs de son activité ; le ministère de tutelle objecte que ledit industriel n'est pas le meilleur au Japon, que tel autre a des brevets qui sont à maints égards supérieurs, et que c'est avec ce dernier qu'il faut s'associer. Celui qui dit cela ignore — simplement parce qu'il n'en a pas l'expérience (il l'aura plus tard) — que l'association de deux firmes, surtout lorsqu'elles appartiennent à deux nations différentes, et plus encore à deux cultures aussi éloignées l'une de l'autre que l'européenne et la japonaise, suppose bien d'autres choses qu'une négociation entre deux délégations et un traité dûment signé. Il faut que les équipes industrielles concernées se connaissent, s'estiment, se fassent confiance ; cela demande beaucoup de temps. En l'occurrence, la firme dont Thomson voulait se rapprocher, il la fréquentait depuis dix ans ; cinquante cadres de Thomson avaient vu un bon nombre de fois cinquante cadres de la firme japonaise ; ils avaient discuté, bu et dîné ensemble à de nombreuses reprises, et, à ce degré, l'association industrielle commençait à devenir possible. Mais cela, seule l'expérience peut l'enseigner, et c'est pourquoi, au nom de l'intérêt général, il ne faut pas donner trop de pouvoirs aux jeunes surdoués de l'administration.

XII

1981

A l'approche des élections présidentielles de mai 1981,
le monde des affaires, dans l'ensemble, croyait à la victoire
de Giscard. Moi compris. C'était une tranquillité absurde,
quand on y pense. Sur quoi reposait-elle ? L'expérience de
1978 nous avait vaccinés contre les craintes (à l'époque,
tout le monde pensait acquis le triomphe de la gauche aux
élections législatives, et puis, au dernier moment, les
électeurs avaient décidé de reconduire la majorité giscar-
dienne et gaulliste). Giscard avait prodigieusement agacé
les Français, mais, somme toute, sa gestion avait été
satisfaisante. Et le Programme commun de la gauche était
si caricaturalement déraisonnable, démagogique, portait si
fortement la marque du jusqu'au-boutisme communiste !
Le bon sens des Français, se disait-on, ferait pencher la
balance.

Et pourtant, nous ne manquions pas d'informations !
Avec Michel Caplain, Ambroise Roux et quelques autres
chefs d'entreprises importantes, donc « nationalisables »,
nous nous réunissions de temps en temps pour entendre
les dernières analyses et prévisions de la Sofres, société de
sondages liée à Paribas. Pierre Weill et Jérôme Jaffré ne
voulaient pas nous effrayer : leurs conclusions étaient
nuancées. Mais plus l'on se rapprochait de l'échéance, plus

prenait corps l'hypothèse d'une défaite de Giscard. Nous refusions d'y croire.

Je me souviens de l'après-midi du 10 mai (date du second tour), au siège de la Sofres, peu après 18 heures. Ambroise Roux, avec son aplomb habituel, vient d'expliquer les raisons pour lesquelles Giscard a gagné, en dépit des prévisions de nos politologues ; il gourmande ceux-ci avec bienveillance. Puis les premiers résultats tombent sur les écrans. Les jeux sont faits. Le prochain Président de la France sera socialiste. Silence de glace, regards atterrés. Si les cent dix propositions du candidat Mitterrand étaient appliquées, un ouragan allait ravager nos chères entreprises. Au premier rang des condamnés, les banques, puisque la nationalisation de l'ensemble du système financier était prévue.

Cet instant d'accablement ne dura pas. Par tempérament, je suis optimiste ; par nature, actif ; et, par goût, rhéteur. « Ça sera dur, mais je les convaincrai. » Et, dès le lundi matin 11 mai, je constituai autour de moi, rue d'Antin, une sorte de cabinet de guerre. Banquiers jusqu'à présent, il nous fallait maintenant devenir avocats, préparer des notes, des chiffres, peaufiner des argumentaires, élaborer des solutions de rechange, songer à des concessions... Plus les jours passaient, plus je reprenais espoir. Les noms des futurs responsables apparaissaient. Et jamais, de toute ma vie, je n'avais eu autant de liens avec autant de conseillers ou de proches du Président, avec autant de ministres. Maurice Faure, Michel Jobert, Gaston Defferre, Michel Rocard, Jacques Delors, Jacques Attali, André Rousselet, Claude Cheysson, Pierre Dreyfus..., avec tous, depuis longtemps, j'entretenais des relations chaleureuses. Ces gens-là, je les savais intelligents, raisonnables, peu hantés par le marxisme. Ils comprendraient vite que la nationalisation des banques, et

202

notamment des banques d'affaires, était inutile pour le gouvernement et profondément dommageable pour la France. Bref, je jugeais mon dossier excellent, mes amitiés décisives. Et je passai une bonne partie de la fin mai et du mois de juin à plaider ma cause.

Qu'est-ce que Paribas ? expliquais-je : deux activités, à peu près de même importance, la banque et l'investissement, exercées chacune pour moitié en France et à l'étranger. Ainsi, Paribas, c'est quatre métiers : l'activité bancaire en France, l'activité bancaire à l'étranger, les participations en France, les participations internationales. Qu'est-ce qui vous intéresse, dans cet ensemble ? Le crédit en France ? Parfait, si vous y tenez absolument, nationalisez la Banque de Paris et des Pays-Bas. En d'autres termes, achetez cette banque à la Compagnie Financière dont elle est la filiale. Mais le reste ? Les participations de Paribas dans l'économie française ou étrangère ? A quoi sert à l'Etat français de posséder 2,5 % du Club Méditerranée, 3,6 % de Jacques Borel, 4 % des champagnes Heidsieck Henriot, ou 3 % de Darty ? voire des participations dans une entreprise australienne de pétrole ou une usine canadienne de pâte à papier ? Quant à nos filiales bancaires à l'étranger, la France n'avait tout de même pas l'ambition de jouer un rôle dans la politique monétaire belge, suisse ou hollandaise ? De plus, je faisais remarquer qu'une nationalisation ruinerait d'un seul coup l'avenir de ces filiales. Quel client belge, suisse, arabe, garderait sa confiance à une banque d'affaires française passée sous le contrôle d'un gouvernement étranger ? En outre, pour préserver les accords internationaux, notamment avec Warburg et Becker, si patiemment tissés et si nécessaires au développement de nos entreprises hors de France, il convenait de maintenir hors du secteur public une partie très substantielle de Paribas... J'avais l'impression de convaincre. Chacun à sa manière, mes interlocuteurs hochaient la tête.

Jacques Delors était le plus favorable à mes thèses. Lorsque je lui disais mon espoir de sauver de la nationalisation la Compagnie Financière et son portefeuille de participations, même s'il fallait céder à l'Etat la banque elle-même, il levait la main, me fixait de ses yeux très pâles et s'écriait :

— Mais, monsieur Moussa, je vous trouve très pessimiste. Faites-moi confiance, je sauverai beaucoup plus que cela !

Il était — sincèrement, je crois — hostile aux nationalisations. Comme moi, il pensait faire une concession aux idéologues, mais une concession très raisonnable. Mais quoi, par exemple ? J'essayais respectueusement de le faire parler. Un jour, il me dit : peut-être un commissaire du gouvernement assistant au conseil d'administration avec droit de veto. J'étais atterré qu'il pût se faire de telles illusions : le commissaire du gouvernement, cela avait déjà existé dans les banques d'affaires, trente-cinq ans plus tôt ! Je crois que, fort de l'estime en laquelle le tenait le président de la République, il sous-estimait la puissance des profondeurs du Parti Socialiste, qu'il connaissait mal, et surestimait son propre poids.

Pierre Mendès France était d'un autre abord. Il me reçut chez lui, près de la Muette, dans son grand appartement de la rue du Conseiller-Collignon. Et tout de suite, avant même de m'indiquer un siège, avec cette alliance si rare de rigueur dans l'expression et de douceur dans la manière, il m'annonça sa position :

— Je suis favorable à la nationalisation des banques. Je dois avoir l'honnêteté de vous le faire connaître.

Après m'avoir entendu, il voulut bien admettre que mes arguments avaient quelque force, qu'une nationalisation limitée aux seules activités du crédit était raisonnable, mais il y avait dans sa voix une touche de scepticisme, comme s'il pensait, sans me le dire : de toute façon, ni vous ni moi ne pouvons rien contre ce raz de marée.

La plupart de mes interlocuteurs, socialistes, radicaux ou collaborateurs du Président, étaient des pragmatiques. Mes propositions ne les choquaient pas. Ce que je pensais obtenir pour Paribas (et pour Suez), c'est en somme ce que toutes les autres banques d'affaires — quand elles n'ont pas échappé à la nationalisation — ont obtenu : l'Etat s'empare seulement de la banque en France, et laisse aux actionnaires privés la banque hors de France et les participations industrielles. Ainsi la Banque Worms a bien été nationalisée, mais le holding (MM. Worms et Compagnie) n'a pas été touché ; les autres activités du groupe, ses participations non bancaires dans l'assurance et l'armement, sa filiale de Genève, ont ainsi pu demeurer privées.

Mais c'était compter sans la valeur de symbole de Paribas et de Suez. J'avais convaincu des individus, peut-être une large majorité des individus qui comptaient. Mais, derrière ces individus, il y avait les socialistes des profondeurs, les militants, les passionnés, les sectaires, pour qui les deux hydres financières devaient purement et simplement être abattues, en coupant, comme Hercule pour celle de Lerne, toutes les têtes à la fois.

— Ne vous faites pas d'illusions, vous serez nationalisés, et complètement, me dit Jean Deflassieux qui, en dehors de ses fonctions de directeur des affaires internationales du Crédit Lyonnais, dont il s'acquittait fort bien, était aussi un proche de Pierre Mauroy et avec lequel j'avais les meilleures relations (il me trouvait plus gentil et moins arrogant que les autres présidents).

Il défendait depuis des mois l'idée (à mes yeux complètement folle) de constituer une grande banque publique d'investissement qui orienterait vers tels ou tels secteurs, jugés prioritaires pour le bien de la France, les capitaux mis à sa disposition. Les participations de Paribas pouvaient, à ses yeux, constituer un des éléments majeurs de ce fonds géant, à l'italienne. J'essayai de me persuader que son farouche avertissement était influencé par ce grand dessein baroque.

A la veille du discours-programme que Pierre Mauroy doit prononcer le 8 juillet devant l'Assemblée nationale, un membre éminent de son cabinet m'appelle (c'était, si je me rappelle bien, Robert Lion, directeur du cabinet). Il m'annonce de manière assez détaillée ce que va dire le Premier ministre. Cela paraît raisonnable. J'ai à peu près gagné. Mais vient le discours lui-même ; il ressemble à ce que l'on m'a dit, mais avec quelques changements qui en modifient totalement la signification. Il est clair que les extrémistes l'ont, au dernier moment, emporté :

> *La nécessité de la nationalisation du crédit est apparue très tôt dans la vie politique française. Elle a reçu une concrétisation partielle avec la démocratisation de la Banque de France sous le gouvernement du Front populaire en 1936, puis en 1945, avec la nationalisation de l'Institut d'Emission et de quatre autres banques de dépôts opérée par le gouvernement d'union nationale dirigé par le général de Gaulle [...]. La nationalisation, longtemps envisagée, des banques d'affaires fut alors contrariée par la pression des forces conservatrices. C'est cette grande réforme que nous entendons parachever aujourd'hui...*

Mes collaborateurs et moi sommes catastrophés. Nos vassaux belges, hollandais, suisses ne cessent d'appeler. Alors, que se passe-t-il en France ? Qu'ont décidé les socialistes ? Est-ce la fin de Paribas ? Que faut-il faire ? Je les réconforte de mon mieux. Et reprends illico mon bâton de pèlerin et mes plaidoiries désormais bien connues dans les palais de la République. Je comprends qu'il est vain de continuer à dire : « Ne nationalisez pas la Compagnie

Financière, seulement sa filiale, la banque. » L'Etat tient à s'emparer du vaisseau amiral, la Compagnie Financière. Eh bien, prenez-la, mais payez ses actionnaires, en partie en argent, et en partie en titres des filiales autres que la banque, notamment des filiales qui contrôlent les activités à l'étranger (Paribas International) et les participations industrielles (O.P.F.I.) ; je propose, pour simplifier l'opération, de regrouper préalablement dans une seule filiale ces divers éléments. Les actions de ces filiales, ou de cette nouvelle et unique filiale, seraient ainsi distribuées aux anciens actionnaires de Paribas. On ne me dit pas non. Dès le mois de juillet, le ministère des Finances fait travailler les services de Paribas sur deux études. En premier lieu, il s'agissait de définir avec précision les changements de structures permettant de regrouper les actifs non nationalisables : étaient considérées comme tels la plupart des participations industrielles françaises, les participations étrangères de toute nature et les filiales bancaires européennes. Certaines hypothèses incluaient même les succursales étrangères de la banque (qu'il aurait donc fallu filialiser au préalable). L'autre thème d'étude était de trouver les moyens juridiques et financiers permettant d'offrir ces participations par priorité aux anciens actionnaires. Une des questions discutées était de savoir si le Paribas nationalisé devait ou non conserver une participation (de toute façon minoritaire) dans les actifs étrangers détachés.

Cependant, cet ultime espoir de sauver l'essentiel est à son tour déçu. Peu à peu, on nous fait comprendre que tout cela, on le fera, mais *après* la nationalisation, laquelle, pour commencer, doit être totale et sans nuances. C'est ce qu'annonce la déclaration gouvernementale du 9 septembre :

> *Les Compagnies Financières de Paribas et de Suez seront également nationalisées. Le gouvernement rétrocé-*

dera, comme il s'y est engagé, les participations indus-
trielles non nationalisées détenues par ces groupes. Les
anciens actionnaires qui souhaiteraient se porter acqué-
reurs de titres ainsi rétrocédés pourront utiliser à cet effet
les obligations qu'ils auront reçues à titre d'indemnités

Malgré tous nos efforts, il devient évident que Paribas, dans son ensemble, sera nationalisée, peut-être même découpée en morceaux ; tout ce qui reste des idées que nous avons essayé de promouvoir, c'est celle de la vente des participations, mais différée, hypothétique (en fait, elle n'eut, Dieu merci, jamais lieu), et surtout dispersée : on aliénerait chaque participation, à tous les vents, procurant à l'État des liquidités, mais pulvérisant l'être vivant Paribas.

Nous avions négocié, sans succès. Il nous fallait, dans le respect strict de la loi, résister. *Résistance :* le mot peut sembler pompeux, voire scandaleux, étant donné la réfé-rence historique. Mais que l'on s'imagine l'état d'esprit, rue d'Antin, en cette triste fin d'été, dans ce Paris que seuls n'ont pas déserté les cabinets qui préparent les nationalisations, et les états-majors des nationalisables qui s'interrogent sur leur avenir. La certitude d'un irréparable gâchis, la colère de voir détruit en quelques semaines, et pour des raisons purement idéologiques, un formidable outil, bâti patiemment depuis des générations, et si utile au développement de l'économie française, ce sentiment de vivre dans une citadelle assiégée, resserrent les liens entre des hommes déjà très soudés dans l'action et la réussite au fil des années.

Je n'ai jamais été un *manager* solitaire. Je n'en ai pas le génie. J'ai toujours été l'animateur d'une équipe fortement motivée. C'est à une équipe que je devais ce que la presse appelait mes succès, du temps où toutes les forces de Paribas étaient mobilisées pour la construction et l'expansion (que ce temps était loin ! il avait été brutalement arrêté en mai 1981). C'est à la tête d'une équipe — plus restreinte, mais qui s'étendait sur tous les services de la maison et se composait d'une bonne quinzaine de personnes — que j'avais été avocat, diplomate, négociateur, pendant la fin du printemps et la plus grande partie de l'été. Voici qu'une nouvelle tâche nous appelait, qui demandait autant d'imagination et plus de courage : sauver ce qui pouvait être sauvé, non plus en accord avec le gouvernement, mais sans lui. La même équipe, avec le même acquiescement profond (sauf toutefois un directeur, qui eut la loyauté de venir m'expliquer qu'il n'était pas d'accord — ce qui ne nous a pas empêchés de garder l'un pour l'autre estime et affection), se dévoua à ce qui nous paraissait à tous notre nouveau devoir.

Nous eûmes une première idée : convoquer au plus vite une assemblée générale extraordinaire de Paribas au cours de laquelle je proposerais de dissoudre la Compagnie Financière et de distribuer à tous nos actionnaires les titres des grandes filiales. Au lieu d'avoir une action de la Compagnie Financière, on aurait par exemple une action de la banque, une de Paribas International et une de l'O.P.F.I. Rien n'empêcherait, bien sûr, le gouvernement de nationaliser les trois, mais l'illogisme serait flagrant : il nationaliserait une société consacrée exclusivement à des activités bancaires à l'étranger, une société ne détenant que des participations minoritaires diversifiées. Mis par moi au courant de ce plan, l'un de mes principaux administratcurs, Antoine Riboud, me mit en garde : « Vous avez le droit d'agir ainsi. Mais vous allez rendre fous l'Elysée et Matignon. B.S.N. n'est pas sur la liste des nationalisées. De par sa taille, elle pourrait l'être. Si vous faites quelque chose comme cela, vous mettez B.S.N. en danger. En tout cas, laissez-moi en dehors de cette histoire. » Cette attitude prudente sera la sienne tout au long des événements. On peut le comprendre : après tout, le président de B.S.N. avait pour charge de défendre B.S.N., de même que moi, je faisais mon possible pour arracher à l'Etat les parts de Paribas qui pouvaient être sauvées. Finalement, nous abandonnâmes l'idée, en grande partie parce que les délais imposés à la convocation d'une assemblée générale extraordinaire donnaient tout le temps au gouvernement de découvrir le pot aux roses et de contrer notre action par quelque loi ou décret approprié.

C'est alors que germa en nous le dessein qui, réalisé, déclencha la tempête que l'on sait. Puisque, sitôt passées sous le contrôle de l'Etat français, nos filiales à l'étranger étaient condamnées au déclin, il fallait les retirer au plus tôt de l'ensemble Paribas, avant la nationalisation. Avant que l'Etat n'avale Paribas, il fallait, sans, bien sûr, jamais violer la loi, en détacher les filiales étrangères — celles du moins pour lesquelles l'opération s'avérerait faisable. Point n'était besoin pour cela de la longue procédure de l'assemblée générale extraordinaire. La loi permettait à une société française de céder, sans autorisation préalable du ministre des Finances, les participations qu'elle détenait dans une société étrangère jusqu'à hauteur de 20 %. Nous allions donc vendre 19,9 % du capital de Paribas-Suisse à notre holding belge Cobepa. Ainsi l'accord de Cobepa serait nécessaire pour toute décision concernant Paribas-Suisse, et comme Paribas-Suisse avait déjà une substantielle participation dans Cobepa, chacune de ces deux grandes filiales serait — aussi longtemps que cela serait nécessaire — garante de l'autonomie de l'autre par rapport à Paribas-Paris, tombée aux mains de l'Etat français.

Pourquoi nous sommes-nous engagés dans cette voie ? Parce que nous pensions que c'était notre devoir. Personnellement, j'avais tout à gagner à me montrer docile. On a de la peine à se le représenter aujourd'hui, compte tenu de ce qui s'est passé depuis lors, mais j'étais, pour beaucoup de socialistes, un homme avec qui on peut parler, adversaire convaincu des nationalisations, mais ouvert au dialogue, réaliste, habité, du fait de son expérience dans les cabinets de la République précédente, par un sens certain de l'Etat, et au surplus tiers-mondiste : bref, tout sauf un ennemi public. Certains journalistes suggéraient que j'avais voté Mitterrand (l'un d'eux l'a même redit récemment), ce qui bien sûr était faux (comment eussé-je voté pour un programme économique aussi insensé, pour des nationalisations forcenées ?). J'étais cependant assez bien vu en haut lieu. On me laissait entendre que je ferais un excellent secrétaire général au Quai d'Orsay. Cela ne m'intéressait pas, ma vocation étant ailleurs.

— Ne craignez rien, me répétait Kémoularia, mon conseiller à Paribas et ami proche de François Mitterrand, tranquillisez-vous, vous garderez votre poste après le rachat par l'Etat. Peu de présidents resteront, mais vous, vous resterez.

Cela non plus ne m'intéressait pas. Une nationalisation représentait pour moi une dégradation. Après avoir animé un groupe privé avec passion, dans l'enthousiasme et la liberté, je ne me sentais pas prêt à présider une société publique, quelle qu'elle fût, même appelée Paribas, même domiciliée rue d'Antin.

Toute l'équipe serrée autour de moi pensait en termes de devoir. Devoir vis-à-vis de Paribas, menacée de stérilisation et de démantèlement. Devoir vis-à-vis des filiales étrangères, aussi ; bien souvent, surtout dans les derniers mois, mais même avant mai 1981, leurs dirigeants m'avaient fait part de leurs inquiétudes : « Vous ne le trouvez pas imprudent, ce contrôle de Paribas-Paris sur ses filiales, avec toutes ces menaces de nationalisation ? Que deviendrions-nous le jour où vous seriez pris au piège ? » Je leur répondais : « Les nationalisateurs ne gagneront pas » — et, après le 10 mai : « Ils ont gagné, mais je les convaincrai, faites-moi confiance. » Je m'étais trompé, je les avais trompés. S'il était encore possible de faire quelque chose pour les sortir de là, je n'avais pas le droit, au nom de mon confort personnel, de dire non. Paribas-Suisse et Cobepa étaient deux superbes sociétés, en pleine expansion. Outre son métier traditionnel de gestion de fonds, Paribas-Suisse avait développé une activité très profitable dans le financement international du négoce des matières premières. Cobepa détenait, dans un bon nombre de sociétés belges, une participation charnière aux côtés de grandes familles qui se hérissaient à l'idée de voir intervenir un Etat dans leurs affaires, et surtout l'Etat français ! Nous nous disions que nous avions péché par légèreté, par excès de confiance en nous-mêmes. Rien n'eût été plus facile que de réduire l'omnipotence de Paribas-Paris dans le contrôle des filiales avant mai 1981, ou même immédiatement après. Nous avions négligé de le faire. A nous, à moi surtout, de prendre les risques afférents à cette tardive opération de sauvetage.

Ces risques, d'ailleurs, soyons franc, je les sous-estimais. Je prévoyais une colère socialiste violente, mais brève et, de toute manière, contenue par la parfaite légalité de ce que j'allais entreprendre. Comment condamner quelqu'un qui demeure sans conteste dans le cadre strict de la loi ? Dans un Etat de droit, le péché de lèse-majesté, le crime de déplaire ne peuvent être punis. « Savez-vous que votre action irrite au plus haut point le gouvernement ? » Dans beaucoup de pays, aux Etats-Unis notamment, une telle phrase ferait rire. Ce qui n'est pas défendu est autorisé, le reste n'est qu'état d'âme ou caprice, qui ne peuvent en rien peser sur une décision privée. Mais les socialistes, à l'époque, se pensaient porteurs d'une légitimité absolue, détenteurs de la connaissance du bien et du mal. Dans un tel contexte, la conformité aux lois n'était pas suffisante. Outre la loi, il fallait respecter le bon vouloir suprême, sous peine de recevoir la foudre. M'en étant tenu à la loi, j'ai reçu la foudre.

Le 5 octobre, donc, Paribas International cédait 19,9 % du capital de Paribas-Suisse à Cobepa. La rue d'Antin n'était plus souveraine maîtresse ni de l'un, ni de l'autre. Je n'avais pas demandé l'accord de mon conseil d'administration. Bien souvent, dans notre maison, nous disions-nous, des opérations financières d'envergure avaient été lancées d'abord, et ratifiées ensuite. Et il fallait éviter toute fuite, sous peine de voir l'administration allumer un contre-feu. Parmi nos administrateurs, l'un, Jean Riboud, était très proche du pouvoir ; un autre, Antoine Riboud, m'avait, à propos d'un autre projet dont j'ai parlé, prié de veiller à ne pas le compromettre. Ce qui me gênait le plus, c'était le silence obligé vis-à-vis de Fouchier, à qui je devais tout. Mais, si je l'avais consulté, je pense en conscience qu'il n'aurait pas gardé le secret. Le revers de la médaille de sa sincérité, de sa générosité, de sa confiance en autrui, est d'être peu apte à la dissimulation. Or, étant faibles vis-à-vis d'un gouvernement qui, d'une heure à l'autre, pouvait rendre illégal ce qui était encore légal, nous nous devions de dissimuler.

Dans le même temps, nous nous étions efforcés de créer discrètement une unité capable de recueillir les participations, industrielles et autres, dont l'Etat annonçait la revente prochaine. Ainsi espérions-nous maintenir l'unité de ce portefeuille. Nous utilisâmes à cette fin une petite société de droit helvétique, Pargesa, que le groupe avait dans un tiroir. (Les banques ont toujours des sociétés en réserve, pour gagner du temps le jour où elles veulent prendre une initiative). Nous prîmes contact avec un assez grand nombre d'amis internationaux, en leur demandant de participer à une augmentation de capital massive de Pargesa ; beaucoup dirent oui ; les participations les plus substantielles furent souscrites par le groupe belge Frère (industrie métallurgique, commerce des métaux), le groupe canadien Desmarais, dont j'ai déjà parlé, le groupe suédois Volvo, nos alliés américains l'*investment bank* Warburg-Paribas-Becker. En revanche, Warburg avait finalement dit non.

Le 9 octobre paraît dans le *Journal de Genève* un encadré publicitaire : « Pargesa Holding S.A. offre à tous les actionnaires de la Banque de Paris et des Pays-Bas (Suisse) de leur échanger leurs actions contre des actions Pargesa, à raison de 11 actions Paribas-Suisse pour 7 actions Pargesa. » Si cette offre publique d'échange (O.P.E.) réussit, Paribas-Suisse passe sous le contrôle de Pargesa, il est définitivement hors d'atteinte, de même qu'indirectement Cobepa. Jacques Delors apprend la nouvelle du lancement de l'O.P.E. dans la journée du 9 octobre. Je lui fais valoir que Paribas, contrairement à ce qu'il pense, aurait tout intérêt à occuper une position forte dans Pargesa : mieux vaudrait, dans ces conditions, apporter à l'O.P.E. les titres que détient Paribas, qui deviendrait ainsi l'actionnaire majeur de Pargesa, sans toutefois en avoir le contrôle.

— Il n'en est pas question, répond le ministre. Et je vous prie de tout faire pour empêcher l'opération.

Il est probable qu'un grand nombre de petits actionnaires de Paribas-Suisse seront séduits par l'offre de Pargesa. La rue d'Antin, directement ou par l'intermédiaire de Paribas-Warburg (une filiale commune de Warburg et de Paribas), contrôle 40 %, et dira non, comme le veut le gouvernement. C'est donc de la décision des Belges, majoritaires au conseil de Cobepa — qui contrôle 20 % —, que dépendra l'issue de l'O.P.E.

Au fur et à mesure qu'on prend conscience de la situation, les politiques se déchaînent contre moi. Delors plus que tout autre, peut-être, car il est blessé dans la sympathie qu'il me portait, il s'estime poignardé par un ami, ses liens avec moi sont connus, ses adversaires ont beau jeu : « Il est joli, votre protégé ! »

Plusieurs membres de mon conseil sont choqués de n'avoir pas été consultés ; certains craignent des représailles possibles à l'encontre de leurs propres sociétés. Je me souviens de Jean Riboud, chez lui, pâle de colère, me reprochant, avec des mots très durs, de lui avoir demandé d'intervenir auprès de son ami François Mitterrand en faveur de Paribas, alors même que j'agissais dans l'ombre contre le gouvernement socialiste. Je garde à l'oreille les éclats de Jacques de Fouchier. Ce devait être le vendredi 16, dans la matinée. Nul ne connaissait encore l'issue de l'O.P.E. Je gagnai son bureau, au bout de la galerie.

— Pourquoi ne pas m'avoir prévenu ?

Je tentai de me justifier :

— Reprochez-moi mon action, mais non mon secret, car le secret était nécessaire à cette action, vous le savez.

Hors de lui, il ne comprenait pas que j'eusse pu défier ainsi le gouvernement. Et comme je lui parlais de l'attitude d'Antoine Riboud, il s'écria :

— Et moi, la Compagnie Bancaire, vous croyez que ce n'est pas la même chose pour moi que B.S.N. pour lui ? Vous croyez que j'accepterais facilement de me faire nationaliser la Compagnie Bancaire à cause de vos manœuvres ?

Nouvelle preuve de l'attachement souvent presque charnel des dirigeants pour leur entreprise.

Et commença le long, très long weed-end des 17 et 18 octobre, deux journées, sans cesse ponctuées d'appels téléphoniques, durant lesquelles se forgea ma conviction que je ne pouvais rester à mon poste : que l'O.P.E. réussisse ou non, j'avais cessé d'être un interlocuteur valable pour le gouvernement. Bien au contraire, ma seule présence nuirait à la société que je voulais défendre. Le 20 au matin, on apprenait que le conseil de Cobepa décidait d'apporter ses titres à l'O.P.E. : Pargesa allait donc prendre le contrôle de la filiale suisse de Paribas. Fouchier me fit savoir que, si je ne démissionnais pas, il quitterait lui-même le conseil d'administration, et serait suivi par au moins les deux Riboud. Même sans cette menace, j'étais parvenu à la conclusion que je n'avais pas d'autre solution que de me démettre. Plusieurs de mes collaborateurs les plus chers m'annoncèrent qu'ils démissionneraient immédiatement après moi. Je les convainquis de n'en rien faire, et, dans l'intérêt de Paribas, de rester à leur poste aussi longtemps qu'on les y tolérerait.

Le mercredi 21 octobre à onze heures du matin, j'ouvris le conseil d'administration de la Compagnie Financière de Paris et des Pays-Bas :

Beaucoup d'événements se sont produits depuis quelques semaines et je tiens à vous en faire part :

Au Parlement, d'abord, rien n'a changé quant au montant retenu pour l'indemnisation. Si le projet demeure en l'état actuel, nos actionnaires seront les plus maltraités avec ceux de Péchiney.

Pour les participations industrielles, le gouvernement, malgré tous nos efforts, a choisi la ligne dure : la nationalisation touchera l'ensemble du portefeuille, même si promesse est faite d'en reprivatiser une partie plus tard.

En ce qui concerne maintenant notre société, je voudrais en premier lieu évoquer divers mouvements de titres qui ont affecté depuis quelques semaines certaines filiales de notre groupe [...]. Ce compte rendu, je le reconnais, est tardif. Et il peut apparaître d'autant plus tardif que, depuis lors, Pargesa a lancé son O.P.E. sur Paribas-Genève.

Dès le début de l'opération, je me suis efforcé de convaincre le gouvernement de nous permettre d'apporter nos titres à l'échange. Le gouvernement a refusé, pour des motifs d'opportunité politique. Il sera fait selon sa volonté à Paribas, et selon toute vraisemblance à Warburg. Mais à la Cobepa, le conseil, suivant la position des administrateurs belges, a décidé par 12 voix contre 6 (toutes celles des Français) d'accepter l'échange proposé. Ainsi la part de Pargesa dans Paribas-Genève a toutes chances de dépasser 50 %. Le courroux qui agite le gouvernement depuis quelques jours [...] a pour conséquence que mes relations avec les pouvoirs publics se sont considérablement dégradées.

Le hasard a fait que je disposais de bonnes relations avec une fraction non négligeable des nouvelles équipes. Cela n'a d'ailleurs pas peu contribué à l'illusion dans laquelle j'ai vécu, jusqu'au début de l'été, quant à la possibilité d'obtenir un projet de loi raisonnable. Il s'avère que c'était une illusion. Tous ces contacts amicaux n'ont pas empêché le triomphe de l'idée maximaliste, l'idée selon laquelle Paribas doit disparaître en tant que centre d'action et de rayonnement.

Dans ces conditions, j'estime que je ne suis plus la personne la mieux placée pour défendre les intérêts de Paribas. Je pense, tout particulièrement, à la défense des intérêts du personnel et à la protection du groupe.

C'est avec beaucoup d'émotion que je vous prie d'accepter ma démission, valable aujourd'hui même. Cette décision est irrévocable. Je ne souhaite pas qu'une discussion s'instaure sur ce point.

Je ne me fais pas d'illusions, mais je ne pense pas qu'aucun d'entre vous soit effleuré par l'idée que j'ai agi dans ces derniers mois en étant mû par quelque mobile personnel. On me rendra aussi cette justice que je n'ai pas recherché les meilleures conditions de mon confort. Mon action, qui a peut-être été accomplie selon des méthodes mal adaptées, a été — je sais que vous le savez — inspirée exclusivement par le souci de rendre possible un jour la renaissance de Paribas. A cet espoir situé dans le futur répondent en revanche des inconvénients qui sont bien immédiats.

Pour faire face à ceux-ci, je pense qu'il vous appartient de prendre les meilleures dispositions.

J'ai mis aujourd'hui ma cravate Paribas, ce qui signifie que mon cœur, à dater de ce jour, sera non pas moins, mais plus Paribas que jamais.

Et je quittai la salle.

— Quel crève-cœur pour Paribas de perdre un homme comme Moussa ! aurait dit Jean Reyre.

La stupeur du conseil se colora alors, me dit-on, d'un peu de sentiment.

— Nous ferions mieux de demander à Jacques de Fouchier comment il envisage l'avenir, aurait coupé Antoine Riboud.

Le conseil confia des pouvoirs étendus à Jacques de Fouchier, assisté de Francis Fabre et d'Antoine Riboud. Pour la seconde fois, à treize ans de distance, Fouchier prit les commandes rue d'Antin ; pour la seconde fois dans un environnement morne et en grande partie hostile. On comprit ensuite qu'il se battait sincèrement pour sauver l'essentiel, que ses attaques contre ma personne étaient, au moins pour partie, justifiées par la nécessité d'assurer, vis-à-vis des pouvoirs publics, sa propre crédibilité (ne chuchotait-on pas dans Paris : « Fouchier et Moussa ont monté le coup ensemble, ils se sont réparti les rôles » ?) ; on apprécia qu'il fît des efforts extrêmes, et finalement couronnés de succès, pour obtenir que Jean-Yves Haberer fût nommé à la tête de Paribas nationalisé : la très haute réputation du directeur du Trésor semblait une garantie que le projet de dislocation de la maison était abandonné, que l'avenir s'ouvrait à nouveau.

Et moi, pendant ce temps ? Le climat d'octobre 1981 était à la haine. Les invectives du congrès de Valence résonnaient dans l'air comme autant de mots d'ordre. L'immeuble que j'habitais, quai d'Orsay, était barbouillé de graffiti insultants. Et, au téléphone, des voix d'une autre époque me menaçaient de mort. Sans compter les journalistes qui me pourchassaient comme si j'avais été une star de l'écran ou du crime.

Mieux valait m'en aller. Certains des copropriétaires de la maison du quai d'Orsay faisaient des vœux pour que je m'éloigne un peu. Et, jusqu'à la fin de l'année, je vécus sans domicile fixe, d'appartements prêtés en maisons d'amis, chez les Bérard-Quélin, rue de Bellechasse, et en Dordogne dans leur résidence secondaire, chez les Nolla, avenue Franchet-d'Esperey, chez les Mercier, square Thiers. A la différence des Bérard-Quélin, ni les Nolla ni les Mercier n'étaient de nos intimes. Jean et Andrée Mercier étaient des cousins d'Annie, que nous appréciions beaucoup mais ne rencontrions que de loin en loin. J'avais connu Paul Nolla lors de mon passage aux assurances, j'avais admiré son professionnalisme, son désintéressement, son courage, sa fidélité ; nous voyions de temps en temps Paul et Yvonne Nolla. Annie et moi fûmes extrêmement touchés par la façon dont les uns et les autres nous offrirent d'introduire, pour alléger nos peines, beaucoup de complications et un peu de danger dans leurs vies.

Cette fausse cavale était d'autant plus pénible qu'une vraie inculpation avait été lancée contre moi. Le gouvernement ne pouvait accepter de s'être laissé défier ainsi. Il voulait faire un exemple. Abandonnant, bien à regret, le dossier Pargesa, décidément stérile du point de vue judiciaire, le ministre du Budget déposa plainte contre moi pour deux affaires d'évasion de fonds, l'une de capitaux vers la Suisse, l'autre de pièces d'or appartenant à l'un de nos clients. J'ai déjà évoqué ces deux affaires, qui avaient éclaté un an plus tôt. En tant que président de Paribas qui avait organisé ces transferts illégaux, le gouvernement souhaitait me voir reconnaître responsable. Ainsi les socialistes dessinaient le portrait du banquier type : non seulement apatride, bradeur du patrimoine national (les filiales de Paribas), mais ennemi du franc, spéculateur, bravant quotidiennement les lois.

Réprouvé, menacé, quelles sont mes pensées en cet automne 1981 ? Je les ai notées sur le moment. Les voici, telles quelles. (J'ai seulement remplacé certaines abréviations par les mots complets correspondants, substitué des initiales à certains noms propres, et fait quelques coupures qui ne modifient pas le sens général ; en revanche, je n'ai pas rectifié le style, qui laisse parfois à désirer, et j'ai — après hésitations — laissé subsister certaines phrases, certaines expressions qui ne sont pas en harmonie avec la sérénité et l'objectivité qui m'habitent aujourd'hui ; mais je n'ai pas cru correct d'amender le texte de l'écorché vif que j'étais.)

12 novembre 1981

Sur mes sensations pendant cette dure période.
Sentiment secret de vulnérabilité.

Je lis et cela fait tilt *en moi au moindre mot qui me rappelle mes épreuves. Tout ce qui touche à la justice, à la police, etc. L'autre jour, je m'aperçois que cela a fait* tilt *et je relis pour savoir quoi ; c'était le mot* journaux, *simplement parce que les journaux m'apportaient quotidiennement mauvaises nouvelles, injures ou occasions d'inquiétude (même le fait de dire du bien de moi peut me nuire).*

Quand me parlent des personnes amies, je souffre (imperceptiblement) soit de les voir trop accablées (mon cas est-il si grave ?), soit de les voir trop gaies (ils s'en moquent !). Je suis sans cesse en train de me dire : « Pourvu qu'il ne dise pas cela », ou : « Pourvu qu'il dise ceci ou cela. » Les propos d'autrui ont brusquement

220

pour moi un pouvoir sans précédent de me faire du mal ou du bien.

Ce qui me soutient, en particulier, c'est l'orgueil. Ne nous laissons pas aller. Je sais que j'ai bluffé les gens de l'Auto**en prenant une leçon de natation au moment culminant de mes mésaventures ; je ne l'ai pas fait pour cela, mais j'ai tiré beaucoup de plaisir de cette information.*

Il est vrai que j'ai eu, depuis trente ans, une chance incroyable. Statistiquement, je devais rencontrer la malchance, à un degré élevé ; c'est fait. Le talent plus la chance, cela faisait un milieu dans lequel je me mouvais avec bonheur. Maintenant, voyons ce que donne le talent en face de la malchance.

Beau challenge. Garder sa santé, premier devoir. Être serein.

12 novembre 1981

Sur Jacques de Fouchier.

De nombreux éléments s'entremêlent :

1° L'amitié blessée :

Point fondamental, car l'amitié compte beaucoup pour lui. Chose d'autant plus notable que des événements récents (et en sens opposé) ont rompu sa vieille camaraderie avec C.G. et affecté son amitié pour Jean Riboud (j'y reviendrai).

Moi, j'étais moins l'ami que ceux-ci, mais le fils.

Fouchier est essentiellement un homme confiant, généreux au sens cartésien. Or, j'ai fait quelque chose dans son dos.

2° Une divergence avec moi sur le devoir :

La loi a été totalement respectée. Ce qui ne l'a pas été, c'est l'intention du gouvernement. Une telle dissidence

---

*. L'Automobile-Club de France, place de la Concorde.

est-elle antinationale ? Il tend à le penser, pareil à Pierre Nicolaÿ qui, me dit Gilbert Trigano, commente : « Il avait à choisir entre ses devoirs de P.-D.G. et ses devoirs de citoyen. Il a sacrifié ceux-ci. » Mais qui dit que le citoyen doit respecter les futures lois ? Qu'il doit nécessairement faire ce que le gouvernement veut ? Il me semble que s'il a l'intime conviction que celui-ci se trompe, son devoir est de n'en pas rajouter par rapport aux exigences de la loi.

Cela, d'autant plus que l'on peut considérer qu'on est en période prérévolutionnaire, que la légalité commence à être écornée et le sera peut-être plus encore.

C'est ici que l'on est tenté de parler en termes de résistance et de collaboration. Cela le hérisse. Pendant au moins tous ses premiers jours de retour au pouvoir, il ne pouvait s'empêcher de prendre chaque interlocuteur à témoin : « Ne me prenez pas pour un collaborateur. » C'est que, dans l'éclat de notre discussion, le... octobre, j'avais eu la maladresse de dire : « Vous êtes en train de me dire qu'on doit l'obéissance au maréchal Pétain » — ce qui l'a deux fois mortifié. (1° Pétain c'est moi ? le vieillard, etc. 2° Allusion à ses fonctions à Vichy — à mes yeux nullement blâmables — jusqu'en 1942, je crois.) En fait, je voulais dire : « L'extrême loyalisme que vous prônez, tout gouvernement ne le mérite pas. »

3° Ne pas oublier que la Compagnie Bancaire n'est pas sur la liste des banques nationalisées :

Ceci est fondamental pour lui, pour des raisons de cœur plus encore que d'intérêt. Cela l'oblige un peu à se démarquer de moi, plus encore qu'il ne le juge nécessaire à d'autres égards.

4° L'influence des Riboud :

Elle est considérable, bien qu'il soit lucide à leur sujet. Il est gêné surtout par l'attitude monstrueusement confortable du patron de multinationale sise, pour plus de *sûreté, aux Bahamas*, qui passe ses loisirs à encenser et financer le socialisme nationalisateur en France. Antoine, giscardien les dernières années, craint pour B.S.N. et doit donner des gages.*

Ni l'un ni l'autre n'avaient, je pense, été enthousiastes que le choix de Fouchier se porte sur moi comme dauphin. Mais ils avaient joué le jeu et s'efforçaient de développer avec moi des relations très cordiales. Il y a eu chez eux une colère bien compréhensible : « Ce qu'il a fait nous compromet... » D'où, à la fois par fureur et pour mieux se démarquer, un acharnement qui ne peut pas ne pas influencer Fouchier.

5° Le point faible de Fouchier étant la vanité, une cause supplémentaire d'hostilité vis-à-vis de moi résulte de blessures de vanité :

Les journalistes, qui simplifient toujours trop, ont tendance à me considérer comme l'agent principal, le symbole de l'internationalité de Paribas. Cela l'a toujours exaspéré. Ce thème est reparu dans les commentaires récents, y compris sous la forme : « Ils se complétaient bien. Fouchier était ceci et cela, Moussa avait apporté le sens du grand large, etc. » Il l'a très mal supporté.

Plus généralement, l'étrange gloire que les événements m'ont donnée, si douloureuse, si noire et mauve qu'elle soit, a sans doute suscité une sorte d'envie. On l'oublie trop dans les médias ; il est vrai que, fort sagement, il ne voit pas les journalistes — mais moi non plus ! (Et j'y ai bien plus de mal que lui.) Mais je bénéficie de l'auréole du malheur, ce qu'il devrait tolérer ; il est vrai aussi que j'ai de bons amis dans la presse, qui ont résisté au matraquage gouvernemental et essayé d'être objectifs. D'où des articles qui, pour partie, contenaient mon éloge [...].

---

*. Je voulais dire : aux Antilles néerlandaises.

22 novembre 1981

Ce que me disent Gabriel Farkas et Thierry Desjardins : « C'est une opération politique qui a été montée contre vous ; mais cette opération politique a échoué. » Résistance de la presse (écrite, surtout) qui garde son objectivité vis-à-vis de moi. Une certaine résistance de l'opinion qui sent confusément que le gouvernement n'est pas honnête, que c'est un montage, qu'ils y vont trop fort... Finalement, cela a peut-être nui au P.S. — cette impression de barbarie de leur congrès de Valence, ces instincts déchaînés...

Naturellement, c'est ce que je vois dans les yeux de ceux qui m'aiment, beaucoup ou même un peu. Mais on me dit que c'est vrai aussi des autres, de beaucoup d'autres.

Brigitte L. C. : « Dans les gens que nous voyons, nulle hostilité contre vous, même chez les socialistes. Seule réserve : dans le monde des affaires, admiration, mais en même temps peur que ça leur nuise — image du banquier, image du monde capitaliste, etc. »

André Rousselet aurait dit à Thierry Desjardins : « Ne me parlez pas de l'affaire Moussa, ça a été une erreur. N'allez pas en reparler dans votre journal... » (Evidemment, A.R. peut dire cela par amitié pour moi.)

22 novembre 1981

Du bon usage des maladies.

J'apprends mieux comment vivent les Français moyens : moindre commodité de l'installation matérielle (nous sommes campés chez autrui, comme beaucoup de gens le sont pendant des années...) ; disparition de la disponibilité permanente de services de tous ordres ; [...] et aussi peur du gendarme. A cause de mon nom vilipendé, je suis, en cas d'incident quelconque, vulnéra-

ble comme un jeune barbu ou un immigré pas sûr d'être en règle.

Mais encore : je me promène dans la rue, en semaine, à des heures où je ne m'étais jamais promené. Je vois la rue de Passy à l'heure de la sortie des classes, à l'heure des courses des mères de famille... Je vois le Bois à l'heure des promenades de retraités, des rendez-vous d'amoureux...

23 novembre 1981

L'affaire Pargesa a été une bombe. Elle a fait beaucoup de victimes de mon côté, à commencer par moi. Mais elle a aussi commotionné les socialistes. Leur attitude après et avant n'est pas la même :

Avant, l'emportait le clan qui voulait détruire Paribas — éloigner les participations industrielles en les vendant à tous vents — et, en ce qui concerne l'international, essayer de faire vivre un Paribas entièrement nationalisé, quitte à négocier avec les pays étrangers le retrait partiel, au plus grand bénéfice des Etats étrangers (le processus était déjà engagé en Belgique où le Boerenbond espérait mettre la main sur Paribas-Belgique, au Maroc où l'Etat marocain s'apprêtait à négocier la reprise de la S.M.D.C.* des mains de l'Etat français...).

Après, on admet qu'il faut que Paribas survive, et montre qu'elle peut être aussi prospère nationalisée que privée. Il gardera ses participations industrielles. Il pourra être souple en ce qui concerne ses prolongements internationaux (ce point, il est vrai, n'est pas tellement différent de ce qu'il était « avant »). On appelle Haberer à la présidence, ce qui montre qu'on veut un Paribas fort.

Fouchier lui-même dit partout : « Sans l'affaire Pargesa, ma négociation actuelle était impossible. »

---

*. Société Marocaine de Dépôt et de Crédit.

24 novembre 1981

Un des aspects de l'orgueil qui aide à tenir le coup : essayer de rester objectif. Plaisir secret, dans des conversations amicales, d'être celui qui nuance les critiques qui s'expriment contre le gouvernement, qui rend justice à celui-ci pour telle ou telle action satisfaisante, etc. Plaisir de me dire : ils m'ont traité comme des sauvages, mais moi je suis civilisé.

24 novembre 1981

Ce que, me dit-on, Fouchier va répétant : « Sans l'opération Pargesa, mon action actuelle était sans espoir. »

Il est vrai que cette bombe a obligé le gouvernement à réfléchir, à admettre qu'il y avait quelque vérité dans mes avertissements sur les réactions étrangères.

Ce que me dit L.W. : ce qui a été fait donne, aux Etats-Unis, une chance formidable à Paribas. Tel collaborateur, envoyé à la [...] Bank pour prendre un contact, est accueilli triomphalement : bravo pour ce qu'a fait votre direction générale, on veut travailler avec vous !... Et L.W. ajoute : « Si le gouvernement accepte une certaine privatisation de l'international, Paribas va avoir une très belle chance. »

Mon sacrifice n'aurait pas été vain.

Ajouté le 8 décembre 1981 :

Même son de cloche, apporté par L. et N. de la péninsule arabe : « Votre action y est prestigieuse : elle nous procure des clients. »

30 novembre 1981

Un des aspects du drame que j'ai rencontré dans mes relations avec le gouvernement socialiste est la consé-

quence du décalage qui existe aujourd'hui entre le monde économique et le monde politique : le premier, très en avance sur le second, en ceci que la réalité économique chevauche les frontières, alors que les politiques, même socialistes, peut-être surtout socialistes, pensent en termes étroitement nationaux. Paribas est devenu une grande réalité internationale, fonctionnant sous leading français, et génératrice, de ce seul fait, de profits substantiels pour la nation française, mais reposant sur des centres de décision et de profit décentralisés vis-à-vis desquels la direction du groupe a des devoirs.

La France ne peut être économiquement et financièrement puissante que si un certain nombre de groupes multinationaux y ont leurs racines, mais cela n'est possible que si le management de ces groupes joue le jeu multinational. Toute conception léonine du management de ces groupes en détruit la possibilité même. Comment attirer des hommes de premier plan dans tel ou tel pays s'ils voient que ce qu'on leur offre, c'est d'être les valets d'un groupe national étranger ? Pas d'autre attitude possible qu'une attitude éminemment libérale dans tous les sens du terme — dans le respect des lois nationales, bien entendu.

Cela est si vrai que le gouvernement français avait l'intention de se comporter ainsi — mais après nationalisation, c'est-à-dire en laissant tout se défaire pendant des mois...

30 novembre 1981

Que de paradoxes dans cette affaire !

• Dans la position politique relative de Fouchier et de moi :

Tous deux, nous sommes également hostiles aux folies du Programme commun. Mais dans le jugement sur les hommes, son hostilité est sans nuances contre Mitterrand et tous les autres socialistes, cependant que moi, je nuance, vois en Mitterrand un homme d'Etat, etc.

Au printemps 1981, nous sommes tous deux très inquiets. Mais lui est effondré. Il ne voit pas d'alternative à la catastrophe. Je l'entends me dire : « *Je ne décolère pas. Je n'en dors plus...* » (*Il ne touche indirectement à ce monde socialiste que par son amitié avec Jean Riboud, lui-même ami et* « *commanditaire* » *de Mitterrand. Mais, pendant toute cette période — mai-septembre 1981 —, il parle douloureusement de Jean Riboud, semble s'éloigner de lui.*) *Pendant ce temps, je vois activement des socialistes ou alliés à tous niveaux : Delors, Dreyfus, Rousselet, Attali, Maurice Faure, Hernu, Savary, Cheysson, Jobert, Chevènement, Beauchamp, Pelat, Defferre... Tous m'accueillent avec sympathie. Même Chevènement me dit :* « *Vous sauverez de la nationalisation 50 % de vos activités.* » (*Il ne dit pas qu'il le souhaite, mais il constate.*) *J'apprécie d'autre part de nombreux aspects de la nouvelle politique étrangère, etc.*

Octobre 1981 : renversement. C'est Fouchier qui voit le gouvernement, est reçu par le Président, etc. Et moi, je suis l'horrible capitaliste réprouvé !

● Dans le paysage sociologique des attitudes vis-à-vis de l' « affaire » :

Moi qui suis, par origine sociale et intellectuelle, ainsi que par goût, fort éloigné du personnage typique de la droite économique, je reçois des approbations enthousiastes de ce côté-là. Moi qui ne m'occupe pas de mon portefeuille personnel, moi qui n'ai jamais voulu avoir un sou en Suisse, moi qui n'ai pas la vie personnelle classique de la droite économique, qui ne chasse pas, ne golfe pas, ne bridge pas...

Il faut aller plus loin : dans le monde capitaliste, j'ai l'impression que ma popularité est maximale chez les capitalistes purs, non businessmen. *Les* businessmen

— en France surtout — doivent avoir de bons rapports avec le gouvernement ; ils blâment souvent, je crois le savoir, l'excès d'agressivité de mon attitude, les risques d'une radicalisation politique qui pourrait nuire au monde des affaires. Ceux qui n'introduisent pas ces nuances, ce sont les capitalistes purs : professions libérales, petits entrepreneurs en nom personnel, héritiers, etc., donc ceux dont je suis le plus différent !

Sans date

Sur Siegmund Warburg. Eléments de son courroux :

● *Avant tout, Siegmund veut être obéi. Il veut régner, par la douceur et la persuasion, mais totalement. Comme il m'aime, il veut régner sur moi. Je l'ai déçu en ne suivant pas ses directives.*

● *Siegmund est un légaliste, un prudent. Comme dit Carlo Bombieri : « Il ne s'est pas engagé pendant la guerre, il n'a pas fait de résistance, etc. » Il faut être d'accord avec le gouvernement, il faut être bien vu du gouvernement...*

● *Un élément plus trouble et probablement inconscient : comme nous étions à terre, il fallait nous aider, mais en profiter pour prendre barre sur nous, pour améliorer la position relative de Warburg en face de Paribas.*

Deux choses attirent Warburg : pénétrer dans Paribas-Suisse, si possible à égalité avec nous ; détruire l'égalité dans Becker, avoir seul le contrôle de Becker (et l'appeler Warburg). Tous les schémas avancés par Warburg tendaient à ces deux choses. Et aussi : en cas d'opération Phénix*, que Warburg, pas seul mais avec Desmarais,

---

*. Nom de code de l'opération par laquelle nous espérions voir Paribas renaître de ses cendres à la manière du phénix de la légende.

ait la haute main sur l'opération, afin de renverser la domination toujours potentielle Paribas/Warburg (cf. nos conversations d'il y a quelques années) et d'y substituer une suzeraineté Warburg/Paribas.

8 janvier 1982

Maladresse des amis les mieux intentionnés. Comme soudain je comprends (tardivement) la susceptibilité, la vulnérabilité des blessés, des vaincus, des malchanceux... Les uns insistent sans vergogne sur les dangers, la radicalisation du pouvoir, les menaces... D'autres m'interrogent interminablement (et affectueusement) d'une façon qui évoque tout de même le juge d'instruction [...]. D'autres me donnent l'impression de mêler à leur sollicitude et à leur dévouement — quelquefois prodigieux — [...] une once de sadisme, un secret désir de rabattre l'espérance toujours prête à renaître...

Ajouté le 22 janvier 1982 : (Et C.N. qui me dit que le bruit a couru que j'aurais attenté à mes jours — et qui, comme je fais allusion à l'affaire Boissonnat, insiste : « Non, non, c'était distinct... »)

Cela étant dit, l'espèce humaine est montée dans mon estime depuis deux mois. Les amis « que vent emporte », comme dit la chanson (que je croyais de Villon et qui est, me dit-on, de Rutebeuf), sont extrêmement peu nombreux, comparés à ceux que le vent de l'infortune apporte ou rapporte. Que de chaleur, que de fidélité... Le séisme ouvre la terre, et soudain révèle des strates de tendresse, de gratitude, d'admiration, dont j'ignorais que mon champ était si riche.

Au cours de ces tristes semaines, je constatai avec une surprise émerveillée que le cercle de nos amis ne se relâchait pas, mais se resserrait autour de nous. En dehors des plus proches et des plus intimes, qui bien entendu nous entourèrent plus que jamais de leurs prévenances et de leur affection, nombreux sont ceux qui multiplièrent les initiatives pour nous rencontrer, non pas moins, mais plus souvent qu'avant ce drame, afin de nous distraire et de donner de la chaleur à notre cœur qui en avait besoin. Ainsi en a-t-il été de François et Hélène Missoffe, Lucien et Jacqueline Lanier, Antoine et Simone Veil, Jérôme et Françoise Monod, René et Michelle Lapautre, Henri et Passerose Pigeat, Jean-Louis et Nicole Descours, Boris et Bab Méra, Denyse Harari, Mimi Pagézy, Jean et Eliane Dromer, Paul et Puck Simonet, Jean et Sylviane Forgeot, Alain et Jacqueline Guichard, d'autres encore, sans oublier les regrettés Moune et Cassim Bonnasse. Des lettres de solidarité, d'encouragement, d'affection me parvenaient de Paris et du monde entier (j'en reçus plus de six cents). Parfois, dans Paris, j'étais reconnu (ma tête avait fait la « une » de nombreux journaux). Jamais d'hostilité. Au contraire. Dans un restaurant, comme j'entrais, un homme se mit debout et leva son verre dans ma direction sans rien dire. A l'aéroport, une dame inconnue, en me croisant sur le tapis roulant, me lança : « Merci, monsieur Moussa ! », et s'en alla prendre son avion. Quelques grands noms de la finance française me disaient leur amitié, finance publique (Guindey, Clappier, Wormser, Bloch-Laîné, Schweitzer...) ou privée (Francès, Reyre, Ambroise Roux, Jean Guyot, Michel David-Weill...) Le gouverneur Mönick, ancien président de Paribas, octogénaire vigoureux, me fit venir chez lui, compara ma mésaventure à celle qu'il avait lui-même vécue quarante ans plus tôt, à Rabat, lorsque les Allemands avaient exigé son départ du secrétariat général du gouvernement chérifien, et m'exhorta à me souvenir qu'il y a des accidents de carrière qui font de magnifiques tremplins. Jim Wolfensohn, l'un des financiers les plus admirés de New York, qui venait de quitter l'*investment bank* Salomon Brothers pour monter sa propre firme, traversa l'Atlantique pour passer deux heures avec moi dans un salon de Roissy, entre deux avions, m'encourager et me conseiller en vue de mon redémarrage. Le personnel de Paribas me manifestait — à de très rares exceptions près — une touchante et parfois bouleversante fidélité. Odette Dumée et Nicole Gourgue, mes deux anciennes secrétaires, s'ingéniaient à m'aider pour résoudre mes problèmes et y consacraient de nombreuses heures en dehors de leur travail normal. Le dévouement de Pierre Menu, mon chauffeur, m'émouvait profondément. Des agents de Paribas, de tous grades et de tous âges, demandaient mes coordonnées à Odette Dumée, et je recevais plusieurs visites par jour dans mes logements de fortune.

Tout cela me faisait du bien. J'avais envisagé de partir avec Annie quinze jours à l'étranger, loin de tous mes tracas. Mes amis me le déconseillaient, on risquait de m'arrêter à la frontière et de prétendre que j'avais tenté de prendre la fuite. Au début de 1982, cependant, avec l'accord préalable du juge d'instruction, je me rendis à New York. Divine surprise ! David Rockefeller, Walter Wriston — président de Citicorp, la première banque des Etats-Unis — reçurent le réprouvé que j'étais devenu avec plus d'égards qu'ils n'en manifestaient, quelques mois plus tôt, au président de Paribas. Tom Clausen, président de la Banque Mondiale, et Jacques de Larosière, directeur général du Fonds Monétaire International, ayant appris ma présence à New York, me firent chacun savoir que, si je pouvais venir à Washington, ils voudraient donner un repas en mon honneur. Quelle joie !

A Paris, en revanche, que de moments douloureux ou tragiques ! La vendetta dont je suis l'objet repose entièrement sur les deux affaires d'exportation de fonds que j'ai déjà évoquées et dont la découverte remonte à décembre

1980. Devant des infractions de cette sorte, les Douanes peuvent choisir la voie longue : saisine de la Justice, instruction, procès, condamnation... L'affaire peut alors durer des années. Aussi l'administration préfère-t-elle le plus souvent négocier, transiger. En échange du rapatriement des fonds litigieux (accompagné par le paiement d'une forte amende), elle accepte de passer l'éponge. Chacun y trouve son compte : le Trésor public des liquidités supplémentaires, et la banque compromise une discrétion de bon aloi. Dès le printemps de 1981, on se dirigeait vers une telle solution pour les deux affaires concernant Paribas. Mais voici que le président Giscard d'Estaing a décidé de se représenter. Et le candidat qu'il est ainsi devenu ne souhaite pas se voir épingler par la presse pour mansuétude envers les fraudeurs et les spéculateurs. Pour lui, il est urgent d'attendre. Après le changement de Président et l'installation du nouveau gouvernement, on perd un peu de temps, mais on se dirige derechef vers l'amende de composition. Dans le cas de l'affaire Latécoère, les pouvoirs publics font en août une proposition précise à l'industriel ; consciente de ses responsabilités et pour en finir, Paribas lui offre de l'aider très substantiellement. Mais M. Latécoère est en clinique pour dépression nerveuse, les semaines passent. Quand le chèque exigé parvient à l'administration, elle le refuse. L'Etat a changé d'avis. Place aux juges ! L'affaire Pargesa vient d'éclater. Le gouvernement, qui n'a pas trouvé le moyen de me châtier pour l'affaire Pargesa elle-même, choisit de m'atteindre par ce biais.

C'est moi qu'on veut démolir. Un des profonds regrets de ma vie est d'avoir attiré le malheur, sans avoir commis aucune faute et bien involontairement, sur d'autres qui, n'était la haine que j'avais inspirée contre moi, eussent reçu une punition infiniment plus bénigne. Je pense à l'équipe chargée à Paribas de la gestion de fortunes, dont plusieurs des dirigeants furent inculpés avec moi : Jean Richard, le directeur, qui revendiqua pour lui-même la responsabilité des délits et attendit quatre ans à l'étranger que les esprits se calment, Jean Peynichou, Daniel Rouchy, Léonce Boissonnat. Je pense à Latécoère. Je pense aux gens dont on a déchiffré ou cru déchiffrer les noms sur les carnets où Boissonnat inscrivait des informations concernant les comptes genevois ; à la confiance avec laquelle beaucoup d'entre eux écoutèrent Boissonnat qui leur conseillait d'avouer, d'éviter l'opprobre d'un procès, de payer l'amende dure mais supportable que les Douanes appliquaient dans de tels cas ; à leur stupeur quand, sur la base de leurs aveux, on les inculpe, quand on leur parle d'amendes incommensurables avec les chiffres d'abord énoncés. Je pense au froid glacial dans l'âme de Léonce Boissonnat quand il se rend compte qu'il a, bien malgré lui, trahi par deux fois la confiance de ses clients, de ses amis : une fois en laissant traîner ses carnets, une seconde fois en incitant — en toute bonne foi — les coupables à avouer pour avoir la paix, une paix que soudain on leur refuse ; et quand ce héros de la guerre, ancien de la 2e D.B., amputé d'un bras, officier de la Légion d'honneur, père de famille, se donne la mort, le désespoir au cœur, à cinquante-cinq ans, le 12 décembre 1981.

Pour beaucoup des membres de la famille Paribas, pour moi entre autres, ce jour fut le plus sinistre moment de ces longs mois de naufrage et de cauchemar.

L'instruction, commencée dès le mois de novembre 1981, dura plus d'un an et demi. Ce n'est qu'en juillet 1983 que le juge Michau signa l'ordonnance de renvoi de tous les inculpés devant le tribunal correctionnel. Outre les cinq responsables de Paribas (dont Jean Richard, en fuite), soixante-trois clients étaient impliqués. Pour les autres, dont les « capitaux fraudés » n'avaient pas dépassé deux millions de francs, l'administration avait admis de transiger.

Le procès s'ouvre le lundi 5 décembre 1983, dans le désordre et la bousculade propres aux « grandes affaires » : foule, mondanités, meute de journalistes, batailles de photographes... La salle de la onzième chambre ayant été jugée trop exiguë pour un tel événement, la cour d'appel nous accueille, solennité et style néo-gothique. Au centre, le tribunal. De part et d'autre, la masse sombre des cinquante avocats. En face, juste devant la foule, nous, les inculpés. On a installé la presse au balcon.

Après l'appel des prévenus et quelques escarmouches de procédure, le président Culié m'interroge sur l'organisation et le fonctionnement de Paribas, sur mes tâches de président. Puis vient le tour de Daniel Rouchy et de Jean Peynichou, qui doivent donner tous les détails sur la direction de la gestion privée, sur leur rôle exact. A raison de trois audiences par semaine, ce panorama de la rue d'Antin dure jusqu'au 20 décembre : longues heures d'explications, brutales passes d'armes, pièges à déjouer, souvenirs à convoquer dans l'instant, retour chez moi, encore et toujours les dossiers, le travail avec Jean Loyrette, mon avocat et mon ami, lecture attentive de la presse, et, de nouveau, le Palais de Justice, son interminable escalier, le marbre sinistre de ses couloirs.

Un jour, je suis amené à démontrer au président, sur la base des documents mêmes de l'instruction, que les comptes illégaux que les inculpés sont censés détenir en Suisse ont été à l'évidence ouverts, dans la proportion de 88 sur 95, avant mon accès à la présidence de Paribas.

— N'étiez-vous pas directeur général auparavant ? me demande le président.

— Oui. J'étais l'un des deux directeurs généraux, celui des deux qui n'était pas administrateur de Paribas-Suisse. Puis-je me permettre de demander pourquoi, après juin

1978, le responsable est le président, et, avant cette date, l'un des deux directeurs généraux ? Est-ce parce que, dans les deux cas, il s'agit de Pierre Moussa ?

Le procès entre dans une phase plus romanesque avec le défilé des clients, cortège disparate. C'est très long, c'est parfois triste à pleurer, parfois cocasse. Tout de même, le public, la presse — et, je crois bien, les magistrats — sont abasourdis. On attend de grands fraudeurs cousus d'or, pleins de ruse et de cynisme. Une large proportion des accusés sont de petites gens, souvent des veuves, un peu affolées. La première inculpée appelée à la barre est coupable de n'avoir pas rapatrié en France les revenus d'un petit héritage qu'elle a reçu en Suisse. Agée de soixante-dix-huit ans, elle vit d'une pension mensuelle de 500 francs, complétée par la générosité d'un neveu. Les interrogatoires s'achèvent à la fin de janvier 1984. Commence le temps des plaidoiries et des réquisitoires. L'avocat des Douanes, Me Urbino-Soulier, se montre implacable. Le procureur Jean-Pierre Monestié ne peut faire moins. Il réclame contre moi, outre une lourde amende, de quinze à vingt-quatre mois de prison avec sursis. Richard, Peynichou et Rouchy sont traités durement. Quant aux clients, diverses peines sont requises, selon les cas, mais aucune ne dépasse douze mois avec sursis.

Jean Loyrette plaida pour moi, deux heures d'horloge, le 15 février. Je suis peut-être partial, mais je trouvai son discours magnifique, complet, percutant, plein — à divers moments, et notamment à la fin — d'une émotion qui, je crois, n'était pas feinte. Et la dernière audience est levée. La grande salle se vide. Il ne reste plus qu'à attendre le verdict. On attendit deux bons mois.

Le 24 avril 1984, je suis acquitté. Mais les peines qui frappent Jean Richard absent, Jean Peynichou et Daniel Rouchy, et une proportion élevée des clients de Paribas, me frappent aussi par contrecoup, car je ne cesse de me dire que, sans les événements de 1981, avec lesquels aucun des condamnés n'avait rien à voir, toutes ces affaires eussent connu une conclusion beaucoup plus rapide, plus discrète et plus bénigne. Et tous, bien sûr, nous pensons à Léonce Boissonnat.

XIII

BILAN*

QUESTION : *Huit années après, l' « affaire Paribas »
semble appartenir à une autre époque. Aujourd'hui, les
nationalisations sont passées de mode. On ne s'affronte
plus guère que sur les « noyaux durs », preuve que le
principe des privatisations est généralement admis. La
construction de l'Europe rend de plus en plus obsolètes les
restrictions aux mouvements de capitaux. Bientôt, que
cela plaise ou non à la rue de Rivoli, chaque Français
pourra détenir sur la place (européenne) de son choix un
compte libellé dans la monnaie (européenne) de son choix.
Quant à l'harmonisation des règles fiscales, elle prendra
plus longtemps, mais le mouvement est lancé. Certes, la
Suisse n'appartient pas à la Communauté, mais les faits
reprochés en 1981 au service de gestion privée de Paribas
pourront de moins en moins être considérés comme une
faute. On peut le déplorer ou s'en réjouir, l'évolution
paraît inéluctable : l'économie s'internationalise et se
privatise. Dans un tel climat, l' «affaire Paribas »
paraît bien d'un autre âge.*

*Quel bilan tirer des violents combats de 1981 ?
Beaucoup de bruit pour pas grand-chose ? Un formidable*

---

*. Dialogue entre Erik Arnoult et Pierre Moussa.

gaspillage de temps, d'énergie et d'hommes (l'éclatement des équipes)? Ou le prix nécessaire à payer pour l'évolution des esprits?

Pierre Moussa, avec le temps, on peut vous faire un certain nombre de reproches. Premier reproche : en retirant de l'orbite de Paribas-Paris, société française en voie de nationalisation, la Cobepa et Paribas-Genève, vous avez fait, a-t-on dit, un « mauvais coup » contre la France.

Pierre Moussa : Quel est ce mauvais coup? En d'autres termes, quel est le chef d'accusation? En agissant comme je l'ai fait, j'aurais appauvri Paribas, donc appauvri la France? Une telle critique est contraire à la réalité : mon action n'a pas entraîné de fuite de capitaux. Bien au contraire, Paribas-Paris a vendu à des partenaires étrangers des parts de filiales. L'opération s'est donc traduite pour Paribas-Paris, et donc pour notre balance des paiements, *non pas par des sorties* de capitaux, mais *par des entrées.* De plus, les ventes de nos parts ont été conclues à des cours très favorables, toute la communauté financière s'est plu à le reconnaître. Ce reproche repose donc sur un malentendu. Un malentendu qui illustre bien l'étrange position de beaucoup de socialistes, au moins à l'époque, sur les mouvements de capitaux. Quel qu'en fût le sens, ces mouvements étaient toujours condamnables. Quand on investissait à l'étranger, la gauche criait : « Fuite de capitaux ! » Lorsque l'on cédait l'un ou l'autre de nos avoirs à l'étranger, elle s'exclamait : « Vous vendez les bijoux de famille ! » Dans tous les cas, nous étions coupables. Au fond, ces socialistes étaient des conservateurs : puisque toute action était un péché, il ne fallait rien faire ; en tout cas, ne rien vendre ni rien acheter à l'extérieur de la France. La doctrine socialiste, version 1981, était une doctrine de stérilisation économique.

Q : *Votre réponse est parfaite en termes de comptabilité. Mais vous éludez l'essentiel : le pouvoir. A cause de vous, Paribas-Paris a perdu son pouvoir sur deux de ses filiales les plus prospères. C'est en ceci que l'on peut dire que vous avez fait un « mauvais coup »...*

P.M. : Nous étions persuadés que la nationalisation serait un coup très dur pour la prospérité des sociétés comme Cobepa et Paribas-Suisse. Les associés dans un cas, les clients dans l'autre n'avaient aucune envie de se retrouver avec l'Etat français comme partenaire. Dans ces conditions, que valait-il mieux pour Paribas-Paris, et donc pour la France : conserver un contrôle majoritaire de sociétés en déclin (du fait même de ce contrôle) ou détenir une part importante, mais non déterminante, d'une société en bonne santé, ses liens avec un Etat étranger ayant été distendus ?

En définitive, ces opérations tant vilipendées n'ont entraîné pour la France *ni perte de substance* (aucune fuite de capitaux), *ni perte de puissance* (Paribas-Paris a simplement échangé une majorité contre une efficacité)

Q : *Raisonnement imparable si l'on admet — ce n'est pas mon cas — que la nationalisation d'une banque entraîne nécessairement son déclin dans ses activités internationales. Nombreux sont les exemples qui vont en sens contraire.*

P.M. : Il y a activités internationales et activités internationales. Il n'a jamais été prétendu que le financement du commerce international ou le lancement de grands projets dans les pays en voie de développement exigeait l'intervention de banques privées plutôt que nationalisées. En revanche, si l'on veut penser en termes de prises de participations, de gestion d'actifs, de coopération intime avec un groupe privé étranger, il est évident que, toutes choses égales par ailleurs, les banques privées sont plus à même de réussir que les banques d'Etat.

    Q : Quoi qu'il en soit, on vous fait un autre reproche, celui d'avoir manqué à votre parole. Vous auriez promis à Jacques Delors de ne tenter aucune action contraire aux intérêts de Paribas nationalisé...

P.M. : Je n'ai jamais fait une telle promesse, qui n'aurait pas été compatible avec ma mission. J'étais président de Paribas. Mon rôle était clair : défendre Paribas. J'étais responsable de mes actes devant mon conseil d'administration. De par ma fonction, il m'importait plus de sauver de Paribas ce qui pouvait l'être que de me conformer aux souhaits d'un ministre. Répétons qu'il ne s'agissait que de souhaits. Il n'était pas en mesure d'interdire, puisqu'aucun de mes actes n'était contraire à la loi.

    Q : Alors, suivons cette logique qui privilégie le chef d'entreprise au détriment du citoyen. Votre action n'a-t-elle pas été néfaste pour Paribas ? N'avez-vous pas concentré sur Paribas toute l'agressivité des socialistes ?

P.M. : Pourquoi « au détriment du citoyen » ? A aucun moment je n'ai failli à mes obligations de citoyen, puisque mon action s'est toujours strictement conformée à la loi. Etrange conception de la démocratie et de l'Etat de droit que celle où le bon citoyen ne se contente pas de respecter les lois, mais tente à chaque instant d'interpréter et de combler les vœux, souhaits ou désirs d'un gouvernement ! Ne confondons pas les mots : un citoyen n'est pas un courtisan.

En ce qui concerne Paribas, je persiste à croire que mon action lui a été bénéfique. Certes, j'ai sous-estimé la violence de la réaction socialiste. Je pensais que les tensions dureraient deux, trois mois, puis s'apaiseraient. Je ne prévoyais pas cet acharnement. Mais tout s'est passé comme si j'avais joué (ainsi qu'Eskenazi, qui fut chassé comme un malpropre) le rôle de paratonnerre. La foudre socialiste, tombant sur nous, allait épargner Paribas. N'oublions pas que, pour le gouvernement d'Union de la gauche, le groupe de la rue d'Antin était le symbole même du capitalisme financier, une puissance à nationaliser, bien sûr, mais aussi à casser : d'où ces projets de revente des participations, de dispersion du portefeuille... N'oubliez pas que, durant l'été 1981, circulaient nombre d'idées folles, comme celle de créer une sorte de banque nationale des investissements, gigantesque portefeuille de participations publiques, à l'exemple de l'I.R.I. italien. Une telle institution condamnait à mort l'idée même de banques d'affaires semblables à Paribas ou Suez. A partir de la mi-octobre 1981, je suis devenu, par un étrange retour des choses, celui qui menaçait l'unité et l'intégrité de Paribas. Les socialistes, qui voulaient auparavant casser cet ensemble, ne supportaient pas l'idée que deux filiales en avaient été séparées. Je suis convaincu que l'« affaire Pargesa » a grandement contribué à sauver l'unité du groupe. Pour le gouvernement, l'objectif avait brusquement changé : il s'agissait de défendre Paribas contre les attaques fomentées par Pierre Moussa et venues de l'étranger. En ce sens, je crois avoir bien travaillé pour Paribas, conformément à mon rôle, même si je n'avais pas prévu que les choses se dérouleraient comme elles se sont déroulées.

Q : *Mais, tout de même, quel gaspillage que cette guerre : une maison traumatisée, des équipes disloquées, un élan brisé... N'aurait-on pas pu faire l'économie de ce gâchis ?*

P.M. : Ne nous trompons pas de responsable. Le seul vrai traumatisme, c'est la mesure de nationalisation. De toute façon, une telle mesure bouleversait les manières de travailler et les équipes. Pour ce qui est de la dislocation des équipes, permettez-moi d'évoquer les conséquences dramatiques de l'élimination de Gérard Eskenazi, laquelle n'était nullement nécessaire, puisque je suffisais comme symbole.

Q : *Cependant, votre action, au-delà de Paribas, n'at-elle pas été dictée par un intérêt personnel ? Un Paribas nationalisé ne vous plaisant plus, il pouvait s'agir, pour vous, de constituer, au-delà des frontières et grâce à des groupes amis, un fonds capable de racheter les participations de la Compagnie Financière. Une fois ce fonds constitué, vous en preniez la présidence, vous déménagiez de la rue d'Antin pour Genève et le tour était joué. Avez-vous pensé prendre un jour la responsabilité du fonds créé à partir de Pargesa ?*

P.M. : J'ai prouvé que j'étais capable de lever des fonds assez considérables. Je l'ai fait par deux fois, en 1981 d'abord, avec l'aide d'Eskenazi et de toute notre équipe, et en 1984, tout seul. Quand on est capable de rassembler des capitaux parce qu'on a une suffisamment bonne réputation, voulez-vous me dire pourquoi, d'un point de vue égoïste ou par ambition personnelle, il eût été nécessaire de s'emparer des filiales de Paribas ? Si brillantes qu'elles soient, Paribas-Suisse et Cobepa ne sont pas les seuls objectifs possibles au monde. Bien plus : les considérations purement personnelles auraient dû nous conduire à reconstruire un groupe complètement différent, sans rapport avec Paribas. Nous aurions fait l'économie de tous ces tracas personnels et de tous ces malheurs (même si nous ne prévoyions pas exactement l'ampleur des malheurs que nous nous préparions) ; affronter un pouvoir élu pour cinq ans n'était pas, pour un bon arriviste, bien intelligent. Si nous avons cependant décidé d'agir ainsi, c'est, figurez-vous, parce que nous avons, à tort ou à raison, considéré que c'était notre devoir.

Q : *Paribas, en dépit de vos efforts, a donc été nationalisé en 1981. Puis reprivatisé en 1987. Et, aujourd'hui, plus personne ne songe à renationaliser le groupe de la rue d'Antin. Quant aux catastrophes que vous annonciez pour une banque d'affaires nationalisée, elles ne se sont pas produites. Bien plus, le gouvernement socialiste a nommé, pour vous remplacer, celui en qui vous voyiez un successeur possible... sinon probable. Bref, les années ont passé, Paribas semble avoir traversé sans aucun mal tous ces événements, et la valeur boursière de ses actions est fort satisfaisante. Les contraintes de l'économie moderne et de la concurrence internationale étant ce qu'elles sont, Paribas n'était sans doute pas l'épouvantail que décrivaient les socialistes, mais sa nationalisation n'était pas non plus le drame dont vous parliez. N'avez-vous pas l'impression qu'en 1981, beau-coup de bruit a été fait pour rien ?*

P.M. : C'est peut-être justement à cause de la bataille que j'ai menée en 1981 que le bon sens a prévalu. Je crois sincèrement que les débats engagés à cette occasion ont contribué à apprendre à l'opinion — et aussi aux socialistes — ce qu'est une banque d'affaires et quelles sont les règles du jeu de la finance internationale. Je ne suis pas du tout sûr que, sans l' « affaire Pargesa », l'unité de Paribas aurait été sauvegardée. Ajoutons que l'acharnement des poursuites engagées contre moi a quelque peu déconsidéré la cause que mes adversaires voulaient défendre.

Q : *J'imagine que vous êtes toujours très opposé à la nationalisation des banques. On peut comprendre l'intérêt, pour l'Etat, d'une prise de contrôle : disposer d'un outil de financement au service de quelques grandes ambitions. Au regard de l'expérience récente (1981-1986), qui ne semble avoir été défavorable ni à Paribas ni à Suez, notamment, quels sont vos arguments ?*

P.M. : Oui, les mesures de nationalisation bancaire ont toujours été justifiées par l'espérance de donner ainsi à l'Etat, pour diriger l'économie, le levier que constitue la distribution du crédit. C'est ce qu'on a dit en 1946-1947 comme en 1981-1982. A l'expérience, on s'aperçoit ensuite que rien n'est plus pernicieux que cette conception de l'activité bancaire, que l'Etat n'a nul besoin de devenir propriétaire des banques pour leur donner des directives générales, et que s'il prétend au contraire, au-delà de celles-ci, régenter le détail concret des opérations, cette substitution de l'administration aux dirigeants responsables est vite catastrophique. En fait, peu après chacune des deux époques de nationalisations, on a vu l'Etat cesser de prétendre faire des banques nationalisées les instruments de sa politique, et les inciter au contraire à considérer comme leur objectif premier leur propre « profitabilité ».

Cela dit, je reconnais volontiers que Paribas et Suez ont été gérées d'une manière satisfaisante pendant leur période de nationalisation. D'abord parce que, dans toutes les banques nationalisées, les équipes sont en général demeurées les mêmes, à la seule exception du niveau tout à fait supérieur. Ensuite parce qu'au niveau supérieur, le gouvernement a nommé le plus souvent — au moins dans les grandes banques — des personnes de qualité.

Il est bien entendu impossible de savoir ce qu'eût été la performance des mêmes équipes et des mêmes présidents-directeurs généraux s'ils se fussent trouvés chargés des mêmes banques, mais restées privées. J'ai la conviction qu'ils eussent fait mieux.

Q : *Croyez-vous vraiment que la nationalisation soit, pour toute banque, un boulet insupportable ?*

P.M. : Je laisse de côté les raisons de principe qui me font m'opposer aux nationalisations : ce n'est pas le métier de l'Etat que de gérer des entreprises. Mais j'ai des raisons plus concrètes, tirées de mon expérience personnelle.

Commençons par quelque chose d'extrêmement concret, justement : le mode de nomination des dirigeants dans le secteur nationalisé. La sélection par la pure faveur du Prince ou du parti au pouvoir est heureusement exceptionnelle, au moins pour les grandes sociétés ; beaucoup moins exceptionnelle est la conception des nominations au sommet des entreprises nationalisées, comme un élément du *cursus honorum* des hauts fonctionnaires. Certes, l'administration constitue un vivier dans lequel l'économie nationale peut et doit puiser, cela n'est pas contestable, surtout dans un pays où les traditions orientent vers les services publics une large — et sans doute excessive — fraction de l'élite de la jeunesse. Les entreprises privées comme les entreprises publiques ne manquent pas d'y recourir. Encore faut-il que cela soit fait avec modération et discernement. Même lorsque le choix se porte sur les meilleurs éléments de l'administration, il n'est pas sûr qu'un excellent haut fonctionnaire devienne un excellent chef d'entreprise. Mais cela est particulièrement douteux lorsqu'on lui impose de faire ses preuves dans cette nouvelle carrière sans aucune préparation, comme cela est trop souvent le cas dans le secteur public.

Un homme qui a grandi dans une entreprise peut devenir capable de la diriger. Un homme qui a dirigé une entreprise ou participé à un haut niveau à la direction d'une entreprise peut, s'il est brusquement nommé à la tête d'une autre firme, réussir une rapide adaptation. Mais avoir, en venant directement de l'administration, à apprendre à la fois ce qu'est une entreprise, ce qu'est l'activité bancaire, les traits spéciaux de cette banque particulière qui vous est confiée, et devoir apprendre en même temps à connaître les trente ou quarante hommes qui en sont les rouages fondamentaux, tout en exerçant les écrasantes fonctions de chef d'entreprise, c'est une performance pratiquement impossible. La presque totalité de ceux, si brillants soient-ils, à qui l'on a imposé ce *challenge* ont échoué ou mal réussi.

Permettez-moi d'illustrer cela à l'aide d'une histoire vraie. Dominique Leca, président de l'U.A.P., société nationalisée, avait essayé de choisir et de former son successeur, comme on le fait couramment dans le secteur privé. Il avait choisi Pierre Esteva, inspecteur des Finances, ancien directeur de cabinet de plusieurs ministres importants. Il l'avait recruté, lui avait donné le temps de s'initier à l'activité de la maison, de se faire connaître, de se préparer. L'échéance venue, au dernier moment, le gouvernement (c'était un gouvernement de droite, la droite et la gauche ont à cet égard les mêmes défauts) avait décidé d'imposer comme successeur de Leca une autre personne, René de Lestrade, lui aussi haut fonctionnaire de première qualité, mais qui n'avait nullement été préparé, qui ne connaissait ni l'U.A.P ni l'assurance, ni même les problèmes de direction d'une société. Lestrade ne se débrouilla pas mal du tout, bien sûr, mais on ne m'empêchera pas de penser que s'il avait passé quelques années à l'U.A.P. avant sa nomination, il se fût débrouillé encore mieux.

Le mode de désignation des dirigeants du secteur public a un autre inconvénient : à l'approche de la retraite ou même simplement de l'expiration du mandat du président d'une société, mais également à l'approche des grandes échances politiques susceptibles de modifier l'équipe au pouvoir, toute l'entreprise vit dans l'attente d'un changement à sa tête, dont elle ne prévoit pas la nature ; ce doute a pour effet de freiner gravement les initiatives.

La France se trouve aujourd'hui dans une situation particulièrement dangereuse : en effet, elle connaît en même temps *un système politique de plus en plus bipartisan* et *un secteur public très étendu*.

Aux Etats-Unis, on le sait, tout changement de majorité présidentielle entraîne un changement de responsables : c'est le *spoil system*. Mais le secteur public étant fort peu étendu dans ce pays, ce « système des dépouilles » ne concerne pratiquement que les administrations. Dans la France des années cinquante à soixante-dix, le caractère composite des majorités, puis la stabilité du pouvoir gaulliste nous avaient protégés du *spoil system*. Aujourd'hui, étant donné l'importance de notre secteur public, un changement de majorité parlementaire ou présidentielle entraîne une valse de présidents de sociétés. Un tel bouleversement est, à l'évidence, incompatible avec le dynamisme et l'efficacité d'une économie.

Si, après leur victoire, les hommes politiques ne refrènent pas leurs prurits de nominations, la concomitance du bipartisme et d'un secteur public hypertrophié peut représenter pour notre pays un handicap bien difficile à rattraper. La meilleure façon de limiter ce risque, c'est encore de réduire peu à peu la dimension du secteur public.

> Q : *Et en dehors du problème de dirigeants, quelles autres raisons avez-vous de bannir les nationalisations ?*

249

P.M. : D'abord, *la confusion des responsabilités*. Toutes les très grandes entreprises françaises entretiennent avec l'Etat des relations suivies, ne serait-ce qu'à cause de l'importance des marchés publics. Pour les banques, ces contacts sont encore plus étroits. En tant que président d'un Paribas privé, il arrivait quelques fois par an qu'un ministre, de l'Economie ou de l'Industrie, me fasse part de son souhait de voir ma maison participer au financement de telle ou telle affaire. De semblables sollicitations sont normales. Chacun reste dans son rôle : l'Etat détermine quelques priorités nationales, certaines exigences, et les banquiers font leur métier.

Sitôt la banque nationalisée, les rapports changent. Les demandes se font beaucoup plus fréquentes et, si besoin est, se transforment vite en injonctions. Puisque la banque appartient désormais à l'Etat, on croit qu'elle est devenue un service public. Et tout le monde intervient : les ministres, le moindre secrétaire d'Etat, jusqu'aux attachés de cabinet. Et le banquier, au lieu de faire son métier, doit chaque jour parlementer, résister ou céder, apprécier les rapports de force avec l'un ou l'autre des innombrables visages de l'Etat. Cette contrainte quotidienne est dévorante, cette confusion des genres n'est pas saine.

Et voici encore une autre raison d'infirmité pour les sociétés nationalisées : elles *manquent de mobilité structurelle*. Pour s'adapter à un environnement qui change, il est nécessaire que les contours de chaque unité économique soient modifiables. Or, la nationalisation est une sacralisation des contours. Parce que l'entreprise appartient à la nation, elle ne peut aliéner une filiale ou une division qu'en réduisant le domaine public, ce qui est un acte grave, nécessitant toutes sortes d'autorisations et de bénédictions préalables. Inversement, si une entreprise nationalisée acquiert le contrôle d'une entreprise privée, elle se fait accuser d'étendre indûment le domaine de l'Etat, de pécher par « nationalisation rampante ». L'entreprise nationalisée a donc beaucoup plus de peine qu'une autre à acheter et à vendre des filiales. Il s'ensuit qu'elle est, de toute évidence, plus rigide que les autres : toutes choses égales par ailleurs, ses chances sont dès lors moins bonnes que celles des entreprises privées concurrentes. Cette observation, qui vaut pour les entreprises de toute nature, a une validité particulière lorsqu'il s'agit des banques, et tout spécialement des banques d'affaires. Une banque d'affaires doit être constamment prête, pour acquérir une participation, à offrir en paiement un paquet de ses propres titres ; voilà une facilité qui appartient à l'essence du métier, et que la nationalisation annihile.

Dernière remarque. Il existe dans le monde de nombreuses banques appartenant aux Etats ; la plupart d'entre elles se situent dans les pays socialistes d'une part, dans les pays sous-développés d'autre part. Dans les grandes nations industrielles modernes, une écrasante majorité de banques appartient au secteur privé ; même la Grande-Bretagne, qui a tant flirté avec le socialisme nationalisateur, a jusqu'à maintenant respecté les banques, pour le plus grand profit de la nation. Il n'est pas douteux que le passage des banques, dans un grand pays, du secteur privé au secteur public a pour effet de mettre une certaine distance (réduite, certes, par la courtoisie, par la volonté de continuer à faire des affaires, et par la rémanence des amitiés personnelles, mais réelle) entre les banques de ce pays et la communauté financière internationale, ce qui n'est pas bon pour leur épanouissement.

XIV

PALLAS

Pourquoi recommencer — recommencer à partir de rien — à soixante ans ?

Bien sûr, le désir de revanche a joué : on m'avait chassé, j'allais revenir ; on m'avait abattu, je me remettrais debout. Jusqu'alors, la chance n'avait presque pas cessé de me favoriser : j'étais avide de prouver — et de me prouver — ce que je valais dans l'adversité.

Et puis, l'idée de créer m'excitait. J'avais dirigé une grande entreprise, mais je l'avais trouvée toute faite. Siegmund avait créé Warburg, Fouchier la Compagnie Bancaire ; Reyre avait presque rendu, après la dernière guerre, la vie à un Paribas moribond. J'étais fasciné par l'idée de donner le jour à mon tour à quelque chose de vivant. Il se peut que le fait que ma femme et moi n'ayons pas eu d'enfant ait ajouté à cet appétit que j'avais d'engendrer un groupe.

Il y a autre chose. Depuis mon entrée à l'inspection des Finances, j'avais vécu avec le sentiment qu'il y avait en moi deux carrières : celle de l'homme d'action, fonctionnaire ou banquier, et celle de l'écrivain. Un jour, en 1940, Jean Guéhenno m'avait, devant la khâgne attentive, attribué l'étoffe d'un futur écrivain, et la bouffée d'orgueil que j'en avais ressentie n'était pas complètement oubliée.

Mais cette seconde carrière avait été sacrifiée à la première. Elle était pour moi comme une maison où l'on ne se rend jamais, mais dont la possession rassure : un jour, me disais-je, lorsque toutes ces occupations dévorantes me laisseront en paix, lorsqu'enfin le temps me sera donné, j'écrirai, je retrouverai ma vocation première, bâillonnée par ces années d'administration et d'affaires. Or, voici que soudain le temps m'était donné, et je n'écrivais pas.

Lorsque j'y repense aujourd'hui, je me dis qu'après avoir reçu un tel coup de matraque, il eût peut-être fallu commencer par récupérer un peu avant de savoir si j'étais capable d'écrire. Mais, à l'époque, je fus impressionné par la stérilité littéraire dont je me voyais atteint. Bien sûr, on ne devient pas romancier à soixante ans, mais le genre qui me paraissait être le mien, l'essai, pourquoi ne m'inspirait-il pas en cet automne de 1981 ? Le désir de revenir à ma carrière principale était renforcé par le sentiment que ma carrière de remplacement se dérobait au moment même où j'avais le plus besoin d'elle.

Deux offres me furent faites dans les mois qui suivirent mon départ de Paribas : un groupe américain, d'une part, un groupe arabe, d'autre part, me proposèrent de mettre un capital assez substantiel à ma disposition pour créer un nouveau groupe en Europe. Dans les deux cas, je refusai, soucieux de mon indépendance. Je préférai commencer par des activités de conseil. Mon premier client fut le Club Méditerranée. Gilbert Trigano m'appela, fidèle, délicat, efficace : est-ce que je voulais travailler pour le Club ? Plusieurs formules étaient possibles. Il m'offrit d'être, à mon choix, vice-président ou consultant. Je choisis consultant. Je me penchai avec passion sur le développement international du groupe. J'étais ravi de retrouver un bureau : cette petite pièce près de la Bourse était la preuve tangible que la vie rebondissait. Peu après, d'autres clients me vinrent : deux sociétés californiennes, une entreprise pétrolière, Tosco, et un promoteur immobilier, Kaufman & Broad (depuis 1982, la Californie est ainsi entrée vigoureusement dans ma vie ; je m'y rends plusieurs fois par an, et avec une joie intense), d'autres encore. Je travaillai beaucoup, à la demande du roi du Maroc, sur un projet de banque d'affaires à Casablanca.

J'avais tant à faire qu'il me parut urgent de créer une société et de m'entourer d'un état-major. Avec l'aide de mon premier collaborateur, Renaud Rivain, qui avait un quart de siècle, jour pour jour, de moins que moi, étant né comme moi un 5 mars (ce qui me parut un signe du destin), et qui quitta la B.N.P. pour tenter avec moi l'aventure (il est aujourd'hui l'un des principaux membres de l'état-major de Pallas), je bâtis en 1982 deux sociétés : aux Etats-Unis, Finance and Development ; en France, Finance et Développement — Findev —, qui s'installa avenue Montaigne. Finance and Development, la société mère, avait un capital de 1,9 million de dollars, avec dix-neuf actionnaires qui avaient versé 100 000 dollars chacun. Findev reprenait, étendait mes activités de conseil. Rivain et moi fûmes rejoints par Jean Ducroux, venant de la Banque Rothschild, et Anne Binder, venant de la Générale Occidentale (tous deux travaillent aujourd'hui à notre société de *corporate finance*, Pallas Finance). Nous eûmes quelques beaux succès ; par exemple, Ducroux mit au point, pour la Compagnie des Caoutchoucs de Pakidié, la première opération de reprise d'une entreprise par ses salariés- *(R.E.S.) qui ait jamais été bâtie sur le continent africain : grâce à des prêts bancaires, ce sont les dirigeants

---

*. C'est ce que les Anglo-Saxons appellent *management buy out* (M.B.O.). Les salariés, et tout particulièrement la direction, s'endettent en donnant en garantie les actions de la société qu'ils achètent. Ils escomptent que la distribution des profits annuels leur permettra — et au-delà — d'assurer le service des intérêts et l'amortissement de leur dette.

mêmes de la Compagnie, des Africains, qui rachetèrent l'affaire. A ce jour, quatre ans après, elle se porte très bien

Si Findev était notre instrument d'ingénierie financière, Finance and Development était à nos yeux l'embryon du grand groupe financier dont nous rêvions et que nous nous attachâmes, sans plus attendre, à construire. Rivain passa une partie importante de son temps à préparer les statuts, les notes de présentation ; j'assumai la levée des fonds, et ce ne fut pas une mince affaire, d'autant que je m'étais fixé un minimum de 100 millions de dollars de capital, ce qui était sans doute une erreur, car il n'était pas nécessaire d'atteindre cette somme pour commencer. En tout cas, je crus bien ne pas parvenir à réunir ces 100 millions.

Qui n'a pas levé des capitaux pour construire une société n'a aucune idée de l'épreuve que constitue cette tâche. Le *fund raising* (levée de fonds), comme disent les Anglo-Saxons, est un exercice très surprenant qui vous apprend énormément sur la nature humaine. Les personnes contac-tées se montrent souvent intéressées et même fascinées, soit par politesse, soit même sincèrement ; mais, ensuite, le soufflé retombe, ou les collaborateurs de la personne qu'on a visitée se mettent en travers. On a le sentiment d'être Sisyphe. Certains s'engagent formellement tout au long du processus et, sous quelque prétexte, vous lâchent le jour où ils doivent verser les fonds. Plusieurs fois, j'ai cru être pratiquement au bord des 100 millions de dollars, puis presque tout était à refaire. J'ai entendu certains interlocuteurs me dire : « Non seulement je marche pour 2 millions de dollars, mais je vais vous amener deux ou trois amis qui en feront chacun autant. » Les amis n'arrivaient jamais, et l'interlocuteur lui-même ne tardait pas à s'éva-nouir. L'expérience de tous les *fund raisers* est la même · c'est une épreuve épouvantable pour les nerfs.

Carlo Bombieri, ancien administrateur délégué de la Banca Commerciale Italiana, dont j'admirais la science et la sagesse, et qui me manifestait une amitié que mes épreuves semblaient avoir renforcée, me dit un jour : « Faites un nouveau groupe financier ou ne le faites pas, mais cessez d'en parler sans le faire. Cela commence à vous nuire. » Cet avertissement me secoua fortement. Il était urgent d'en finir.

Comme mon procès allait son train et que la presse y consacrait de temps à autre des articles, cela créait — est-il besoin de le dire ? — un facteur supplémentaire d'incertitude. Certains devaient se demander si, à quelques mois de là, je serais encore en liberté. En fait, mon acquittement n'intervint que trois semaines *après* la levée des fonds, en avril 1984.

Je disais à ceux dont je sollicitais le concours : nous visons à faire à la fois de la banque et des investissements diversifiés. S'ils demandaient « quels investissements diversifiés ? », je répondais qu'il serait vain, de ma part, d'identifier des opérations possibles alors que je ne disposais pas des fonds, pareil à un chasseur qui, avant d'avoir un fusil, irait repérer le gibier. On voulait bien admettre que ma réponse n'était pas absurde, mais alors, « quelle banque ? » Je compris assez vite qu'une condition nécessaire, mais non suffisante, de la réussite de notre projet, était que je puisse *montrer* la banque (ou l'établissement financier) que j'achèterais si je rassemblais les fonds. Les négociations en vue de cette acquisition occupèrent une partie importante de notre temps en 1983 et au début de 1984. Nous suivîmes plusieurs pistes. Finalement, nous nous entendîmes avec la très noble maison de Wall Street nommée Dillon, Read : la filiale à 100 % qu'elle avait à Londres, et qui était consacrée aux opérations internationales, prendrait le nom de Dillon, Read Limited, et procéderait à une augmentation de capital à laquelle notre future société souscrirait, de manière qu'elle devienne la filiale à 50 % de Dillon, Read, et à 50 % de notre société.

Notre société s'installerait à Londres, dans les locaux de Dillon, Read. La négociation fut longue et prodigieusement compliquée, comme cela est inévitable aux Etats-Unis. Le volume des documents matérialisant nos accords est gigantesque.

En avril 1984, sur la base du projet qui était le nôtre, complété par l'accord conditionnel avec Dillon, Read, je réunis 98 millions de dollars. Deux des actionnaires eurent l'élégance d'ajouter 1 million chacun pour nous permettre d'atteindre le chiffre de 100. Notre tour de table était composé pour l'essentiel d'une quinzaine de sociétés de haute réputation. Certaines d'entre elles étaient présentes parce qu'elles étaient dirigées par des amis de longue date, avec qui mes liens remontaient au temps de Paribas, tels André Leysen et Pierre Scohier pour Gevaert, Gérard Eskenazi et Albert Frère pour le Groupe Bruxelles-Lambert, Paul Desmarais pour Power Corporation. Abengoa, excellente société espagnole d'ingénierie et de construction, m'avait été présentée par Dillon, Read ; j'avais beaucoup apprécié l'allant et la créativité de son président, Javier Benjumea. Le groupe Tata, le plus puissant et le plus respecté des groupes indiens, avait adhéré, bien que je n'eusse fait la connaissance de ses dirigeants que quelques semaines auparavant. De deux sources différentes, on m'avait dit que l'illustre J.R.D. Tata, chef du groupe, disait des choses très aimables sur moi, bien que nous n'eussions jamais été présentés. Je m'enhardis à lui envoyer une lettre à Bombay. Le résultat fut une rencontre en Europe. Je vis cet homme à l'air jeune et vif, malgré ses presque quatre-vingts ans, bienveillant, cultivé, autoritaire et profond, qui parlait un excellent français (sa mère était française, et il avait servi, bien des années auparavant, dans l'armée française) ; le courant passa entre nous ; le groupe Tata et Pallas ont la plus grande confiance l'un en l'autre et coopèrent activement. J'avais connu et apprécié Claude Bruneau lorsqu'il était le bras droit de Paul Desmarais ; il avait quitté Power Corporation pour prendre la présidence de la compagnie d'assurances Imperial Life, à Toronto. Il eut envie de voir sa société participer à Pallas, me présenta à Claude Castonguay, chef suprême du groupe de La Laurentienne, dont Imperial Life faisait partie, et l'affaire fut conclue ; La Laurentienne a, pendant quatre ans, possédé une plus grande part du capital de Pallas que tout autre actionnaire.

Certains des participants au capital me furent amenés par des amis personnels. Un Australien très fidèle, John Dunlop, qui se savait perdu à brève échéance, déploya, par amitié, une énergie remarquable, pendant les derniers mois de sa vie, à établir le lien entre moi et la société Elders I.X.L. (qui est devenue aujourd'hui, d'après certains critères, le premier groupe australien) ; à l'issue d'une longue réunion à Melbourne, John Elliott, président de Elders, prit la décision de participer à Pallas. C'est grâce à mon cher Jean Guéroult que je fis la connaissance de la Bank Cantrade, très dynamique établissement helvétique, filiale de l'Union de Banques Suisses, dont l'animateur Gerrit van Riemsdijk est depuis lors un des soutiens les plus précieux du développement de Pallas. C'est le 11 mars 1984 que je rencontrai Gerrit van Riemsdijk à Amsterdam. Ce jour-là, il prit la décision de participer. Ce jour-là aussi, je me promenais dans le vieux béguinage d'Amsterdam, quand, au n° 25, je fus frappé par une inscription en latin : « *INIURA ULCISCENDA OBLIVIONE* » (il faut tirer vengeance de l'injustice par l'oubli). Cela me parut une sorte de message personnel, et me confirma dans ma décision de dominer tout reste de ressentiment, à la suite de la douloureuse affaire par laquelle on avait cherché à me nuire, et qui, à cette date, n'était pas encore terminée.

Depuis vingt-cinq ans, je connaissais professionnellement un industriel français de haute qualité, Edouard Senn, qui dirigeait une grande affaire de coton en Afrique lorsque je travaillais rue Oudinot. Il me dit qu'il aimerait me présenter son gendre ; celui-ci était anglais, s'appelait Jon Foulds et dirigeait une institution britannique considérable, Investors in Industry, dite « 3 i », qui joue un rôle très notable dans le financement en prêts et en capital de l'industrie britannique. Après un déjeuner à Paris avec Jon Foulds et le vice-président de « 3 i », Lawrence Tindale, pendant l'hiver 1983-1984, « 3 i » rejoignit le groupe des actionnaires, et c'est alors que je sus que j'allais pour de bon réaliser la société de mes rêves. L'adhésion de Tindale et Foulds au projet a ainsi joué un rôle décisif, d'autant plus qu'ils me firent immédiatement connaître leur ami Ralph Quartano, qui dirigeait ce gigantesque investisseur institutionnel qu'est Postel (lequel gère les fonds de pensions des Postes et des Télécommunications britanniques), et qui décida à son tour de nous rejoindre dans le tour de table.

Bien sûr, dans ce tour de table, compte tenu de mes rapports avec le gouvernement d'alors, les sociétés françaises n'abondaient pas. Deux eurent cependant l'aplomb de participer à l'opération : la Compagnie du Midi et Schneider. Il faut dire que Bernard Pagézy et Didier Pineau-Valencienne sont tout sauf des timorés.

A l'approche du printemps 1984, les 100 millions de dollars étaient donc là. Lawrence Tindale me dit : « J'ai déjà vu rassembler beaucoup d'argent sur un projet très précis, ou un peu d'argent sur un homme ; mais 100 millions de dollars sur le nom d'un homme et sur un concept assez imprécis, ça, je ne l'avais jamais vu ! » J'étais fier de cette première.

Il nous fallait choisir un nom pour notre société. Il nous sembla que tous les noms bâtis à partir des mots *banque, finance, investissement, international, gestion,* etc., dans n'importe quel ordre imaginable, avaient déjà servi. Il me plut de m'adresser à la mythologie grecque, que j'ai toujours adorée, mais bien des noms étaient déjà pris (Hermès, Athéna...), d'autres étaient inemployables (comment adopter le nom du dieu des enfers ou de la déesse de l'amour ?). Il fallait que le nom soit court, se prononce facilement, et de la même manière en anglais et en français, et n'ait pas de sens ridicule ou obscène dans aucune des langues importantes du monde. Finalement, Pallas était possible. Pallas est un des autres noms d'Athéna, déesse de la sagesse, de la paix, de la prospérité, des arts et aussi, ne l'oublions pas, du courage dans la guerre ; elle a toujours assuré une protection sans faille, presque passionnée, à Ulysse, mon héros de toujours.

Pallas Group (tel est le nom d'abord donné à la société), qui avait été créé le 13 août 1983 à l'état d'embryon, naquit réellement le 6 avril 1984, date à laquelle il fut capitalisé ; quatre jours plus tard, nos accords avec Dillon, Read devenaient définitifs. Nous investissions une petite partie du capital de Pallas dans Dillon, Read Limited, qui nous apportait l'appui de son état-major professionnel et assumait le rôle de conseil pour nos investissements. En même temps que président de Pallas, je devenais président de Dillon, Read Limited. En fait, le mariage dura un peu moins de deux ans. Les associations à 50-50 sont souvent décevantes. Notre participation dans Dillon, Read Limited fut vendue à la Société Générale de Belgique (qui elle-même allait passer un an plus tard sous le contrôle d'une coalition animée par Suez) ; cette vente se fit dans des conditions amicales ; à la demande de Dillon, Read et de la Générale de Belgique, je demeurai président de Dillon, Read Limited près de deux ans, à titre personnel. Cette cession donna à Pallas une agréable plus-value. En ce printemps 1986, nous nous retrouvions à la case départ :

nous avions tout à bâtir à partir de zéro. Du moins disposions-nous ainsi, dans le domaine bancaire et para-bancaire, d'une totale liberté que nous n'allions pas tarder à mettre à profit pour construire un nouvel ensemble, bien à nous.

L'idée qui a présidé à la conception de Pallas est celle qui consiste à réunir sous un même toit et sous une même autorité une activité de banquier et une activité d'investis-seur. Le concept n'est assurément pas neuf : il est à la base des banques d'affaires françaises, à commencer par Pari-bas ; plus généralement, l'économie industrielle moderne a été, pour une part importante, construite aux Etats-Unis, en Allemagne et ailleurs à l'aide de banquiers-investis-seurs. C'est la façon dont nous avons mis en œuvre ce concept qui a comporté un certain degré de nouveauté. Nouveauté fondée sur les réflexions que m'inspirait mon passé à Paribas, mais, plus encore, sur l'analyse des caractéristiques de la nouvelle finance telle qu'elle se dessinait au début des années quatre-vingt.

Au temps de Paribas, j'avais beaucoup pâti de ce que l'établissement que je dirigeais, très étroitement attaché à un territoire national, se trouvait à la merci des foucades d'un gouvernement ; pour construire du solide, il fallait bâtir une entité plus internationale que toutes celles qui l'avaient précédée. L'expérience que j'avais eue de la difficulté de dégager des synergies entre banques de dépôt et banques d'affaires m'incitait à éviter soigneusement l'activité d'établissement de crédit doté d'un réseau de succursales. Par ailleurs, je m'étais aperçu que le porte-feuille de Paribas était trop statique, bien qu'il le fût plutôt moins que celui de Suez, de la Société Générale de Belgique ou de la Deutsche Bank. Dans plusieurs cas, dont celui de Hachette, j'avais souffert d'une situation dans laquelle la banque paraît être actionnaire plutôt pour poursuivre une tradition que pour exécuter une politique. Il me semblait qu'une banque d'affaires efficace devait s'interdire de rester durablement en possession d'une participation industrielle ou commerciale : il fallait acquérir la participation en vue d'une certaine action, veiller à l'accomplissement de cette action, et, si tout allait bien, sortir quelques années plus tard en réalisant une plus-value, traduction financière du succès de la politique appliquée. C'est ce que j'appelais « ne pas se mettre en ménage avec ses participations ».

Mais les traits caractéristiques de Pallas ont surtout résulté de l'examen attentif de la révolution financière qui s'accomplissait sous nos yeux et dont la finance allait sortir complètement transformée. En dehors d'un vaste mouvement de dérégulation, sensible dans tous les pays, cette révolution financière se caractérisait d'abord par ce qu'on appelle en anglais la *securitisation*, qu'il faut sans doute traduire en français par « titrisation », c'est-à-dire l'expansion des valeurs mobilières, ou plus généralement des actifs matérialisés par des titres négociables : le volume des émissions de valeurs mobilières s'est considérablement accru (à un rythme très supérieur à celui de la croissance de l'économie), aux dépens des opérations financières classiques (dépôts, crédits, escomptes...). Un autre aspect de cette révolution a été la diversification et la sophistication des produits financiers : on a inventé toutes sortes d'intermédiaires entre l'action et l'obligation ; on a imaginé des produits financiers nouveaux sur le marché monétaire ; on a créé des marchés de couverture contre les fluctuations des cours de change et des taux d'intérêt (marchés des *futures* tels qu'en France le Matif, marché des options négociables...). Enfin — et peut-être surtout —, cette révolution a été marquée par ce que les Anglo-Saxons appellent la *globalisation*, par quoi l'espace financier devient le globe terrestre tout entier.

Pallas avait l'inconvénient d'avoir beaucoup de retard sur ses concurrents, riches d'expérience, de capitaux accumulés, d'équipes lentement forgées. En revanche, elle allait pouvoir être créée en s'adaptant dès l'origine au monde de la nouvelle finance. On assiste à un mouvement de titrisation ? Pallas, évitant l'activité de crédits et dépôts, va s'efforcer de développer une expertise en matière de valeurs mobilières, sous la forme tant du négoce (*trading*) que du courtage (*broking*). De même, puisque la nouvelle finance signifie diversification et sophistication des produits financiers, Pallas va s'efforcer d'acquérir des instruments qui lui permettront de jouer un rôle dans le développement de ces produits financiers tout neufs. Enfin, en face d'une nouvelle finance « globalisée », nous avons voulu d'abord que Pallas soit complètement internationale.

La façon traditionnelle d'être international consiste, à partir d'une base nationale, à s'étendre dans le reste du monde. Pallas, au contraire, est internationale dans son principe même : ses actionnaires viennent du monde entier et ses actionnaires principaux de quinze pays répartis sur quatre continents. Elle a vocation à investir n'importe où sur la planète. Dans le domaine bancaire et financier, sa préférence pour les opérations transnationales inspire sa politique en matière d'acquisitions et de créations. Pallas a des filiales directes dans sept pays ; deux de ses filiales les plus importantes ont une implantation éminemment internationale : la Compagnie Financière Tradition, dont le centre est à Lausanne, est présente dans les douze principaux centres financiers du monde ; Cresvale, dont le siège est à Luxembourg, a des établissements à Londres, Zurich, New York, Hong Kong et Tokyo.

Pallas est donc très internationale, mais l'accent est mis sur l'Europe occidentale, pour tenir compte des chances particulières qui semblent être données à cette partie du monde dans les années qui viennent, sous l'impulsion à la fois de sa modernisation financière et des progrès accélérés de son unification.

Les rapports de Pallas et de son collège international d'actionnaires sont fondés sur le principe du club. En même temps qu'une organisation, Pallas est à certains égards une association : elle profite du réseau diversifié que constituent ensemble ses actionnaires ; plusieurs de ses investissements ont été initialement analysés ou négociés en coopération avec tel ou tel d'entre eux ; enfin, des groupes qui s'ignoraient jusque-là et qui se sont rencontrés autour de la table de Pallas ont à plusieurs reprises trouvé des occasions de coopérer entre eux (ainsi le groupe australien Elders et le groupe espagnol Abengoa, qui n'avaient eu aucun contact auparavant, se sont connus comme membres du club Pallas et ont initié de substantielles opérations en commun).

Pallas entendait faire deux sortes d'investissements : des investissements dits stratégiques, et par conséquent durables, dans le capital de banques ou de sociétés financières dont Pallas désire, sauf exception, avoir le contrôle afin d'en faire un ensemble cohérent, un véritable groupe bancaire ; et des investissements non stratégiques, appelés à une rotation rapide et volontiers minoritaires, dans tous les autres secteurs : industrie, commerce, ressources naturelles, tourisme... Lorsque nos liens avec Dillon, Read furent dissous, au début de 1986, il nous parut que la priorité était pour nous de constituer une solide base stratégique. Malheureusement, dans le domaine bancaire et financier, les excellentes opportunités étaient alors rares et le prix de tous les actifs financiers, extrêmement élevé. Je pense que nous avons été considérablement aidés par la jeunesse même de notre groupe et par la philosophie qui est la nôtre : à plusieurs reprises, nous nous sommes aperçus que les capitaux dont nous disposions n'étaient qu'une partie de nos armes. L'accès, pour Pallas, au contrôle de sociétés de premier ordre comme Tradition et Cresvale, toutes deux fondées et gérées par des entrepreneurs à la volonté forte, a été clairement rendu possible par l'attrait qu'exerça Pallas sur leurs dirigeants.

La Compagnie Financière Tradition (C.F.T.) a été créée en 1959 par un homme très vigoureux et très élégant, André Lévy, qui en est aujourd'hui à la fois le président et l'administrateur délégué. Société cotée sur la Bourse suisse, la C.F.T. est un des grands du courtage interbancaire (au téléphone chaque jour avec deux mille banques de par le monde pour les aider à ajuster entre elles les besoins de leurs trésoreries) ; elle est devenue en outre un des principaux courtiers des nouveaux produits financiers, tels que les options, les *caps*, les *swaps* et les *F.R.A.'s (forward rate agreements)**. Ce dernier produit est une invention de Tradition. Tradition contrôle également une banque de gestion de fortunes, qui a pris en 1988 le nom de Banque Pallas Suisse.

L'entrée de Pallas dans le capital de la C.F.T. s'est faite en trois temps : en octobre 1986, nous ne connaissions ce groupe que de réputation ; un actionnaire privé de Pallas, qui est devenu un ami fidèle, se trouve être au courant de la situation à laquelle est confrontée la C.F.T. : un indésirable est en train d'entrer dans le capital ; cela peut être évité, mais il faut agir très, très vite. Il me demande si Pallas pourrait jouer, pour la C.F.T., un rôle de « chevalier blanc ». Je dis : pourquoi pas ? André Lévy à Lausanne, moi à Londres avons une conversation téléphonique ; quelques heures plus tard, mon collaborateur le plus proche, Peter Castenfelt, débarque à Lausanne où il

---

*. Ces quatre produits sont quatre différentes formules pour couvrir les risques de fluctuation des taux d'intérêt et de change.

rencontre Lévy et son directeur, Daniel Trèves ; en vingt-quatre heures, l'opération est nouée. Nous avions 20 % de la C.F.T., il nous était demandé de ne pas nous efforcer d'acquérir plus. Moins d'un an après, certains membres de la famille Lévy qui n'exercent plus de fonctions dans la société souhaitent réaliser une partie de leurs titres. André Lévy, qui a appris à nous connaître, nous demande si Pallas achèterait ce paquet supplémentaire. C'est beaucoup plus cher que la première fois, car les cours de la C.F.T. ont beaucoup monté en Bourse. Nous disons oui ; nous nous trouvons ainsi, en novembre 1987, avec une participation de 35 %, et nous pensons être très durablement installés à ce niveau. Mais voici une autre surprise : durant l'été 1988, André Lévy nous propose d'acquérir un troisième paquet d'actions provenant de la succession, récemment ouverte, de Mme Lévy mère, et, ce faisant, de prendre la majorité du capital de la C.F.T. C'est que les relations sont devenues si confiantes, si constructives, entre lui, moi-même et Castenfelt, qu'il voit avec faveur Tradition devenir une partie de Pallas. A quoi nous consentons avec joie, posant seulement comme conditions qu'il restera pour de longues années directeur général, et que lui et ses principaux lieutenants demeureront des actionnaires très substantiels de la société.

Cresvale, pour sa part, a été créé en 1979 par un petit groupe de jeunes hommes qui n'étaient pas nés, comme disent les Anglais, « avec une cuillère en argent dans la bouche », mais qui avaient appris l'essentiel de ce qu'ils savaient (et ils savaient beaucoup) sur le tas, à la Bourse de Londres. Steven Burnham, qui a le titre de *president*, et Malcolm Stephenson sont aujourd'hui encore les dirigeants de la société, conjointement avec deux hommes qui les ont rejoints un peu plus tard : Paul Taylor et Jim Foster (lequel était directeur financier de Dillon, Read

Limited lorsque j'en étais président). Cresvale a très vite acquis une réelle expertise dans le négoce des valeurs mobilières, notamment de certaines des valeurs mobilières les plus novatrices, les euro-obligations convertibles japonaises, nord-américaines et européennes, et — plus encore — les *euro-warrants*, surtout japonais[*]. Ce secteur qui, il y a peu de temps encore, apparaissait comme un créneau au sein du marché international des capitaux (comme une « niche », disent les Anglo-Saxons) a pris aujourd'hui une ampleur telle qu'il est devenu une partie fondamentale, la plus importante peut-être, de ce marché. Et l'aventure de Cresvale pourrait bien apparaître comme une des plus étonnantes *success stories* de l'histoire de celui-ci.

Après quelques années d'indépendance, les créateurs de Cresvale avaient souhaité s'adosser à un groupe plus puissant ; une part substantielle du capital avait été acquise en 1984 par la maison S. & W. Berisford, grande société de négoce de matières premières alimentaires, devenue en outre, par le contrôle exercé sur British Sugar, un important groupe industriel de l'alimentation. Quelques années plus tard, S. & W. Berisford désira s'alléger de cette participation, et c'est alors que Pallas se mit sur les rangs. Les conversations furent longues entre, d'un côté, Castenfelt, et, de l'autre, Ephraïm Margulies, l'un des plus brillants négociants en matières premières depuis la guerre, président de Berisford ; elles portaient en particulier, bien entendu, sur le prix des actions. Diverses circonstances ne facilitaient pas la tâche de Pallas, soucieuse de rester dans les limites d'un prix raisonnable : en

---

[*]. Une obligation convertible est une obligation que l'on peut convertir en actions au bout d'un certain temps dans certaines conditions. Un *warrant* est un titre attaché à une obligation et donnant droit à souscrire en outre une action dans certaines conditions. Le préfixe « euro- » signifie qu'il s'agit de titres ressortissant au marché international dit euromarché, et non à l'un ou l'autre des marchés domestiques, américain, japonais, etc.

octobre 1987, le magazine *Euromarket* publia les résultats d'un sondage effectué auprès de mille cinq cents banquiers, d'où il ressortait qu'en matière de convertibles et de *warrants* exprimés en dollars, les meilleurs opérateurs étaient, dans l'ordre : premièrement, Morgan Stanley ; deuxièmement, Cresvale ; troisièmement, Merrill Lynch et Robert Fleming ; ce qui constituait évidemment un succès considérable pour la jeune firme de nos amis, et avait toutes chances de la valoriser (inopportunément pour nous). En outre, d'autres candidats au rachat se présentèrent, qui tous proposaient des prix fort supérieurs au nôtre. Mais les dirigeants de Cresvale, et Margulies lui-même, qui désirait que Berisford conserve une position minoritaire à nos côtés, estimèrent ensemble que l'associé qui avait le plus de chances de contribuer à la valorisation à long terme de Cresvale était, clairement, Pallas.

Une autre raison de la longueur des négociations fut la mise au point, pour le haut personnel, d'un système de participation sans précédent dans le monde bancaire britannique. Cette offre rencontra un très vif intérêt de la part des dirigeants. On vit certains d'entre eux — fait nouveau en Angleterre, au moins pour une société financière — hypothéquer leurs maisons pour pouvoir acheter la totalité des actions de Cresvale qu'on leur offrait d'acquérir.

La discussion avait duré près de douze mois. Chemin faisant, Berisford et Pallas avaient appris à se comprendre. Les relations confiantes qui s'ensuivirent eurent diverses conséquences notables : en 1987, les activités respectives de Tradition et de Berisford dans le domaine du courtage monétaire à New York fusionnèrent pour le plus grand profit des deux parties ; en 1989, Berisford a été l'un des premiers investisseurs dans Pallas Invest, dernière-née du groupe, dont il sera question plus loin.

Cresvale connut en 1987 quelques mois d'extrême

prospérité, puis vint le krach d'octobre au cours duquel nous avons eu l'occasion de mesurer la qualité des hommes à qui nous étions associés, et l'efficacité du système que nous avions monté, en voyant l'énergie passionnée avec laquelle l'équipe de Cresvale s'est battue victorieusement contre la conjoncture.

La troisième acquisition de Pallas dans le secteur bancaire et financier fut celle de la Banque Privée de Gestion Financière (B.P.G.F.), que nous rebaptisâmes Banque Pallas France (B.P.F.). La B.P.G.F. avait connu des heures de succès et de gloire, dont le point culminant avait sans doute été l'attaque lancée contre Hachette au début de 1981, que j'ai narrée plus haut. D'imprudentes opérations immobilières à la Défense l'avaient conduite à la catastrophe. Le personnel et le fonds de commerce avaient été repris par un nouvel établissement portant le même nom, qui fut placé sous l'égide de Gilles Brac de La Perrière, que je connaissais bien ; il avait été mon élève de conférence à l'E.N.A., puis mon camarade à l'inspection des Finances ; comme président, jusqu'en 1982, de la Lyonnaise de Dépôts, il avait acquis une expérience bancaire qui lui fut bien utile à la B.P.G.F. Il en fit une société saine, dont Paribas était devenu le principal actionnaire. En 1986, estimant (avec raison) le moment favorable, Paribas désira vendre. Pallas fut le mieux-disant et détient depuis janvier 1987 84 % du capital de la B.P.F., dont La Perrière est demeuré président. Nous avions acheté cher, nous le savions, et la communauté parisienne des affaires se plut à le répéter très fort. Les profits faits par la banque en 1986 étaient sans aucun doute exceptionnels, ceux de 1987 n'avaient aucune chance de s'en approcher, même de loin. Cependant, notre offre ne l'avait emporté sur celle de l'AMRO Bank — l'une des deux banques majeures des Pays-Pas — que d'une courte longueur. Or, il nous fallait une banque en France. Celle-ci nous convenait bien, par ses dimensions et parce que son activité était celle d'une banque d'affaires, concentrée sur quelques secteurs d'activité bien choisis. Ce que nous avons réussi à en faire depuis que nous en avons pris le contrôle justifie *a posteriori* le prix payé.

Après l'avoir attentivement observée pendant un peu plus de six mois, nous arrivâmes à la conclusion que si nous voulions faire de la B.P.F. une banque productive et un élément solide de notre construction internationale, une profonde réforme s'imposait. Cette évidence était déjà bien ancrée dans nos esprits quand le krach boursier d'octobre 1987, en ébranlant toutes les structures bancaires, la rendit encore plus éclatante. Sous la vigoureuse direction de Castenfelt, en plein accord avec Gilles de La Perrière et avec les meilleurs des directeurs de la maison, un ensemble cohérent de mesures furent mises en œuvre, dont la plus substantielle consista dans l'adoption d'un système comptable très moderne, permettant de juger la performance individuelle de chaque division de la banque, et dans la mise au point d'un système de rémunération comprenant, à un degré jusque-là inconnu en France, un fort élément variable, indexé sur le profit à la fois de la banque tout entière et du département auquel chacun appartient (plus on est haut dans la hiérarchie, plus l'élément dépendant du profit de la banque tout entière est important par rapport à l'autre). La mesure non pas la plus importante, mais la plus spectaculaire, fut le licenciement de plus de 70 personnes sur 250, soit près du tiers de l'effectif ; il était clair que certaines personnes n'avaient pas les qualités voulues pour les fonctions qu'elles occupaient, et surtout que le nombre des agents non directement productifs était beaucoup trop élevé par rapport à celui des productifs. L'adoption annoncée du nouveau système comptable et du nouveau système de rémunéra-

271

tion rendit chacun conscient de la nécessité de cet allègement de l'effectif. Il y eut donc un certain consensus autour de cette mesure évidemment douloureuse. C'est à l'extérieur qu'on eut de la peine à comprendre : beaucoup pensèrent, quelques-uns murmurèrent même que cela signifiait que la banque était *in articulo mortis*. Il n'en était rien, bien sûr, et ces rumeurs cessèrent au bout de quelques mois. On comprit que les licenciements n'avaient pas été motivés par la proximité de je ne sais quelle catastrophe, mais par la volonté de créer un instrument extrêmement performant.

En même temps, la réforme comportait une modification des structures du commandement, donnant l'essentiel de la responsabilité dans la conduite de la banque à ceux-là mêmes qui en sont les opérateurs : la direction générale a été confiée à un comité exécutif composé des grands responsables opérationnels ; la présidence de ce comité a été attribuée à Albert Galicier, que Pallas avait recruté un an plus tôt pour diriger ses activités de gestion de fonds et qui y avait montré beaucoup de jugement et de rares qualités d'énergie et d'animation. Depuis un an que cette réforme a été opérée, l'atmosphère et les comptes de la banque nous suggèrent que nous ne nous sommes pas trompés.

Les activités de la B.P.F. sont aujourd'hui concentrées sur quelques points forts : l'intermédiation boursière internationale, l'ingénierie financière appliquée aux grandes affaires immobilières (cette dernière activité, menée par une équipe que dirige un professionnel de très haute qualité, Patrick Simon, est peut-être celle où la réputation de la B.P.F. est le plus éclatante), et la gestion de fortunes et de fonds. Un des éléments les plus importants de cette dernière activité est la gestion de la société Frandev, qui avait été créée par Pallas en 1986 pour constituer un portefeuille de participations diversifiées en

France. La majeure partie de ce portefeuille a été formée par l'achat de titres cotés, en particulier de participations dans les « noyaux durs » de Paribas et de la Société Générale. (J'avais moi-même été très tôt un ferme partisan de la constitution de ces noyaux durs — le mot même, qui aujourd'hui agace tout le monde, est apparu pour la première fois, sauf erreur de ma part, dans un article de moi publié dans *Le Monde* du 4 février 1986. A mon avis, le noyau dur d'une société privatisée devrait être composé de trois ou quatre participations très substantielles faisant ensemble le quart ou le tiers du capital total, et souscrites par des groupes solides, désireux de s'intéresser activement à la marche de la société. La formule adoptée par le gouvernement Chirac a été sensiblement différente. Quoi qu'il en soit, Frandev se mit sur les rangs pour participer à trois noyaux stables, et fut retenu dans deux cas.) Une autre partie du portefeuille a été consacrée à des participations dans des sociétés non cotées, et certaines ont rapporté à Frandev de substantielles plus-values. Frandev vaut aujourd'hui un milliard de francs environ.

En dehors de ces trois éléments que Pallas a acquis : Tradition, Cresvale, Banque Pallas France, nous avons créé de toutes pièces d'autres éléments de plus petites dimensions, mais non de moindre ambition, et notamment, sous le nom de Pallas Finance à Paris (1987), de Pallas Finanzas à Madrid (1988), et de Pallas Finanz à Francfort (1988), trois sociétés spécialisées dans l'ingénierie financière, le conseil financier aux sociétés et aux gouvernements, le montage du financement de projets, les introductions en Bourse, la garantie et le placement des émissions de valeurs mobilières nationales et internationales, et enfin la recherche et la mise en œuvre d'investissements, en particulier dans des sociétés non cotées. En 1988, Pallas a eu la bonne fortune de recruter en Espagne et en Allemagne deux financiers de haute réputation, José-Maria Castañe et Hans-Dieter von Meibom. Quant à Pallas Finance Paris, elle est depuis 1989 présidée par mon ami Pierre Muron, assisté par Jean Ducroux et Serge Weinberg. Avec Pallas Venture (1988), Pallas a pénétré dans le domaine du capital-risque, en confiant la présidence de cette société à mon vieux camarade Robert Lattès.

Entre le divorce d'avec Dillon, Read (au printemps de 1986) et le milieu de 1988, la construction d'un réseau international de banques et de sociétés financières a été l'objet essentiel de notre politique. Cette tâche n'est certes pas achevée, loin de là, mais les bases établies nous semblèrent, en 1988, assez solides pour nous permettre de retourner notre attention vers l'autre face de notre projet : les investissements non stratégiques, visant à la réalisation de plus-values. Nous avions, de 1984 à 1986, fait quelques tentatives dans ce sens, mais avec une méthode insuffisamment réfléchie. Au démarrage de Pallas, nous avions été avides d'investir ; en ce qui concernait les acquisitions bancaires ou para-bancaires, nous étions bloqués par notre accord avec Dillon, Read, qui, sans les rendre impossibles, nous obligeait à négocier avec nos associés de New York tout développement dans ce secteur ; rejetés vers les participations non bancaires, nous étions allés un peu trop vite. D'une part, nous avions pris des participations trop petites dans des sociétés elles-mêmes trop petites et souvent trop jeunes ; nous avons essuyé des pertes, heureusement de dimension modeste, sur certaines de ces participations. D'autre part, les investissements les plus substantiels que nous avons faits dans cette première période — centrés essentiellement sur le Canada — étaient sans doute trop risqués ; par bonheur, ils ont été réalisés assez rapidement avec de confortables plus-values. En termes nets, Pallas s'était donc enrichie, mais nous étions résolus à procéder d'une manière désormais beaucoup plus prudente et plus organisée. Une profonde réflexion nous conduisit, en 1988, à définir les principes et les modalités de notre intervention dans le secteur des investissements non stratégiques.

Notre premier principe est celui d'une rotation rapide des participations, qui doivent théoriquement être réalisées en l'espace de deux à cinq ans après leur acquisition. Dans l'intervalle, il convient qu'un supplément de valeur très substantiel soit apporté à la société. Pallas se propose de rechercher les affaires où le surcroît de valeur à ajouter est produit par un processus éminemment opérationnel : entreprises ayant une bonne activité, mais passant par une période de trouble passager dont la cause a été bien identifiée et la thérapeutique bien mise au point, ou bien entreprises connaissant une situation fort bonne, mais où l'on perçoit clairement par quels moyens une expansion de cette activité peut être apportée demain. Nous sommes donc résolus à rechercher les plus-values d'origine surtout opérationnelle, plutôt que les plus-values d'origine principalement financière.

Cette option a une incidence immédiate en matière de personnel : si l'on recherche les plus-values opérationnelles, il est nécessaire de s'appuyer, dans chaque secteur, sur une ou plusieurs personnes qui ont une connaissance approfondie des opérations de ce secteur. Nous avons donc été conduits à l'idée suivante : il ne nous convient pas d'acquérir une participation dans une branche économique et dans un pays où nous ne disposons pas d'une personne extrêmement qualifiée pour identifier la cible, faire la négociation et s'associer ensuite au développement d'une stratégie opérationnelle ; cette personne, il ne nous suffit pas qu'elle dispose de relations dans le secteur considéré, ni qu'elle en ait une connaissance même très sérieuse, fondée par exemple sur le fait d'avoir dirigé une entreprise de ce secteur : nous posons comme condition formelle que cette personne ait été *investisseur* dans celui-ci, et un investisseur *ayant réussi*.

Les personnes ayant une telle expérience ne sont pas légion. Nous en avons cependant détecté un petit nombre, compétente chacune pour un secteur particulier (par exemple : les banques régionales dans le sud des Etats-Unis, ou les entreprises susceptibles de R.E.S. — reprise de l'entreprise par ses salariés — en Allemagne). Mais il ne suffit pas de trouver ces personnes, encore faut-il les convaincre de rejoindre Pallas. L'image assez créative de notre groupe nous y a certainement aidés.

La psychologie des investisseurs, que j'ai appris à mieux connaître, les conduit à souhaiter que l'essentiel — voire la totalité — de leur rémunération repose sur l'attribution d'une certaine fraction (10 % par exemple) des plus-values que, grâce à eux, on pourra réaliser. Cela nous a conduits à organiser autour de chacun des secteurs d'activités une société en commandite (plus précisément, en anglais, un *limited partnership*) et nous avons résolu de ne pénétrer dans le domaine des investissements non stratégiques que du jour où nous aurions la possibilité de lancer simultanément au moins trois *limited partnerships* de ce type. A la fin de 1988, nous avions identifié quatre secteurs, deux en Europe et deux aux Etats-Unis, avec, dans chaque cas, un ou deux *managers* remplissant les conditions que nous avions posées. Nous pouvions donc créer quatre *partnerships* pour commencer. Ce qui nous permit de donner le jour, au début de 1989, à la société Pallas Invest, qui sera désormais notre instrument en matière d'investissements non stratégiques, cependant que la société créée par nous en 1984, Pallas Group, rebaptisée Pallas Holdings, demeure notre instrument pour les investissements stratégiques, autrement dit dans le domaine bancaire et financier.

Dans le groupe que constituent Pallas Invest et Pallas Holdings, le principe fondamental de l'organisation des pouvoirs est la décentralisation opérationnelle. Pallas veut superviser, contrôler, éventuellement infléchir la stratégie de ses filiales, et souhaite avoir une compréhension suffisante de leurs opérations (ne serait-ce que parce que la direction des filiales considère elle-même qu'un dialogue sérieux avec le holding peut lui être profitable). Mais Pallas ne prétend pas mettre elle-même la stratégie des filiales à exécution (sauf nécessité exceptionnelle : ainsi, en 1987, devant l'urgence d'une réforme, Castenfelt, directeur général de Pallas, a pris, pour une durée limitée à quelques mois, des responsabilités opérationnelles à la Banque Pallas France). Chaque société du groupe doit être responsable. Et même, au sein de chacune des sociétés du groupe, l'idéal est que chaque département soit fortement responsabilisé. Tel a été, on l'a vu, un des aspects de la réforme apportée à la Banque Pallas France. L'expérience ayant montré que l'efficacité maximale de l'être humain est atteinte lorsqu'il a la position et la responsabilité de chef d'entreprise, l'organisation la meilleure nous paraît être celle qui donne à tous les directeurs et chefs de service, par une décentralisation appropriée, une situation comparable à celle de chef d'entreprise : pouvoir de décider et forte sanction, positive ou négative, sur sa propre rémunération, de la réussite ou de l'échec de sa direction ou de son service. Pour employer un adjectif cher aux Anglo-Saxons mais qui, étant dérivé d'un substantif français, peut sans inconvénient être récupéré par notre langue, l'atmosphère qui règne et qui, espère-t-on, régnera de plus en plus dans le groupe Pallas, est *entrepreneuriale*.

Cette philosophie atteint son point culminant dans

Tradition et dans Cresvale, filiales dont les dirigeants ont une part majeure de leur fortune investie dans la société qu'ils dirigent. Lorsqu'ils se sont battus en octobre-novembre 1987 contre la débâcle des marchés, les patrons de Cresvale avaient conscience de se dépenser non seulement parce que c'était leur devoir, mais aussi parce qu'une très grande partie des biens de leurs familles était engagée dans l'affaire.

Dira-t-on qu'un tel système consacre la toute-puissance de l'argent dans la société capitaliste d'aujourd'hui ? Je réponds oui, à condition qu'il n'y ait pas de malentendu sur le sens de cette expression.

Pour la bonne marche et le progrès de l'économie, rien ne peut remplacer le moteur de l'intérêt personnel et familial, c'est-à-dire la recherche du mieux-être et de la sécurité pour soi-même et pour ses très proches ; les pays marxistes qui essaient de faire sortir leur économie de l'impuissance sont bien obligés de reconnaître cette vérité, même si elle les chagrine. La cause en est simple : tout le monde, un jour ou l'autre, peut agir pour des motifs désintéressés, mais pour agir de manière continue tout au long d'une vie, le souci du bien d'autrui ne suffit qu'à quelques êtres d'exception. En termes statistiques, la majorité des humains, pendant la plus grande partie de leur vie, ont besoin de l'appât d'un avantage personnel ou familial. Pour un très long temps encore sans doute, la vie économique, comme aimait à le dire Jean Fourastié, est dominée par le paléo-encéphale — le néo-encéphale, siège des préoccupations les plus élevées, y joue un rôle encore assez effacé. Il vaut mieux le savoir et en tenir compte. L'appétit pour l'argent n'est rien d'autre, au moins à son premier stade, que cette recherche du bien-être pour soi-même et pour la cellule familiale, lorsqu'elle s'effectue dans un monde de liberté : l'argent est ce qui permet d'acquérir les éléments de bien-être que l'on désire, en établissant soi-même ses priorités, ce qui est une forme de la liberté (dans un monde despotique, cette même recherche du bien-être personnel et familial peut s'incarner autrement : la réussite y est consacrée, par exemple, par l'entrée dans une *nomenklatura* dont les membres reçoivent, sans intervention notable du facteur argent, des avantages multiples inconnus du commun des mortels ; le moteur est le même, mais le mécanisme est à la fois moins efficace, moins digne et sans doute moins juste).

Cela dit, il faut reconnaître que l'accumulation d'argent entre les mains des gagnants d'un tel système dépasse souvent de beaucoup les exigences du bien-être individuel et familial. C'est ici le lieu pour moi d'évoquer un aspect fondamental de la psychologie de l'entrepreneur, que je n'ai réellement compris qu'à soixante ans passés, et qui, je pense, risque d'échapper de même aux personnes formées non seulement dans la fonction publique, mais aussi dans la fonction privée de caractère institutionnel, comme celles qui peuplent les grandes affaires industrielles et financières françaises. Ces personnes sont, selon les tempéraments, assez soucieuses, fort soucieuses ou extrêmement soucieuses de disposer de revenus aussi élevés que possible, mais n'ont pas pour but de construire une fortune. Dans le monde du capitalisme *entrepreneurial*, il s'agit au contraire pour chacun de construire une fortune, non pas seulement pour les agréments qu'on peut en tirer, mais en grande partie — et le plus souvent principalement — parce que la construction d'une fortune est le signe de la réussite, l'instrument de mesure de l'efficience. Depuis que je vis dans cet univers des entrepreneurs, j'ai vu près de moi plus d'un cas de ce que j'appellerai le néo-puritanisme : des hommes qui travaillent comme des damnés, mobilisent toutes leurs facultés intellectuelles à un degré exceptionnel de tension, n'ont pas du tout le temps ni le goût de s'amuser ; ce qui les amuse, ce sont les affaires — les affaires conçues comme une compétition sportive. Mais, dans cette compétition, comment compte-t-on les points marqués par les divers concurrents ? En définitive, en mesurant les fortunes.

On peut en sourire, mais il faut d'abord comprendre. Et moi, je n'ai compris cette psychologie fondamentale que plusieurs années après avoir quitté Paribas. Lorsque j'ai construit Pallas, certains des capitalistes dont je sollicitais le concours me demandèrent combien je mettais moi-même au jeu ; et comme je leur répondais, ma mise leur paraissait d'une inquiétante petitesse (« S'il a une fortune, que n'en risque-t-il pas une bonne part dans son propre projet ? Et s'il n'a pas réussi, à soixante ans, à en avoir une, est-il sage de lui faire confiance ? »). De même, ayant fixé pour moi des conditions de rémunération très raisonna-bles, je mis quelque temps à comprendre que je nuisais à ma jeune société, parce que, plafonnant *ipso facto* celles des autres membres de l'état-major, je rendais difficile le recrutement de collaborateurs à l'esprit *entrepreneurial*.

Il est bien entendu permis de se déclarer horrifié par cette philosophie. Elle nous vient d'Amérique. Pour être juste, il convient de se rappeler deux choses en la jugeant. La première est que, de leur vivant et plus encore à titre posthume, les entrepreneurs américains consacrent une part substantielle de cette fortune qu'ils ont bâtie à des œuvres d'intérêt général (encouragés, il faut l'ajouter, par des dispositions fiscales très incitatrices). La deuxième est que la créativité du système capitaliste américain — facteur décisif des progrès de l'économie mondiale depuis un bon nombre de décennies — est incontestablement liée à la prédominance, aux Etats-Unis, du capitalisme *entre-preneurial* sur le capitalisme institutionnel.

Loin de moi, cependant, l'idée que les ambitions de ce type pourraient constituer l'essentiel des motivations du haut personnel de Pallas et de ses filiales ; elles n'en sont qu'une composante, que je me suis efforcé de faire comprendre et de justifier. Je tiens à souligner que plusieurs des personnes clés de l'édifice Pallas pourraient gagner plus d'argent, plus vite et plus sûrement, si elles travaillaient dans une autre firme de la communauté financière internationale. Si ces personnes restent attachées à Pallas, c'est sans doute à cause de la jeunesse et de la vitalité de notre groupe, de la légèreté de ses structures, du sentiment d'alacrité créatrice qu'on y éprouve souvent, et du parfum d'aventure qu'on y respire.

Pallas Holdings a été créée en 1984 avec un capital de 100 millions de dollars, dont 50 seulement étaient appelés. Aujourd'hui la valeur liquidative nette de Pallas Holdings et Pallas Invest ensemble, est de 500 millions de dollars. L'une et l'autre ont une trésorerie abondante et n'ont aucune dette. La valeur nette consolidée de leurs avoirs et de ceux des sociétés contrôlées par Pallas Holdings est d'environ 750 millions de dollars. En outre, les fonds que gère le groupe représentent en tout environ 3 milliards de dollars.

Aux actionnaires initiaux de Pallas Holdings sont venues s'ajouter, à l'occasion de plusieurs augmentations de capital, des institutions comme Transamerica, la Caisse de Dépôt du Québec, Nippon Life, Scandia, le groupe De Benedetti, la Caisse Nationale de Crédit Agricole et les quatre plus grands assureurs français : U.A.P., Axa, A.G.F. et G.A.N. La plupart des actionnaires majeurs de Pallas Holdings se retrouvent dans le capital de Pallas Invest, où figurent également de nouveaux venus comme le Crédit Lyonnais, Berisford International* ou Long Term Credit Bank of Japan. Pas plus dans l'une des

*. Anciennement S. et W. Berisford.

sociétés que dans l'autre, nul ne détient 10 % des actions. Les actionnaires principaux de l'une et de l'autre appartiennent à quinze pays, répartis entre l'Europe occidentale, l'Asie, l'Australasie et l'Amérique du Nord.

Les deux sociétés sont gérées, sous l'autorité d'un président français (moi-même) et d'un directeur général suédois (Peter Castenfelt), par une équipe composée de deux Britanniques, d'un Français, d'un Belge, de deux Américains et d'une Canadienne, secondés par quelques secrétaires (au premier rang desquelles figurent Hélène Kane, Françoise Morgan et Noël Radford — deux Françaises et une Irlandaise — qui travaillent principalement avec moi).

J'ai déjà évoqué à plusieurs reprises le rôle de Castenfelt dans l'histoire de telle ou telle négociation ou de telle ou telle réforme. C'est qu'à vrai dire, il est peu d'actions importantes, depuis trois ans, au centre desquelles il ne se soit pas trouvé. C'est un long Scandinave de quarante-six ans, de culture américaine, qui a servi, avant Pallas, deux grandes banques d'investissement des Etats-Unis, et qui a été pendant dix ans, avec succès, investisseur pour son propre compte. Je l'ai rencontré pour la première fois en 1984, il était alors administrateur de Dillon, Read Limited. Il s'est pris d'amour pour Pallas, et lui consacre toutes ses forces, qui sont grandes. Il est dur, au moins en apparence (il s'entend en général extrêmement bien avec les « durs »), et assez désordonné, en apparence et en réalité. Mais les choses sont très en ordre dans sa tête. Sa puissance de travail, son aptitude à dormir peu, son extrême professionnalisme m'étonnent. Ce qui m'étonne plus encore , c'est que, malgré ses apparences de grand étudiant très intellectuel, il a un jugement sûr et une remarquable maturité. Après un long usage, j'ai découvert qu'en dehors de sa vie, remplie à ras bord, de financier, il lit et réfléchit beaucoup à des sujets extra-professionnels, et j'ai été enchanté de cette révélation, car je pense qu'il n'est pas de financier vraiment créateur sans une large vue du monde (c'est pourquoi je me méfie toujours des financiers qui n'ont que la finance dans leur vie). Nous nous entendons bien, lui et moi, dès l'instant où — conscient de l'énorme travail qu'il abat — je m'abstiens de prendre au tragique sa difficulté à être ponctuel. Lui et moi réfléchissons ensemble à la stratégie du groupe. Quand il s'agit de la tactique et des actions effectives (je parle de celles qui concernent les deux holdings, car la plupart des actions du groupe sont bien sûr menées par les filiales), il les conduit dans neuf cas sur dix, et moi dans un cas sur dix, ce qui me paraît une proportion tout à fait saine, vu nos âges.

Le groupe qu'anime et supervise l'équipe que je viens d'évoquer emploie à travers ses filiales (principalement Tradition, Cresvale, Banque Pallas France) et leurs propres filiales, 850 personnes en Europe (300 à Londres, 250 à Paris, 200 en Suisse et 100 en d'autres pays), 250 en Amérique du Nord et 300 en Asie ou Australasie, en tout, donc, 1 400. Par au moins une société ou un établissement, Pallas est présente dans dix-sept pays du monde.

Et demain? Que fera, que sera Pallas demain? Les lignes de développement paraissent claires : dans le domaine bancaire, nous devons compléter notre réseau, principalement dans les secteurs où les filiales de Pallas sont d'ores et déjà actives : ainsi, nos instruments de *corporate finance* et d'investissement existent à Paris, à Madrid, à Francfort; il faut les étoffer et créer dès que possible des instruments comparables en Grande-Bretagne et en Italie; l'activité immobilière de la B.P.F. doit se déployer à l'échelle de l'Europe (elle a commencé l'hiver dernier); l'intermédiation boursière internationale aussi; la gestion de fortunes et de fonds, que le groupe pratique en France, en Suisse et à Monaco, doit aussi s'étendre sur l'ensemble du continent. Pallas a vocation à être un groupe bancaire international, mais fortement centré sur l'Europe (où elle est née, où elle a la majorité de son actionnariat, et une très forte majorité de ses établissements et de ses effectifs) et tirant pleinement profit des progrès attendus de l'unité européenne. Du côté des Etats-Unis et du Japon, Pallas aura un jour à décider si elle cherche à acquérir de solides implantations, comparables à celles qu'elle a ou aura en Europe, ou si elle préfère de puissantes alliances. Dans le domaine des investissements non bancaires, la structure très souple de Pallas Invest permet d'y insérer tous les développements jugés souhaitables dans n'importe quel pays et dans n'importe quel secteur économique.

Ayant dit cela, je me hâte d'ajouter que la croissance du groupe s'effectuera probablement d'une façon qui contredira fortement le schéma qui vient d'être esquissé. Car je ne suis guère planiste. L'expérience m'a appris que les plus beaux développements d'une société sont toujours, pour une large part, le fruit du hasard, et même d'un hasard qui semble s'amuser à tourner en ridicule les programmes et les déclarations d'intentions. J'ai décrit ci-dessus l'expansion de Pallas comme l'incarnation de quelques grandes pensées, et, bien sûr, cela reflète une part importante de la réalité. Mais une autre part importante est celle-ci : Cresvale est devenu un élément de Pallas parce que le hasard voulut que Castenfelt, et moi à un moindre degré, connaissions ses dirigeants, conséquence de nos liens, aujourd'hui dissous, avec Dillon, Read ; la Compagnie Financière Tradition est un élément de Pallas parce qu'un actionnaire privé de Pallas fut mis par hasard au courant du problème auquel André Lévy se trouvait soudain confronté ; et ainsi de suite... Et demain, pareillement, des opportunités se présenteront, toujours imprévisibles, et pour des raisons accidentelles, jamais tout à fait conformes aux plans établis. J'espère que Pallas, demain — avec ou sans moi —, aura ses oreilles et son esprit ouverts à ces opportunités, et saura y réagir avec rapidité. Après quoi, si nécessaire, on rectifiera l'exposé de la philosophie du groupe pour le rendre conforme *a posteriori* à la réalité du groupe, en y intégrant les éléments imprévus qui s'y sont agrégés. Cette philosophie doit évoluer, pas trop brusquement, certes, mais sans complexes.

Pallas est indépendante. Je pense qu'il est bon qu'elle le reste. Il appartiendra aux actionnaires, aux administrateurs et aux dirigeants de décider demain s'ils désirent prendre une position différente de celle que je recommande aujourd'hui. Je sais que divers groupes rêvent d'annexer Pallas (il y a quelque chose de flatteur dans cette concupiscence que l'on sent diffuse autour de soi) ; je ne pense pas qu'ils seraient bien avisés de s'efforcer de réaliser leur rêve par la force, car ce qui fait la valeur de Pallas, c'est une certaine culture — comme on dit aujourd'hui —, une certaine *image*, à l'intérieur et à l'extérieur de la firme, dont l'indépendance du groupe et la fière autonomie de ses filiales sont des éléments constitutifs fondamentaux ; et c'est surtout un certain nombre d'hommes — quelques-uns au niveau du holding, la plupart au niveau des filiales — que je connais suffisamment pour savoir qu'ils sont et resteront des hommes libres, dans Pallas aujourd'hui, hors de Pallas s'il le fallait demain. Dans le groupe Pallas, il n'y a pas d'esclaves à acheter avec la plantation.

Pallas, un des grands groupes financiers du xxie siècle ? Cela me plairait assez. Pourquoi pas ? J'aimerais voir cela. De quel observatoire ?

XV

BULLE ?[*]

Q : *Depuis quelques années, en France mais aussi un peu partout dans le monde, on parle de « bulle financière ». Une bulle artificielle et fragile, comme toute bulle, de plus en plus étrangère à l'économie réelle. Golden boys, argent facile et pouvoirs occultes, O.P.A. sauvages et tricheries diverses, gaspillage des talents et des capitaux, sophistication inutile des techniques, taux d'intérêt trop élevés..., telles sont, pour beaucoup, les caractéristiques de cette bulle financière.*

En tant que responsable de Paribas, puis de Pallas, vous avez participé à l'agrandissement de cette bulle. Cette hypertrophie du financier par rapport à l'économique, n'est-ce pas malsain ? En d'autres termes, tout le monde a maintenant compris que les grands patrons industriels sont utiles : ils créent des emplois, défendent notre balance des paiements..., mais les banquiers, les hommes tels que Pierre Moussa, tout compte fait, en quoi sont-ils utiles ? Ne peut-on pas aller jusqu'à les croire néfastes ?

P.M. : Vous venez de décrire le *sentiment* de la bulle. Mais il convient de se demander dans quelle mesure ce

*. Dialogue entre Erik Arnoult et Pierre Moussa.

287

sentiment correspond à la réalité des faits. Je voudrais d'abord dire que je ne trouve pas correct d'opposer la sphère financière et la sphère économique. Il n'est pas rationnel de considérer la finance comme quelque chose de distinct de l'économie. Elle en est une partie, comme l'agriculture, comme les transports. Chaque composante de l'économie entretient avec chacune des autres des rapports étroits et complexes, de telle manière que l'ensemble de l'économie constitue véritablement un tout organique. Toutes les composantes de l'économie ne se développent pas avec une parfaite et constante homothétie. Il y a des moments où telle composante jouit d'un allant très supérieur aux autres, s'enfle et s'épanouit, puis la main passe. Ainsi le secteur des ressources naturelles connaît des hauts et des bas, de même que les transports maritimes, la grande distribution, etc. On ne tire pas de ces évolutions, fort naturelles, toute une philosophie, et on n'en fait pas des bulles !...

Q : *Mais alors, pourquoi la finance est-elle traitée différemment ?*

P.M. : Sans doute parce qu'elle est à peu près parfaitement immatérielle, ce qui suggère, par un processus intellectuel plus ou moins inconscient, qu'elle est, de ce fait, *moins réelle*. On oppose la finance à l'économie parce que l'image de l'économie, c'est, dans le cœur des hommes, la terre, les machines, l'acier, les paysans et les ouvriers en sueur. En face de ce monde bien concret, la finance apparaît comme une sorte de feston immatériel qui n'ajoute rien à la substance de l'économie, et qui est perçu, dès qu'il occupe une grande place, comme un vaste gaspillage, un feu d'artifice coûteux.

Or, cette conception pondéreuse de l'économie, à laquelle la finance serait étrangère de par son caractère non pondéreux, ne correspond absolument pas à l'économie réelle, et surtout pas à l'économie d'aujourd'hui où les services (immatériels par nature) occupent une place de plus en plus considérable. A cet égard, les « bulles » se multiplient : bulle de la publicité et de la communication (dans le prix de revient d'un produit, le coût de son lancement pèse de plus en plus lourd), bulle des services juridiques (on ne peut plus signer un contrat international sans être entouré d'une dizaine d'avocats), bulle des conseils informatiques..

Q : *Ces services-ci, on peut facilement comprendre leur utilité. Nul ne songe non plus à nier l'utilité du banquier dans son rôle traditionnel. Mais la finance moderne ? Ne se nourrit-elle pas de sophistications inutiles ?*

P.M. : Le langage ésotérique dont elle use est pour beaucoup dans cette impression que vous avez. Les prouesses et les subtilités intellectuelles de la finance ne sont pas un jeu coûteux et stérile, elles constituent le plus souvent autant de réponses à des problèmes vrais. C'est parce que les gouvernements taxent les dividendes plus que les plus-values que l'on a inventé le *zero coupon bond*, qui transforme le bénéfice en plus-value. C'est parce qu'on n'avait pas le droit de rémunérer les comptes à vue qu'on a inventé les N.O.W. *bonds* (*negotiated orders of withdrawal*), qui sont des obligations, produisant de l'intérêt, mais que l'on peut, en cas de besoin, vendre aussi vite qu'on peut tirer sur un compte à vue. Etc.

Q : *Sur ce point, nous serons aisément d'accord : les financiers excellent à tourner les réglementations !*

P.M. : Les financiers n'existent que parce qu'ils répondent à des besoins. Besoin de se défendre contre des réglementations excessives et surtout mal coordonnées entre elles, c'est vrai. Mais aussi besoin de se protéger des incertitudes de l'environnement économique. C'est parce que les variations de taux d'intérêt, qui autrefois étaient lentes et modestes, sont devenues démentielles, que les financiers ont dû inventer des instruments pour protéger l'économie contre elles : depuis l'obligation à taux variable jusqu'aux options de taux d'intérêt et aux contrats de garantie de taux (*forward rate agreements*). De même, c'est parce que les taux de change ont perdu depuis les années soixante-dix la stabilité relative dont les accords de Bretton-Woods les avait dotés qu'on a inventé les *swaps* et les options de change, et ces inventions financières ont été économiquement fécondes, parce qu'en couvrant des risques qui eussent paralysé les chefs d'entreprise, ces produits nouveaux ont permis à ceux-ci d'aller de l'avant, de produire plus, d'exporter plus, et ont donc eu une incidence favorable sur le niveau de l'emploi.

Par ailleurs, le crédit d'un emprunteur (un Etat, par exemple) est quelquefois si médiocre qu'il apparaît nécessaire d'attirer les capitaux par quelque innovation séduisante. La sophistication extrême de l'invention financière n'est pas un jeu.

Q : *Dont acte. Au départ, la finance n'est pas un jeu. Mais n'assistons-nous pas aujourd'hui, dans le monde financier, à une espèce d'excitation collective qui fait qu'au bout du compte, on finit par compliquer pour le plaisir de compliquer ?*

P.M. : Oui, il y a un côté « falbalas » de la finance hyper-sophistiquée. Mais le falbalas joue un rôle décisif dans l'économie, même non financière ! Que serait l'activité industrielle sans la publicité, sans les marques, sans les mots d'ordre constamment modifiés de la mode ? La recherche elle-même, qui passe à juste titre pour être la partie la plus noble, la plus respectable de l'industrie, est bien souvent un effort vers l'excellence dans la futilité...

De même, il y a un côté ludique dans la finance, mais toute l'économie d'aujourd'hui a ce caractère ludique : l'enthousiasme des hommes — l'enthousiasme de tous les hommes dynamiques, qu'ils soient industriels ou financiers — les porte à jouer. Dans une bataille boursière, les deux adversaires finissent par surpayer parce qu'ils sont entraînés par l'appétit de la victoire plus que par le souci de leur intérêt bien compris. (Dans le combat pour la Générale de Belgique, Suez et le groupe De Benedetti ont payé l'action jusqu'aux environs de 8 000 francs belges, alors qu'à froid, quelques semaines plus tôt, ils l'auraient payée tout juste 4 000... Dans des cas de ce genre, on s'encourage soi-même en se disant qu'il s'agit seulement d'un prix marginal et que le prix moyen du paquet que l'on possédera demeurera presque raisonnable.) Cela est vrai. Mais on retrouve le même phénomène dans l'économie non financière : pour emporter un marché, on accorde des conditions telles qu'on finit par être sûr de ne jamais couvrir ses frais. Il n'y a aucune hétérogénéité foncière entre l'économie financière et les secteurs non financiers de l'économie.

Q : *Cette ressemblance n'empêche pas qu'un secteur de l'économie peut prendre une importance démesurée, nuisible aux autres secteurs. Le problème principal, aujourd'hui, c'est, en quelque sorte, le détournement de fonds. Les flux d'argent disponibles, qui pourraient être investis dans l'industrie, y créer des emplois et améliorer la compétitivité de notre économie, sont détournés vers des placements financiers plus ou moins sophistiqués. La situation depuis quelques années, n'est-elle pas para-*

doxale : un monde financier gorgé d'argent, et un monde industriel privé d'argent ?

P.M. : Cette idée de détournement de flux a deux volets : les fonds peuvent être détournés soit de la consommation de produits industriels, soit de l'investissement dans l'équipement industriel. Affecter à des opérations financières des fonds qui, autrement, iraient vers la consommation de produits industriels (par exemple, acheter des valeurs mobilières au lieu de changer de voiture automobile), c'est, à l'évidence, réduire les débouchés de l'industrie. Je voudrais seulement faire observer deux choses : d'abord, lorsqu'il s'agit de la Bourse, l'argent investi par l'opérateur qui achète des valeurs mobilières est nécessairement encaissé par un autre opérateur qui les lui vend. La quantité d'argent disponible est donc inchangée. D'autre part, il n'est pas forcément mauvais pour l'économie nationale que l'attraction des placements financiers et boursiers réduise la demande de biens : lorsque cette demande s'adresse largement à l'importation, son accroissement provoque nécessairement une détérioration de la balance des paiements ; de même lorsque, comme souvent, se produisent des goulots d'étranglement dans le circuit de production, toute progression de la demande est inflationniste. On peut dire que, dans les années quatre-vingt, la « bulle financière » a été utile en contribuant de la sorte à la désinflation.

Par ailleurs, n'oublions pas que l'imagination financière peut aussi améliorer les conditions de l'offre des produits et des services. Sans la création de General Motors Acceptance Corporation entre les deux guerres, et les innovations financières qui en sont sorties, General Motors n'aurait pas vendu, et de loin, le nombre de voitures qu'elle a vendues depuis lors. Sans compter que les formules financières ainsi mises au point ont été exploitées par les autres industriels de l'automobile ainsi que, *mutatis mutandis*, par d'autres branches, y compris la grande distribution.

Q : *L'aspect le plus important du détournement des flux est de toute façon le second : l'investissement financier comme rival victorieux de l'investissement industriel.*

P.M. : J'ai plusieurs observations à faire sur ce point.

D'abord, au rebours d'une certaine mythologie, l'investissement industriel n'est pas un bien en soi ; un investissement, s'il est générateur de surcapacité, est un mal. Cette remarque s'applique, par exemple, à beaucoup d'investissements faits par la sidérurgie française dans les années soixante et soixante-dix. Evitons soigneusement la tentation, en matière d'investissement, de donner dans le culte de la quantité. Ce qu'il faut chercher surtout, c'est un *meilleur* investissement. Et comme nous l'a appris Schumpeter, les opérations financières ont normalement pour effet d'optimiser la répartition des capitaux, au carrefour entre les différentes sources et les différents emplois de ceux-ci.

En outre, lorsque les capitaux disponibles se dirigent vers la Bourse ou vers les nouveaux produits financiers, cela ne signifie pas qu'ils sont détournés de l'industrie, car une partie importante des liquidités qui vont à la Bourse ou aux nouveaux produits financiers s'investit dans les actions de sociétés industrielles, ou sert à souscrire les emprunts des sociétés industrielles

Q : *En ce qui concerne les actions, attention ! L'argent qui s'investit en Bourse sous forme de l'achat de telle action de société industrielle n'est nullement mis à la disposition de ladite société industrielle ; cet argent est mis*

293

à la disposition de l'investisseur précédent (vous l'avez vous-même souligné il y a un instant). Si la demande est surabondante sur les actions en question, le cours de ces actions monte, mais la société concernée ne reçoit pas pour autant plus d'argent

P.M. : A première vue, vous avez raison. Cependant, cette hausse de cours va permettre à la société de se procurer des fonds dans de meilleures conditions. Si les actions de l'entreprise passent de 100 à 150 francs, elle va pouvoir, en émettant le même nombre d'actions, se procurer une fois et demie plus de capitaux. Ou encore, pour obtenir la même quantité de capitaux, il lui suffit d'émettre un tiers d'actions en moins, offrant ainsi aux nouveaux actionnaires une fraction beaucoup moins élevée des futurs bénéfices, et réalisant par conséquent une opération moins coûteuse. Autrement dit, il est exact que seul le marché primaire (en l'occurrence l'augmentation de capital) intéresse l'approvisionnement de la société en capitaux, mais le marché secondaire (la Bourse) gouverne le prix auquel le marché primaire acceptera de fournir ces capitaux. Et meilleur est le marché secondaire, meilleures seront les conditions dans lesquelles la société pourra s'adresser au marché primaire. On doit ajouter aussi que plus le marché des actions industrielles est animé, plus les épargnants ont le sentiment qu'ils ont des chances de faire des plus-values en s'y intéressant, plus il sera facile, toutes choses égales par ailleurs, de collecter des capitaux au service de l'industrie.

Q : *Mais tout cela, avant d'approvisionner en capitaux le monde industriel, commence par enrichir le monde financier.*

P.M. : On pourrait en effet imaginer qu'il y ait, à l'occa-
on de ces opérations financières, une sorte de racket des
financiers au détriment des industriels. En fait, cela n'est
pas. La concurrence est féroce entre les banquiers, qui
sont ainsi contraints d'offrir les conditions les plus justes.
De plus, toutes ces dernières années, il y a eu un excédent
de liquidités sur le marché. Peut-être convient-il de mettre
à part le cas particulier des sociétés cherchant un financement pour la première fois ; ignorantes et ignorées, elles
peuvent donner l'occasion à leur banquier, qui se trouve
bénéficier alors d'un micro-monopole, de faire des opérations fructueuses pour lui-même (encore que souvent
risquées). Mais, dans la très grande majorité des cas, la
compétition entre banques empêche les abus.

Q : *Quoi qu'il en soit, tous les capitaux qui s'investissent en Bourse ou sur les marchés financiers ne vont pas à
l'industrie.*

P.M. : C'est vrai, mais lorsque ces capitaux vont aux
ressources naturelles, à la distribution, à l'hôtellerie, à la
communication, etc., c'est tout aussi bon que lorsqu'il
s'agit de l'industrie proprement dite. A vrai dire, c'est
pour simplifier que l'on parle de l'industrie. Ce terme, en
l'occurrence, couvre non seulement l'industrie *stricto
sensu,* mais aussi toutes les autres branches de ce que
j'appellerai l'économie non financière. Quels sont donc les
capitaux qui s'investissent en Bourse ou sur les marchés
financiers et qui ne vont pas à l'économie non financière ?
L'essentiel va au secteur public. Nous débouchons ici sur
un tout autre problème. Il ne s'agit plus de l'opposition
entre la sphère financière et la sphère industrielle, il s'agit
de la concurrence entre le financement du développement
économique et celui des déficits des collectivités publiques. C'est une question tout à fait fondamentale, à

l'échelle française, et plus encore à l'échelle mondiale. Je pense, bien entendu, au déficit du Trésor américain. C'est le déficit des Etats qui fait de l'épargne une denrée rare, donc chère (pour être tout à fait exact, ce n'est pas le déficit en soi qui a cet effet ; c'est plutôt la conjonction de ce déficit et d'un haut niveau de dépenses publiques, et par conséquent de prélèvement fiscal : si le prélèvement de l'Etat tombait à 30 % du produit national, le déficit budgétaire n'aurait pas en lui-même de gravité, parce que les entreprises moins rançonnées par les pouvoirs publics auraient, en général, un *cash-flow* suffisant pour couvrir leurs besoins).

Le monde industriel déplore le prix élevé auquel il peut financer ses investissements. Et de ces hauts, très hauts taux d'intérêt, il rend vaguement responsable le monde financier. En réalité, la première raison de ce niveau élevé des taux, c'est la mauvaise gestion financière des Etats. Et une deuxième raison en est la lucidité accrue des épargnants. Les « Trente Glorieuses » de Fourastié, c'est-à-dire les années 1944-1973, furent caractérisées dans plusieurs pays, à commencer par les Etats-Unis, par la sagesse relative des Etats, qui permit à l'industrie de se financer par son *cash-flow*. Dans la mesure où cela ne suffisait pas, le bas prix de l'argent — des taux d'intérêt négatifs en termes réels, et donc finalement, pour parler net, la spoliation de l'épargne — rendait possible le financement de l'industrie dans des conditions étonnament bonnes. Cela est fini. Les épargnants sont plus conscients, ils se défendent mieux ; aujourd'hui, les taux d'intérêt, même en termes réels, sont fortement et souvent excessivement positifs.

Q : *Il existe un autre aspect de la « bulle financière ». Nous avons jusqu'ici parlé de ce que j'ai appelé le détournement de fonds. On peut accuser la « bulle » d'un*

*autre détournement : un détournement d'activité. De plus
en plus, l'activité des sociétés industrielles elles-mêmes se
trouve aujourd'hui dérivée vers une activité financière. Il
ne s'agit plus ici de l'approvisionnement de l'industrie à
partir du monde extérieur, il s'agit de ce qui se passe à
l'intérieur même de l'industrie. En bref, les industriels
abandonnent leur métier d'industriels et se font banquiers
Trouvez-vous cette évolution normale et souhaitable ?*

P.M. : Sauf cas exceptionnels, il n'est pas exact de dire
que les industriels abandonnent leur métier d'industriels.
Mais il n'est pas douteux que, dans leur esprit, l'importance des préoccupations financières a tendu à croître
considérablement. Essayons de déterminer les principales
raisons de cette invasion du champ de conscience de
l'industriel par les préoccupations financières.

D'abord sont apparues pour la gestion industrielle des
menaces nouvelles, ou, en tout cas, d'une ampleur sans
précédent. Il s'agit des risques résultant des variations
extraordinaires des taux de change et des taux d'intérêt.
Ces variations de taux ont frappé d'obsolescence la conception classique qui faisait des gains de productivité l'alpha
et l'oméga de la gestion industrielle. Beaucoup plus que
par le passé, l'industriel doit concentrer son attention sur
certains éléments fondamentaux de son bilan que rendent
très fragiles ces variations de taux. Ainsi, une société
américaine dont le bilan est en dollars et dont une partie
des actifs (par exemple des actions d'une société, ou un
prêt à cette société), ou certains postes du passif (un
emprunt bancaire, par exemple) sont situés en Europe,
verra son bilan complètement bouleversé si le cours des
monnaies européennes par rapport au dollar varie fortement. Soit dit en passant, c'est l'angoisse créée par cette
situation qui a stoppé, dans les années soixante-dix, le
mouvement d'investissements américains en Europe,

infirmant les prédictions de Jean-Jacques Servan-Schreiber dans *Le Défi américain.*

L'industriel est amené à réagir contre les menaces de
cette sorte par tous les moyens possibles, qui ne relèvent
pas seulement de la gestion financière. Ainsi, il peut être
amené à diversifier géographiquement ses implantations et
à jouer entre ces diverses implantations selon l'évolution
de la situation cambiaire. Par exemple, c'est en grande
partie pour des raisons de cette nature que Saint-Gobain a,
en Europe, une capacité de production répartie entre la
France, l'Allemagne, l'Italie et l'Espagne ; et c'est pour
disposer d'une capacité de production dans les pays dont la
monnaie est le dollar, ou une monnaie étroitement liée au
dollar, qu'elle a renforcé sa capacité de production aux
Etats-Unis et en Asie du Sud-Est.

Mais le principal moyen au service des industriels, ce
sont les techniques financières qui permettent de transférer les risques de taux (qu'il s'agisse de taux d'intérêt ou de
taux de change) de ceux qui ne désirent pas les assumer
vers ceux qui y sont prêts, contre rémunération ou espoir
de gain. Une partie importante des produits nouveaux de
l'économie financière sont destinés à matérialiser ces
transferts. C'est pourquoi la gestion financière joue un rôle
beaucoup plus primordial que naguère ; on a pu dire que,
dans l'industrie d'aujourd'hui, ce rôle commence dès
l'instant où une commande est reçue de la part d'un client.

Je viens d'évoquer celles des innovations financières qui
s'attachent aux risques de taux, mais il en est d'autres, qui
rendent à l'industriel maints services d'une nature très
différente. Pour satisfaire ses besoins de financement à
court et à moyen terme, il se voit aujourd'hui offrir des
formules plus diversifiées, plus souples et très souvent
moins coûteuses que le recours traditionnel aux lignes de
crédit bancaire. S'il a une position créditrice, les revenus
qu'il pouvait naguère tirer du placement de ses disponibi-

lités étaient, dans ses comptes, d'une importance assez faible ; aujourd'hui, toute une technique très savante s'est instaurée : par des placements sur le marché monétaire, par l'achat de produits nouveaux, l'industriel peut faire à tout instant un bien meilleur usage de ses disponibilités. Or, à l'heure actuelle, ces dernières sont souvent gigantesques, parce que les industriels n'osent pas toujours investir massivement, peut-être aussi parce qu'ils guettent des proies sur les Bourses nationales ou étrangères. Un gisement nouveau de productivité s'est ainsi révélé aux dirigeants de l'industrie, faisant apparaître un élément supplémentaire — et fondamental — de compétition entre industriels concurrents.

Les patrons de l'industrie, et surtout de la grande industrie, ont été si fortement attirés par les métiers modernes tournant autour des marchés financiers que beaucoup en sont venus à souhaiter acquérir une participation notable — allant parfois jusqu'au contrôle — dans une banque ou un établissement financier (naguère, cette tentation existait, mais il s'agissait d'un ajout beaucoup plus périphérique, presque d'un *gadget*). Ainsi Auchan a acquis récemment la banque qui s'appelle maintenant Accord ; B.S.N., Lafarge ont fait de même (ce sont, respectivement, Alfabanque et Transbanque) ; d'autres, comme Matra, ont créé leur propre banque (Arjil) ou, comme La Redoute, leur propre société financière (Finaref)... A la limite, cette nouvelle activité peut se substituer à l'ancienne : le groupe industriel devient un groupe financier. Tel American Can, devenu Primerica Corp, affaire centrée sur les services financiers, après avoir vendu tous ses actifs industriels. Ce cas limite reste néanmoins tout à fait exceptionnel.

Q : *Ne croyez-vous pas que l'une des causes principales de cette dérive des industriels vers la finance réside*

dans le caractère plus rémunérateur de l'activité finan-
cière par rapport à l'activité industrielle ?

P.M. : Je pense qu'il faut ici distinguer deux sortes
d'activité financière. Il y a, d'une part, le service que les
financiers fournissent à l'économie, l'invention de produits financiers appropriés, le montage de financements
sophistiqués, le guidage des agents économiques sur les
marchés financiers. Et il y a d'autre part la spéculation
boursière.

Sur le premier point, je me suis déjà exprimé. Je ne crois
pas que, dans l'ensemble, il y ait un racket des financiers
au détriment des industriels ; encore une fois, la concurrence entre banquiers est féroce. Il n'y a pas là d'argent
facile...

Q : *D'accord. Mais parlons de la spéculation bour-*
sière. Quand, sur un ordre d'achat et un ordre de vente, à
quelques mois, quelques semaines, quelques jours ou
quelques heures de distance, une personne, en deux coups
de téléphone, a gagné des dizaines de millions de francs,
on peut parler d'argent facile !

P.M. : Oui, mais les différences sur les variations de
cours peuvent être positives ou négatives. Chaque fois que
quelqu'un gagne, un autre perd. C'est un jeu à somme
nulle. Ne regardez pas seulement ceux qui gagnent !

Q : *Bien souvent, ceux qui gagnent, ce sont les gros, et*
ceux qui perdent, ce sont les petits...

P.M. : Ceux qui gagnent à coup sûr sont des tricheurs,
qu'ils soient gros ou petits. C'est tout le problème, très
actuel, des *initiés*. Je vous propose d'y revenir dans un
moment. Dans l'immédiat, si vous voulez bien, ne parlons

que de ceux qui jouent le jeu honnêtement. Croyez-moi, les grandes sociétés et les grandes fortunes, quand elles jugent bon de jouer en Bourse, il leur arrive de gagner beaucoup, il leur arrive aussi de perdre beaucoup. Bien sûr, dans le second cas, elles évitent encore plus que dans le premier cas de s'en vanter. Mais des entreprises très importantes qui engloutissent des capitaux considérables dans des spéculations malheureuses, cela s'est vu à plusieurs reprises, en France même, et récemment.

Si je reviens à votre question originelle sur les causes de la dérive de l'activité des industriels vers la finance, je réponds ceci : s'il s'agit d'une dérive vers la spéculation boursière, oui, on peut alors parler d'argent facile, au sens d'argent facilement gagné *ou perdu* en grandes quantités, et c'est pourquoi le devoir des industriels sérieux est de dire non à cette tentation. S'il s'agit d'une dérive vers la connaissance et la pratique des techniques financières constructives, on ne peut pas parler ici d'argent facile. C'est la seule dérive admissible et durable.

J'ai déjà évoqué celles de ces techniques financières qui s'appliquent aux marchés de capitaux. Mais il y en a d'autres. Ainsi, le mode de croissance des sociétés industrielles a changé depuis un certain temps : les industriels privilégient de plus en plus la croissance externe, c'est-à-dire l'acquisition de sociétés, par rapport à la croissance interne, reposant sur la création d'unités nouvelles de production. Or, créer des unités de production nouvelles pose des problèmes qui sont en partie techniques, en partie organisationnels, et aussi financiers, mais pour une part non prépondérante. S'il s'agit au contraire de se lancer dans la croissance externe, la tâche relève d'abord du métier de financier. Cela est si vrai que le département des « fusions-acquisitions » est devenu l'une des divisions les plus fondamentales des banques d'affaires. Voilà donc

301

une raison supplémentaire, pour l'industriel, de se faire aujourd'hui financier davantage qu'hier.

Q : *Pourquoi, aujourd'hui, cette préférence des industriels pour la croissance externe ?*

P.M. : La croissance externe permet de gagner du temps, puisque l'unité nouvelle est déjà constituée et déjà rodée. Même favorable à terme, la création *ex nihilo* de nouvelles unités de production a souvent pour effet, dans un premier temps, d'abaisser les performances, ce qui peut être désastreux pour les sociétés cotées en Bourse. Autre avantage de l'acquisition sur la création *ex nihilo* : en cas d'échec, il est plus facile de vendre une entité (la société que l'on a achetée) que des actifs industriels inorganisés (les nouvelles unités de production qu'on a installées). Dans les périodes de forte croissance du P.N.B., l'euphorie ambiante pousse à ne pas avoir peur de la croissance interne ; lorsque les temps deviennent plus durs, les raisons de préférer la croissance externe s'imposent davantage. J'ajoute que la croissance externe est rendue aujourd'hui plus aisée par l'évolution des mœurs boursières : la fidélité des actionnaires est en régression ; la mobilité des portefeuilles s'est accrue, cela facilite évidemment une politique d'acquisitions.

Il y a donc bien une certaine dérive des priorités pour le dirigeant industriel, de plus en plus accaparé par des tâches financières. Cette évolution, qui est selon moi conforme à l'intérêt des sociétés industrielles, résulte de la nature des choses et il faut l'accepter, même si l'on peut comprendre le malaise, la nostalgie des techniciens, des ingénieurs et des commerçants. Cette évolution n'est pas une maladie de l'industrie, c'est une adaptation de l'industrie à la réalité concrète présente. Il ne s'agit plus aujourd'hui d'avoir une stratégie industrielle et de demander à la finance les moyens de l'exécuter, comme l'état-major s'adresse à l'intendance. Il s'agit de concevoir une stratégie financière capable de porter la stratégie industrielle. Si l'industriel n'acceptait pas d'accorder cette priorité aux choses financières, c'est alors que l'industrie deviendrait plus dépendante des financiers. A certains égards, l'invasion du champ de conscience de l'industriel par les considérations financières est le moyen d'éviter l'invasion du monde industriel par le monde financier.

Q : *L'invasion du monde industriel par le monde financier : voilà bien le phénomène le plus malsain et qui étaye le plus la théorie de la « bulle financière » ! Ne pensez-vous pas que la multiplication des batailles boursières, la férocité des O.P.A. déstabilisent l'industrie et gênent sa croissance ? Peut-on travailler efficacement sous cette menace permanente, dans ce bouleversement presque quotidien des alliances et des groupes ?*

P.M. : Le séisme des O.P.A. secoue l'industrie américaine depuis plus de dix ans, il a atteint voici cinq ou six ans la Grande-Bretagne, et il commence à faire sentir ses effets en Europe continentale, en France en particulier. Certains pays européens se sentent encore relativement protégés, comme l'Allemagne et la Suisse où la structure du capital des sociétés constitue un élément de défense contre les secousses de cette nature : en Allemagne, le capital des huit cents entreprises cotées est en moyenne détenu pour 85 % par les familles fondatrices et les banques, et pour 15 % seulement par le public ; voilà qui ne facilite pas les O.P.A. Mais on voit, depuis quelques mois, l'Allemagne et la Suisse connaître à leur tour quelques manifestations dispersées qui annoncent les progrès du phénomène sur leurs territoires. Certains indices suggèrent que le Japon lui-même entre dans l'ère des O.P.A.

Les O.P.A. (et les O.P.E. *, mais, pour simplifier, nous parlerons simplement d'O.P.A. pour couvrir les deux techniques) rendent des services incontestables. D'abord, elles constituent l'un des moyens par lesquels une entreprise peut en acquérir une autre. Il existe, pour réaliser des fusions et acquisitions, une variété de techniques que connaissent bien les *investment banks*. L'O.P.A. est l'une d'entre elles, et l'on estime qu'en France, elle représente moins de 10 % du marché total des fusions-acquisitions. Parmi les O.P.A., les plus nombreuses, de beaucoup, se font à l'amiable, sans combat, sur la base d'un consentement mutuel. Dans certains cas, cependant, il n'y a pas d'autre moyen de réaliser une concentration souhaitable que l'O.P.A. hostile.

Autre service que rendent les O.P.A. : elles animent le marché ; à chaque O.P.A., les petits actionnaires touchent une sorte de gros lot qui ne peut que renforcer leur attachement au marché financier. En 1986, Axa a payé les titres de la Providence 3 724 francs, soit près de cinq fois plus que le dernier cours coté, qui était de 766 francs, et l'on pourrait citer bien d'autres exemples : la Télémécanique, Martell, Bénédictine... De plus, les O.P.A. donnent une importance nouvelle à l'actionnariat des sociétés, que les dirigeants, jusqu'alors, négligeaient trop souvent : la Générale de Belgique a pris plus de soin de ses actionnaires dans la tourmente de 1988 qu'à aucun autre moment dans le siècle et demi qui l'a précédée.

Mais leur principal mérite à mes yeux, je le désignerai

*. Dans l'offre publique d'achat (O.P.A.), la société acquéreuse offre de l'argent en échange des titres de la société qu'elle veut acquérir. Dans l'offre publique d'échange (O.P.E.), elle offre, non de l'argent, mais d'autres valeurs mobilières (le cas le plus simple étant l'offre, par elle, de ses propres actions).

par une expression un peu provocatrice : c'est précisément qu'elles *déstabilisent* l'industrie. Car la stabilité, au-delà d'un certain degré, devient assoupissement. L'O.P.A. inamicale permet d'abord de mettre fin au pouvoir d'une techno-structure ronronnante. Toute techno-structure aspire à ronronner. Comme l'a très bien écrit dans un article du *Monde* (7 juin 1988) Raphaël Hadas-Lebel : « Il n'y a rien de choquant à ce qu'une société désireuse d'en acquérir une autre prenne publiquement l'initiative d'en proposer un prix attrayant à tous ses actionnaires. C'est la loi de l'économie de marché. Si l'acquéreur est prêt à consentir pour une société un prix sensiblement supérieur au cours de Bourse, c'est qu'il a le sentiment — fondé sur une analyse souvent approfondie — que cette société est sous-cotée et qu'il est à même de mieux la valoriser que les propriétaires précédents. » Il y a vingt ans, l'échec de la tentative d'O.P.A. inamicale de B.S.N. sur Saint-Gobain a été doublement bénéfique : pour B.S.N. (qui s'est détourné du verre pour devenir un grand groupe agro-alimentaire) et pour Saint-Gobain (qui, avec l'aide de Suez, s'est réveillé et restructuré). Mais cet échec a été tout de même nuisible à l'économie française, parce qu'il a accrédité auprès du public, qui avait suivi la bataille avec passion, l'idée que les O.P.A. inamicales étaient faites pour échouer, surtout lorsqu'elles émanaient d'un plus petit convoitant un plus grand, et d'un moins *establishment* convoitant un plus *establishment*. D'où, en France, pendant près de vingt ans, un traumatisme anti-O.P.A. qui a retardé l'évolution du capitalisme français d'une manière très sensible. Dieu merci, nous sommes maintenant guéris de ce traumatisme.

Il est normal que le management d'une société souhaite, de toutes ses forces, pouvoir poursuivre sa tâche. Il est très humain aussi, et fondamentalement bon, que le personnel s'identifie à son entreprise et, ne voulant pas qu'on y

305

touche, joigne son indignation à celle de la direction, d'autant plus qu'il peut redouter, pour lui aussi, les effets d'un changement. Le management en place, le personnel, chacun à sa manière, sont des forces conservatrices. Le conservatisme est une attitude saine, à condition de laisser aussi s'exprimer, face à ces forces de résistance, une force de mouvement. L'opinion elle-même, par l'intermédiaire des médias, est souvent tentée de prendre parti pour la conservation. Mais, s'il est bon que la nation s'intéresse à ses entreprises (ce qu'elle n'a pas fait suffisamment, en France, jusqu'à une époque très récente), il ne convient pas de passer d'un extrême à l'autre en se mettant à sacraliser les entreprises dans leurs dimensions et leurs contours actuels, non plus que dans leurs managements actuels. L'entreprise est un organisme vivant, non un monument historique.

Q : *Mais les organismes vivants sont parfois menacés de mort lorsque l'agression est trop violente...*

P.M. : Vous avez raison. Prenez l'exemple de Manpower, très importante société américaine de travail temporaire. Une offre publique sur ses actions est lancée en août 1987 par la société anglaise Blue Arrow, qui, à une échelle beaucoup plus petite, travaille dans le même secteur. Contre l'avis du management de Manpower, les actionnaires apportent leurs titres à Blue Arrow. En l'espace d'un an, la dégradation de la situation de Manpower est telle que l'ancien président, qui avait été évincé, est rappelé pour redresser la barre, et se voit même confier — suprême revanche — la direction de Blue Arrow également, aux lieu et place de son agresseur d'hier, afin de ramener la prospérité dans le groupe tout entier.

On pourrait citer d'autres exemples. Celui-là est assez spectaculaire, sans doute en grande partie parce que les sociétés en question appartiennent à un secteur où l'essentiel de la valeur réside non dans les équipements, ni dans les brevets, ni, d'une manière générale, dans les actifs, mais dans les hommes, et que rien n'est plus dangereux que de prétendre s'emparer par la force d'une entreprise de cette nature. Cela dit, il y a également bien des cas où une agression victorieuse se prolonge par une brillante réussite de la société conquise.

Q : *Par exemple ?*

La T.W.A., la célèbre compagnie américaine de transports aériens (Trans World Airlines), fut conquise de haute lutte par Carl Icahn en 1985. Commentaire souvent entendu alors : « Comme il ne connaît absolument rien aux transports aériens, ça va être épouvantable ! » En fait, pour le moment, la T.W.A. est beaucoup plus prospère qu'avant. Il est vrai que son patron est peu compétent techniquement. Mais il est tendu de toutes ses forces vers le succès, en grande partie parce qu'il est personnellement engagé à fond, en termes financiers, dans cette affaire. Sa fortune en dépend. Depuis un demi-siècle, le capitalisme américain a vu se produire une séparation progressive entre, d'une part, la propriété des sociétés, et, d'autre part, leur management. Aujourd'hui, on assiste souvent au phénomène inverse, en particulier du fait des agressions conquérantes qui se multiplient. Par tendance personnelle, je ne me sens guère du côté des *raiders*, et vous observerez que Pallas n'a initié ni soutenu aucune des attaques boursières qui ont défrayé la chronique. Mais il faut être objectif : il y a quelque chose de sain dans ce réajustement du management et de la propriété des sociétés qui avaient sans doute trop divergé. On constate que même dans une firme de grandes dimensions, on peut entretenir un esprit *entrepreneurial* à condition que la fortune des dirigeants soit largement investie dans la firme. C'est la philosophie que nous essayons, sous une autre forme, d'introduire systématiquement dans le fonctionnement de Pallas.

Le management d'une société menacée par une O.P.A. est sincèrement persuadé que s'il vient à être éliminé, si sa stratégie est battue en brèche, c'est une irréparable catastrophe pour lui (c'est en général vrai), mais aussi pour la firme, pour l'économie nationale (c'est loin d'être toujours vrai). C'est ce que j'appellerai le complexe des pilotes du canal de Suez. Lorsque, en 1956, Nasser s'empara du canal, on s'imagina quasi unanimement, en Angleterre et en France, que l'élimination des pilotes anglais et français allait provoquer à brève échéance des accidents nombreux, entraînant eux-mêmes la paralysie de la circulation. Il n'en fut absolument rien. Mais les dirigeants d'une société agressée sont tellement convaincus de combattre pour l'intérêt général qu'ils peuvent être amenés à commettre pour leur défense des actes plus condamnables et plus nocifs que ceux de l'agresseur. Prenons l'exemple du *greenmailing*. On désigne par ce terme le fait, pour une personne qui a accumulé un paquet déjà non négligeable d'actions d'une société, de se voir racheter par ladite société ce paquet à un prix très supérieur à son coût, en échange du renoncement à son agression. C'est comme une rançon payée par l'entreprise, et il est toujours très immoral de rançonner. Mais qui est le plus grand coupable ? N'est-ce pas bien souvent le management, qui accepte de payer cette rançon en vue principalement de se protéger lui-même aux frais de l'entreprise ?

Il est bien normal que le management veuille se défendre, et il existe, pour le lui permettre, toute une gamme de procédés : les actions à vote double, les certificats d'investissement sans droit de vote, les boucles d'autocontrôle par lesquelles, à travers une sous-filiale, la

société possède un paquet de ses propres actions (beaucoup de sociétés françaises disposent d'une boucle d'autocontrôle ; il est vrai que cette pratique, critiquée par
beaucoup, pourrait bien être interdite prochainement). On
se protège aussi contre les O.P.A. en augmentant la taille
de la société, procédé qui n'est totalement admissible que
lorsque la logique industrielle de cet accroissement est
impeccable. Un autre moyen consiste à réduire le nombre
des diversifications contestables, autrement dit à faire soi-
même ce que serait tenté de faire un agresseur après le
succès éventuel de son O.P.A. A la limite, une entreprise
totalement monoproductrice a beaucoup moins de chances
d'être attaquée qu'un conglomérat.

Ces dernières remarques nous mettent sur la voie d'une
observation plus générale : le meilleur moyen de défense
des managements contre les O.P.A. éventuelles est la
qualité de leur gestion (à quoi j'ajouterai : un effort de
communication intelligente pour faire connaître cette
qualité de gestion). Et c'est bien un des avantages de cette
finance agressive, que de forcer les chefs d'entreprise à
chercher eux-mêmes, avec une énergie nouvelle, tout ce
qui peut valoriser l'investissement des actionnaires.

> Q : *Vous avez dit vous-même il y a un instant que*
> *l'Allemagne, la Suisse, le Japon étaient, jusqu'à nouvel*
> *ordre, assez protégés du « séisme des O.P.A. ». Leurs*
> *industries ne sont pourtant pas les moins florissantes du*
> *monde.*

P.M. : Certains pays ont pour l'industrie des prédispo-
sitions exceptionnelles, liées à des facteurs ethniques et
culturels. Les Allemands, les Japonais sont des gens
formidablement sérieux, acharnés à réussir, ils s'endor-
ment moins facilement que les autres. L'industrie allemande et l'industrie japonaise sont dans l'ensemble restées

éveillées et agressives, malgré la protection que leur assure la structure rigide de leur actionnariat. Je suis enclin à penser que la même protection, accordée aux industries d'autres nations, produirait — non pas toujours, mais trop souvent — des effets d'assoupissement.

Q : *Ainsi, selon vous, il n'y a presque que de bonnes O.P.A., utiles à l'industrie à plus ou moins long terme, et porteuses des modernisations nécessaires ?*

P.M. : On entend parfois dire qu'il y a deux sortes d'O.P.A. : les bonnes, qui reposent sur une logique industrielle, et les mauvaises, qui reposent sur une logique — *horresco referens* — financière. Ces dernières seraient celles dont le programme n'impliquerait pas la rénovation de la gestion industrielle ou commerciale de l'entreprise, mais seulement l'accomplissement d'opérations financières telles qu'emprunt, désendettement ou vente d'actifs. La réalité ne comporte aucune frontière aussi tranchée. Toutes les décisions d'importance, dans la conduite d'une société, sont, à quelque degré, industrielles et financières à la fois. Un programme d'expansion, si hautement industrielle que soit sa conception, n'en appelle pas moins des investissements, et donc un plan financier. Inversement, vendre une filiale dont l'activité n'est pas suffisamment prometteuse, n'est-ce pas une décision industrielle autant que financière ? En tout cas, ce peut être une très bonne décision. Décider de mettre fin à l'activité de l'entreprise dans tel secteur industriel, parce qu'on est persuadé, par exemple, qu'on n'arrivera jamais, à vue humaine, à être dans ce secteur un acteur d'un poids suffisant, et qu'il est préférable de concentrer ses forces sur les activités où l'on a des chances de rester ou de devenir un des acteurs majeurs du jeu mondial, cela n'est-il pas tout à fait raisonnable ? Dans l'euphorie des années

310

soixante, la mode était à la diversification ; une des conséquences de cette tendance a été la naissance des conglomérats. Si l'on admet que toute diversification n'est pas bonne, pourquoi ne trouve-t-on pas rationnel de « dé-diversifier » ? Peut-être certains groupes auraient-ils intérêt à éclater, puisque tout le monde admet aujourd'hui que le culte de la taille est une approche puérile de la stratégie des entreprises. Réduire l'endettement de la société au prix de l'aliénation de certains actifs et de la cessation de certaines activités n'est pas forcément blâmable. Le plus grand mérite, sans doute, de l'O.P.A. (et même de la simple possibilité de l'O.P.A., de l'anticipation imaginaire de l'O.P.A.) est d'attirer l'attention du marché et des dirigeants de la société sur la nécessité de réfléchir à l'allocation optimale des ressources de l'entreprise, à la rentabilité éventuellement insuffisante des capitaux investis, ou aux excès de l'endettement.

Je réponds donc à votre question : non, je ne prétends pas que toutes les restructurations consécutives à des O.P.A. soient bonnes à coup sûr. J'admets que certaines peuvent être nuisibles (j'en ai moi-même donné un exemple assez net). Mais je pose à mon tour une question : qui est juge de ce qui est utile ou nuisible pour la société ? La réponse que la législation des pays les plus évolués du monde donne en général à cette question est la suivante : est juge de cela le management, et le management est choisi par les actionnaires. C'est donc finalement l'assemblée générale de ceux-ci qui décide si elle fait confiance à l'ancien management ou au *challenger*. Et je crois que cette réponse est la bonne. Bien entendu, l'assemblée générale peut se tromper, mais je n'aperçois pas le genre d'autorité qui pourrait à cet égard dire ce qui est bon ou mauvais à la place de l'assemblée générale. Et quand il s'agit d'une O.P.A., c'est à chaque actionnaire de décider si, au prix qui lui est offert, il a avantage ou non à vendre.

Encore une fois, les actionnaires peuvent se tromper en décidant de vendre leurs actions. Ils peuvent aussi se tromper en décidant de ne pas les vendre. Permettez-moi d'évoquer le cas de la grande société américaine de ressources naturelles Amax. En 1981, Chevron offre 78,5 dollars par action d'Amax, les actionnaires repoussent l'offre avec dédain. Or, elle était inespérément élevée : quelques mois plus tard, le cours d'Amax stagnait en dessous de 30 dollars, il est aujourd'hui voisin de 20 dollars. Si les actionnaires d'Amax ne se sont jamais pardonné leur bévue, ceux de Chevron remercient le Ciel chaque jour du refus qui leur a été opposé...

Q : *Les agressions boursières posent un autre problème : celui des gains spéculatifs malhonnêtes qu'elles facilitent. Ces gains-là ne sont pas à la frontière du financier et de l'industriel ; c'est bien du financier pur, et nuisible !*

P.M. : Les gains spéculatifs malhonnêtes, les délits d'initiés, etc., tout cela peut naturellement exister, même s'il n'y a pas d'O.P.A. Si l'on parle de plus en plus de délits de ce genre, ce n'est pas parce qu'il y a de plus en plus d'O.P.A., c'est parce qu'on est de plus en plus attentif aux délits en question. Il y a, sur ce point, un progrès de l'éthique très net depuis dix ou quinze ans : on s'accorde aujourd'hui à considérer comme moralement répréhensible ce que, dans le monde boursier et bancaire, on considérait encore comme normal il y a relativement peu de temps. Je serais personnellement tenté de penser que, grâce à ce progrès de l'éthique, il y a non pas plus, mais moins de délits d'initiés aujourd'hui qu'hier. Mais on est plus choqué, on en parle davantage.

Cela dit, la mobilité même que la finance agressive donne à l'économie crée inévitablement des occasions d'abus pour les malins. Mais la crainte de ces abus ne doit pas suggérer de recourir à un abus bien pire, qui est la stérilisation de l'économie par le conservatisme. Il y avait infiniment moins d'agressions nocturnes à Paris de 1941 à 1944 qu'il n'y en a aujourd'hui ; ce n'est pas une raison pour rétablir le couvre-feu ! Le pire danger pour les économies de l'Europe occidentale ne vient pas des abus de la finance agressive, mais du conservatisme.

Il en est de ce sujet comme de la concurrence. Celle-ci peut comporter de nombreux abus, et même engendrer des désastres, mais il n'est pas de pire désastre que celui d'une économie qui est privée de concurrence. Il en va de même en matière d'O.P.A. Et d'ailleurs, il s'agit — si l'on y réfléchit bien — d'un cas particulier de concurrence : les O.P.A. sont en somme une procédure (la seule) qui permet la compétition entre équipes dirigeantes pour la responsabilité de la gestion des entreprises.

Q : *Dans ce tableau qui me paraît quelque peu idyllique — je dirais même férocement idyllique —, vous semblez tout de même admettre que des abus se produisent. Comment les prévoir, les repérer s'ils existent, et les réprimer ?*

P.M. : Les autorités compétentes, telles qu'en France la C.O.B., ont en la matière un rôle éminent à jouer, qui est d'établir les règles du jeu et de sanctionner leur violation. Il faut assurer la transparence des opérations, fixer les règles de déclaration pour ceux qui, ramassant les actions en Bourse, dépassent certains seuils considérés comme critiques. Il faut veiller à ce que l'information donnée aux actionnaires soit suffisante. Il faut empêcher que l'un des actionnaires, l'agresseur par exemple, tire pour lui un avantage qui ne soit pas étendu à tous les autres. En revanche, ce qui n'est pas le rôle des autorités, c'est de choisir qui est le bon combattant et qui est le mauvais, qui est le blanc et qui est le noir. Lorsque les autorités britanniques ont fait en sorte que la House of Fraser (qui contrôle Harrods) ne tombe pas dans les mains de Tiny Rowland, peut-être parce que l'*establishment* n'aime pas Tiny Rowland, il est clair qu'elles sont sorties de leur rôle normal (et elles en ont été punies puisque, aujourd'hui, un horrible imbroglio fait qu'on ne sait même pas qui est devenu le propriétaire de cette firme). Il n'appartient pas aux autorités de dire ni qui est le meilleur *manager* ni quelle est la bonne stratégie pour l'entreprise concernée.

Q : *Tout de même, il faut que les autorités disposent de pouvoirs suffisants pour assurer la transparence des opérations et l'égalité des chances de tous. Etes-vous sincèrement favorable au renforcement des pouvoirs de la C.O.B.? Doit-elle se rapprocher de la S.E.C. américaine?*

P.M. : Incontestablement, il faut renforcer les pouvoirs de la C.O.B., et vous savez que cela est en train de se préparer. Mais votre référence à la S.E.C. m'amène à vous dire que celle-ci va trop loin et que je ne souhaite pas que la France voie se créer sur son territoire l'espèce de terrorisme qu'elle fait régner aux Etats-Unis. Il y a quelques années, Ivan Boesky, génial tricheur sur les Bourses américaines, dénoncé par un complice, s'est promené pendant des mois avec un micro caché, s'efforçant d'amener le plus de gens possible à prononcer des phrases compromettantes, sachant que s'il en enregistrait un nombre suffisant, sa peine serait considérablement réduite. Cela est indigne. Indigne, bien sûr, de la part de Boesky, qui acheva de se déshonorer. Mais indigne aussi de la part de ceux qui lui avaient mis ce marché en main.

Q : *Votre carrière à Paribas et à Pallas a dû vous permettre de juger l'éthique des financiers. Allez-vous prétendre qu'à l'exception de Boesky, vous n'y avez jamais rien trouvé à redire ?*

P.M. : Bien sûr que si ! Le monde des affaires n'est pas un monde angélique, tant s'en faut. Cependant, je n'aperçois pas, à cet égard, de différence entre le monde financier et le monde industriel. Dans les deux cas, je vois des possibilités identiques, ou en tout cas analogues, de tricherie. Mettons de côté les fraudes commises à l'encontre des intérêts de l'Etat : fraudes fiscales, fraudes vis-à-vis de la Sécurité sociale, vis-à-vis de la réglementation des changes, etc... Il va de soi que les métiers financiers et les métiers industriels ont à cet égard les mêmes devoirs, les mêmes tentations, et offrent les mêmes possibilités d'enrichissement aux dépens de la communauté nationale. Portons plutôt notre attention sur les abus dont les victimes sont non pas les pouvoirs publics, mais les personnes privées. J'en perçois deux sortes principales :

Première sorte : on gruge les clients de l'entreprise. Si l'entreprise est bancaire, ce peut être une tromperie sur les jours de valeur en cas d'encaissement ou de paiement, l'application d'un ordre de Bourse ou de change sur la base d'un cours inexact, etc. Ces malhonnêtetés sont de même nature que celles que peuvent pratiquer parallèlement les industriels ou les commerçants sans scrupules : tromperie sur le poids, sur la nature des composants, sur l'origine du produit, etc.

Deuxième sorte : on gruge les actionnaires de la société (si elle est cotée en Bourse) au bénéfice soit du management, soit de l'actionnaire principal (qui parfois se confondent). Un des trucs les plus commodes consiste, pour le management, à recourir, pour les transports des produits de la société, ou pour le courtage d'assurances, ou pour l'assistance technique, ou pour quelque objet que ce soit, aux bons soins d'une entreprise dont les services sont rémunérés d'une manière excessivement généreuse et dont les propriétaires sont, comme par hasard, les dirigeants ou l'actionnaire principal de la société. Dans ce cas, c'est la masse des actionnaires qui, sans le savoir, paie un véritable impôt à quelques individus. Cette vilenie peut être pratiquée dans n'importe quel secteur de l'économie, financier ou non financier. L'exemple le plus révoltant que je crois connaître dans l'économie française d'aujourd'hui ressortit au secteur non financier...

Q : *Revenons aux rapports conflictuels entre la finance et l'industrie. Même si les règles du jeu sont clairement définies et scrupuleusement respectées, même si les O.P.A. aident, globalement, à la modernisation de l'industrie financière, ne pouvez-vous reconnaître que, dans certains cas, la sphère financière vampirise la sphère industrielle ? L'expérience de la Grande-Bretagne est un bon exemple. Voici un pays qui, industriellement, est dans une situation assez peu satisfaisante, alors que financièrement, son succès est incroyable. N'y a-t-il pas un lien entre ces deux faits ? Je vous rappelle qu'une des expressions employées pour dénoncer les méfaits de la « bulle financière » a été précisément le terme de « britannisation ».*

P.M. : Il est exact que le succès de la City est fantastique : Londres jouit, dans les activités financières, d'un rang *grosso modo* égal à celui de New York et de Tokyo, malgré l'inégalité criante des puissances économiques respectives. Et cette forte position de Londres a survécu à la ruine de l' « empire » et à un quart de siècle de contrôle des changes...

D'un autre côté, l'industrie britannique laisse beaucoup

à désirer, encore qu'il faille se garder de systématiser les choses ; certains secteurs sont très performants (chimie, boissons alcoolisées) ; il n'en est pas moins vrai que, dans son ensemble, elle n'est pas un modèle d'efficience — mêmc si l'action de Margaret Thatcher l'a sensiblement redressée.

J'estime peu sérieux de suggérer que si l'industrie anglaise est décevante, c'est à cause de la toute-puissance de la City. C'est comme si l'on disait : « Si cet enfant est nul en histoire et géographie, c'est parce qu'il est trop bon en arithmétique. » Pourquoi cette faiblesse de l'industrie au Royaume-Uni ? Pour bien des raisons qui n'ont rien à voir avec le prétendu parasitisme de la City. Ainsi, depuis un siècle, la Grande-Bretagne a sous-investi sur son territoire dans l'industrie comme dans l'infrastructure (elle a en revanche beaucoup investi hors de son territoire, aux Etats-Unis, en Argentine, etc., mais cela est une autre histoire). Autre raison de ce déclin industriel : les syndicats britanniques, souvent irresponsables, s'acharnent à livrer de mauvais combats...

> Q : *Vous pourriez ajouter que l'industrie britannique a été sensiblement affaiblie, au lendemain de la Première Guerre mondiale, par la volonté des autorités anglaises de redonner à la livre sa pleine valeur d'avant 1914, et que cette politique déraisonnable a été choisie en vue de servir les intérêts de Londres comme place financière en permettant à ceux qui avaient fait des dépôts en sterling de retrouver leurs mises initiales.*

P.M. : C'est tout à fait exact. Mais il ne faut pas tirer de ce rappel historique des conséquences excessives. Pourquoi la City est-elle florissante ? Pour bien des motifs autres que l'imaginaire vampirisation de l'industrie anglaise. N'oublions pas que la City est éminemment

317

internationale. Il y a là des fonds du monde entier ; ces fonds, s'ils n'étaient pas dans la City, seraient placés dans un autre centre financier mondial, et non pas investis dans l'industrie anglaise.

Originellement la puissance de la City a reposé sur l'insularité, la mer, les colonies, le marché des matières premières, les transports, l'assurance des transports... (La City s'est fondée dès l'origine sur le commerce international, contrairement à New York et Tokyo qui, en tant que places financières, reposent en premier lieu sur une puissante industrie nationale). Elle a pris une avance qui constitue aujourd'hui encore un atout. Mais il s'y ajoute la chance de parler la première langue du monde (uniquement par le hasard historique qui a fait que les Etats-Unis parlent anglais). Plus récemment encore, s'y est ajouté l'atout résultant de la position géographique de Londres à l'ère des opérations vingt-quatre heures sur vingt-quatre autour de la planète : sans Londres, il y aurait un trou dans la continuité temporelle des opérations financières internationales. Mais il faut souligner aussi la tradition très libérale des institutions britanniques : la liberté est propice à la finance. Londres a toujours ouvert ses portes, avec beaucoup d'intelligence, aux étrangers de haute qualité ; il suffit de regarder le nom des principales firmes de la City, les grandes *merchant banks* par exemple, pour mesurer l'apport, aux XIXe et XXe siècles, des élites d'Europe centrale, baltique ou orientale, toutes accueillies par l'Angleterre. Les familles non britanniques immigrées à Londres il y a une, deux, trois ou quatre générations, jouent un rôle très important dans la City. Mais je n'ai garde d'oublier un apport qui est, lui, éminemment anglais : les nouveaux métiers du négoce de valeurs mobilières et de produits financiers sont admirablement adaptés aux qualités traditionnelles de ceux qu'on appelle les *barrow boys*, c'est-à-dire ces gens de l'East End de

Londres qui savent vendre vite, avec peu d'*impedimenta* et peu d'investissements, les choses les plus diverses. C'est un peu tout cela qui a fait le succès de la City.

Q : *Bref, pour vous, tout va pour le mieux dans le meilleur des mondes financiers ! Aux trois arguments qui étayent la théorie de la « bulle financière » — le détournement des flux, la dérive des activités et la montée de l'agressivité boursière — vous répondez par la négative.*

P.M. : Je ne nie pas ces phénomènes, mais, pour moi, ils ne sont pas la preuve d'une prétendue nocivité, d'un prétendu parasitisme de la sphère financière. Il est exact que les mœurs boursières deviennent plus violentes, mais cette violence est en elle-même régénératrice, comme — dans son essence même — la concurrence. Et s'il est exact que les flux de capitaux modifient leur route, que les tâches du chef d'entreprise se sont notablement infléchies, cette évolution n'est pas pathologique, elle traduit au contraire l'adaptation souhaitable de l'économie à une évolution objective, naturelle. La pénétration mutuelle du domaine industriel et du domaine financier est un fait de civilisation dont il est enfantin de s'effaroucher.

J'admets que ce fait de civilisation comporte des dangers. A mes yeux, le principal, le seul péril qui compte vraiment résulte de l'attention croissante que, dans un pays comme les Etats-Unis, les financiers attachent à l'évolution à court terme des sociétés. Le jugement que le marché porte sur une entreprise — jugement qui est matérialisé dans son évaluation boursière — est en principe fondé sur une certaine combinaison d'informations à court terme (que valent aujourd'hui les actifs de la société ? quel a été son profit dans les tout derniers mois ?...), et d'informations à plus long terme (quel est son programme

319

pour les cinq ans à venir ? que vaut-il ? a-t-elle des chances de le réaliser ? quelles en seront les conséquences sur ses actifs, sur ses profits ?). Donner trop d'importance aux éléments à long terme, c'est risquer de juger une société sur des désirs, des intentions, des extrapolations, des paris : à la limite, des rêves et des mots. En revanche, en accorder trop aux éléments à court terme, c'est risquer de juger l'entreprise sur des chiffres qui résultent de la réalité immédiate, celle-ci étant peut-être l'effet d'événements conjoncturels, ou d'accidents, ou de la gestion passée (alors que la gestion présente est tout à fait différente), bref, sur des données dépourvues de signification réelle. En fait, on prête aujourd'hui une importance démesurée aux éléments à court terme.

Q : *Dans le monde d'aujourd'hui, et surtout aux Etats-Unis, cette obsession du court terme est en train de devenir une véritable maladie.*

P.M. : Oui. Une vive pression s'exerce sur les chefs d'entreprise de toutes les sociétés cotées en Bourse pour qu'ils publient, et le plus vite possible, des chiffres trimestriels, même si cela n'a pas grand sens pour certains secteurs économiques. Et les chefs d'entreprise savent qu'ils vont être jugés sur ces chiffres trimestriels. Résultat de cette hantise du trimestre : ils pensent d'abord beaucoup trop à ce que vont être ces chiffres du trimestre qui s'achève ou qui vient de s'achever, et pendant que leur attention est concentrée sur ces chiffres, elle ne l'est pas sur les problèmes fondamentaux de l'entreprise, sur les grandes initiatives à prendre, parce que ces initiatives ne produiront leurs effets qu'à moyen terme. En outre, les dirigeants agissent trop souvent en fonction du résultat trimestriel qu'ils pressentent et qu'ils souhaitent éventuellement corriger. Ainsi se multiplient les petites roueries consistant, par exemple, à différer ou à avancer de quelques jours le paiement d'une dette ou le recouvrement d'une créance, pour que les chiffres correspondants affectent soit le trimestre en cours, soit le trimestre suivant, selon ce qui paraît le plus souhaitable *pour l'apparence.* Tous les chefs d'entreprise ont agi ainsi un jour ou l'autre, et ces malices sont sans importance. Mais ce qui est plus grave, c'est d'aller jusqu'à vendre un actif pour réaliser une plus-value et donner meilleure figure au trimestre correspondant, bien qu'on soit persuadé que, dans l'intérêt de la société, il eût mieux valu conserver l'actif en question.

Le monde financier s'est laissé entraîner peu à peu à ces excès, en grande partie par souci de la perfection, par une volonté de raffinement de la part des analystes qui, sur une entreprise, veulent en savoir toujours plus, toujours plus vite, avoir des renseignements toujours plus frais, toujours plus fréquents. N'oublions pas qu'en outre, la multiplication des chiffres à calculer et à publier est fructueuse pour tous ceux dont c'est le métier de les établir et de les présenter. Il s'ensuit qu'il y a une puissante résistance contre toute tentative visant à atténuer les excès en question.

Q : *Ces excès, vous l'admettrez, entraînent de graves erreurs d'analyse et, en fin de compte, de beaux gaspillages économiques. Cette fascination pour le court terme ne condamne-t-elle pas le système que l'Europe est tentée d'emprunter à l'Amérique ?*

P.M. : Dénoncer ces excès, et même ajouter qu'ils ne sont pas faciles à corriger, ne suffit pas à condamner le système. De même que les innombrables défauts concrets de la démocratie ne suffisent pas à nous convaincre qu'il faut choisir un régime despotique, de même les graves anomalies présentes de la finance américaine ne constituent pas une raison de vouloir écarter ou minimiser le recours aux mécanismes du marché financier pour la distribution des capitaux dans l'économie.

Une réaction interviendra fatalement un jour ou l'autre dans les économies occidentales, et notamment dans l'économie américaine, contre les abus de la hantise du trimestre. Cette réaction est inévitable, parce qu'on ne peut pas ne pas se rendre compte que les présents errements sont de nature à fausser le jugement et, par conséquent, à provoquer des décisions mauvaises pour la distribution des capitaux dans l'économie. Un jour ou l'autre, on reconnaîtra que les chiffres trimestriels sont, dans beaucoup de cas, non significatifs, et qu'une bien plus grande importance devrait être accordée à des éléments qui ne sont pas reflétés dans ces chiffres, dont les plus importants ne sont d'ailleurs pas quantifiables (le successeur du président sexagénaire a-t-il été bien préparé ? les équipes sont-elles motivées et unies ? etc...). Des écoles nouvelles de pensée apparaîtront, un jour prochain, qui redonneront à ces éléments la place qu'ils méritent.

Mais, de toute façon, l'alliance intime de l'industrie et de la finance ne pourra que progresser. On peut au demeurant soutenir que cette alliance constitue un cas particulier d'un phénomène plus général, qui est l'interpénétration des activités industrielles et des activités de service : les services se conçoivent de moins en moins sans le recours aux équipements les plus évolués, la fourniture d'équipements en vue des activités de services devient un des secteurs industriels les plus vivants, etc.

L'économie se « financiarise » comme elle s'est industrialisée il y a un siècle ou un siècle et demi ; beaucoup se sont alors voilé la face en déplorant les reculs de l'artisanat pré-industriel, comme ils se voilent aujourd'hui la face devant la disparition de l'industrie préfinancière...

322

Q : *Alors, Pierre Moussa banquier, rien que banquier ? Avez-vous la conviction que, dans cette vie de
banquier, vous vous êtes totalement accompli ? Avec une
personnalité comme la vôtre, on en doute un peu.*

P.M. : J'admets que je sens quelquefois s'agiter en moi
le professeur, l'acteur, le philosophe, le politique que je
n'ai pas été. Quel est l'homme dont le métier, dont le
destin, épuisent les virtualités qui sont en lui ?

Telle quelle, ma vie a été distrayante. A-t-elle été utile ?
Pas de manière éclatante ; mais je n'étais pas voué à jouer,
sur aucun registre, un rôle appelant l'admiration ou la
gratitude des siècles futurs, je n'ai pas la sottise de
m'attribuer l'étoffe d'un géant. Utile, cependant, je pense
que ma vie l'a été ; dans sa phase d'administration
publique et dans sa phase de finance privée. Modestement, raisonnablement utile, comme il convient.

INDEX BIOGRAPHIQUE

Il a paru utile de donner quelques indications sur les personnes dont les noms sont cités dans l'ouvrage. C'est l'objet du présent index, qui ne comprend bien entendu ni les noms les plus universellement connus, ni ceux des personnes sur lesquelles le texte du livre lui-même est suffisamment explicite. N'y figurent ni les membres des gouvernements français les plus récents, ni les membres du personnel des groupes Paribas et Pallas mentionnés dans le texte. L'appartenance aux corps de l'Etat est indiquée par une mention uniforme (« membre du Conseil d'Etat », « inspecteur des Finances », « ingénieur des Mines »...) sans qu'on essaie d'indiquer les titres précis (« ingénieur en chef », « maître des requêtes », « inspecteur général »...) correspondant aux grades hiérarchiques successifs.

Michel ALBERT
p. 106.

né en 1930, ancien élève de l'E.N.A., inspecteur des Finances, a été vice-président de la société Presse-Union qui éditait l'hebdomadaire *L'Express*, puis vice-président du conseil de surveillance du groupe Express, directeur général de l'Union d'études et d'investissements (U.E.I., banque d'affaires du Crédit Agricole), commissaire adjoint puis commissaire au Plan ; il est aujourd'hui président du groupe des Assurances Générales de France (A.G.F.). Il est l'auteur d'importants essais sur l'économie et l'Europe.

Michel ALEXANDRE
pp. 18, 22.

(1889-1952), atteint de coxalgie dès sa première enfance, agrégé de philosophie, enseigna dans divers lycées de province et de Paris, devint professeur de première supérieure en 1932 (au lycée Henri IV et en 1939-1940 à Clermont-Ferrand). Il fut, ainsi que sa femme Jeanne Halbwachs, un disciple passionné du philosophe Alain ; tous deux fondèrent et dirigèrent la revue *Libres Propos* (1921-1924 et 1927-1935) d'inspiration alinienne et pacifiste, où parurent mille huit cents des *Propos* d'Alain.

327

Louis ALTHUSSER
pp. 38, 104.

né en 1918, normalien, agrégé de philosophie, marxiste illustre, auteur de plusieurs ouvrages philosophiques et politiques, a été presque toute sa carrière maître-assistant et secrétaire de l'Ecole normale supérieure.

Gabriel d'ARBOUSSIER
p. 58.

(1908-1976) appartint d'abord à l'administration d'outre-mer puis fut député du Gabon et du Moyen Congo, secrétaire général du Rassemblement Démocratique Africain (R.D.A.), président du Grand Conseil de l'A.O.F., garde des Sceaux de la République du Sénégal, puis haut représentant de la République du Sénégal en France.

Jacques ATTALI
pp. 202, 228.

né en 1943 en Algérie, polytechnicien, ingénieur des Mines, ancien élève de l'E.N.A., membre du Conseil d'Etat, a été de 1974 à 1981 directeur d'études à l'université Paris IX Dauphine; il est conseiller spécial auprès du président de la République depuis 1981. Il est l'auteur d'ouvrages d'économie et d'histoire, de plusieurs essais et d'un roman.

Jean BAILLOU
pp. 33, 41.

né en 1905, normalien, agrégé des lettres, auteur de plusieurs ouvrages sur le seizième siècle français, a été secrétaire général puis sous-directeur de l'Ecole normale supérieure, directeur adjoint des Relations culturelles puis directeur des Archives au ministère des Affaires étrangères, et enfin directeur de l'Institut des hautes études d'outre-mer puis de l'Institut international d'administration publique.

Jean BAYET
p. 34.

(1892-1969), normalien, agrégé des lettres, auteur d'ouvrages sur l'histoire et la littérature de Rome, fut professeur de lycée puis de faculté à Caen puis à Paris, directeur général de l'Enseignement et enfin directeur de l'Ecole française de Rome. Il était membre de l'Académie des inscriptions et belles-lettres.

Bernard BEAU
pp. 48, 111.

né en 1920, inspecteur des Finances, a été directeur général de la Compagnie algérienne, directeur général adjoint de la Banque de l'Union Parisienne (B.U.P.), puis (après la fusion de celle-ci avec le Crédit du Nord) du

Crédit du Nord. En 1976 il est devenu président-directeur général de la Société française d'assurances pour favoriser le crédit (S.F.A.F.C.), aujourd'hui nommée Société française d'assurance crédit (S.F.A.C.).

né en 1917, conseil en communication et relations extérieures, vice-président du Conseil économique et social.

né en 1934 en Italie, ingénieur de l'Ecole polytechnique de Turin, redressa la société Ing. C. Olivetti & C. SpA dont il est aujourd'hui président. Fondateur des sociétés Compania Industriali Reunite (C.I.R.) en Italie et CERUS (Compagnies européennes réunies) en France.

né en 1915 en Espagne, a créé au lendemain de la guerre à Séville le groupe Abengoa (construction et ingénierie) qui a pris de vastes proportions et qui est encore aujourd'hui contrôlé par sa famille. Il en est président.

né en 1917, journaliste, fonda au lendemain de la Libération la Société Générale de Presse dont il est président-directeur général, qui édite des publications d'information spécialisée et des ouvrages de documentation. Il a été vice-président et trésorier national du parti radical-socialiste, trésorier national de la Fédération de la Gauche Démocrate et Socialiste (F.G.D.S.), cofondateur et, depuis l'origine (septembre 1944) jusqu'aujourd'hui, secrétaire général de l'association Le Siècle.

né en 1903, entra en 1937 à la Société anonyme André Citroën (qui devait prendre, en 1968, le nom de Citroën S.A.) dont il devint directeur général en 1950 et dont il fut président-directeur général de 1958 à 1970.

né en 1898 aux Etats-Unis, fit une carrière de banquier à Atlanta puis à New York (Harris, Forbes and Co. ; Chase-Harris, Forbes ; Chase National Bank of New York), et fut de 1949 à 1962 président de la Banque Mondiale.

François BLOCH-LAÎNÉ
pp. 48, 74, 106, 231.

né en 1912, inspecteur des Finances, a été directeur du cabinet du ministre des Finances (Robert Schuman), directeur du Trésor, directeur général de la Caisse des dépôts et consignations et président du Crédit lyonnais. Il est l'auteur de plusieurs ouvrages d'économie.

Ivan BOESKY
p. 314.

né en 1937 aux Etats-Unis, travailla dans diverses maisons de Wall Street, se spécialisa dans l'arbitrage, et monta en 1975 sa propre firme de courtage. Dénoncé pour des délits d'initié, il fut condamné en 1987 à trois ans de prison.

Marcel BOITEUX
p. 107.

né en 1922, normalien, agrégé de mathématiques, fit à Electricité de France une très large partie de sa carrière, avec les fonctions de directeur des services d'études économiques, de directeur général et enfin de président. Il a en outre assumé de nombreuses responsabilités de réflexion et d'action dans les domaines scientifique et économique. Il est aujourd'hui président du conseil d'administration de l'Institut Pasteur, président de la Conférence mondiale de l'énergie, président de la Commission sur les perspectives de 1993.

Carlo BOMBIERI
pp. 229, 256.

né en 1910 en Italie, rejoignit la Banca Commerciale Italiana (Comit) en 1939, en devint administrateur délégué en 1965. Depuis 1974, il a quitté la Comit et demeure actif comme administrateur et conseil de sociétés.

Abel BONNARD
p. 33.

(1883-1968), écrivain et journaliste qui prit sous l'Occupation une position très collaborationniste. Il fut ministre de l'Education nationale (1942-1944) ; condamné à mort, puis à dix ans de bannissement. Fut membre de l'Académie française.

Pierre (dit Cassim)
BONNASSE
p. 231.

(1910-1986) a été directeur de la Compagnie française d'assurance pour le commerce extérieur (Coface), directeur général puis président de la Société Anonyme Française de Réassurance (S.A.F.R.).

330

Georges BOUQUET
p. 122.

né en 1901, administrateur civil puis sous-directeur au ministère des Finances, fut ensuite président-directeur général des compagnies d'assurances nationalisées l'Aigle-capitalisation, l'Aigle-vie, le Soleil-capitalisation, le Soleil-vie et la Compagnie générale de réassurances-vie (1946-1968), puis vice-président du Groupe des Assurances Nationales (G.A.N.), et président de la Société pour le développement de la télévision (Sodete).

Yvon BOURGES
p. 69.

né en 1921, entra dans l'administration préfectorale puis d'outre-mer, fut gouverneur de la Haute-Volta puis haut-commissaire en Afrique équatoriale française, directeur du cabinet du ministre de l'Intérieur (Roger Frey), député (gaulliste) d'Ille-et-Vilaine (1962-1965 et 1973-1975), secrétaire d'Etat puis ministre (notamment de la Défense) sous plusieurs gouvernements (1965-1973 et 1975-1980). Il est aujourd'hui sénateur d'Ille-et-Vilaine et président du Conseil régional de Bretagne.

Maurice
BOURGÈS-MAUNOURY
p. 59.

né en 1914, polytechnicien, a été commissaire de la République à Bordeaux, député (radical-socialiste) de la Haute-Garonne, de nombreuses fois ministre, notamment des Travaux publics, des Finances, de l'Industrie et du Commerce, de l'Intérieur et à plusieurs reprises de la Défense nationale et des Forces armées. Il fut président du Conseil en 1957. Il a été, par ailleurs, président-directeur général de la Société industrielle et financière de l'Artois et des Mines de Kali-Sainte-Thérèse.

Dominique BOYER
p. 48.

né en 1921, inspecteur des Finances, entra à la Compagnie des Chargeurs Réunis où il fut directeur, directeur général adjoint, directeur général, et enfin vice-président-directeur général.

Gilles
BRAC de LA PERRIÈRE
pp. 270-271.

né en 1927, ancien élève de l'E.N.A., inspecteur des Finances, fut directeur de la société Progil, puis de Rhône-Poulenc, et ensuite directeur général puis président-directeur général de la Société lyonnaise de dépôts et de crédit industriel. Il est aujourd'hui président de la Banque Pallas France, président du conseil du marché à terme et membre du collège de la Commission des Opérations de Bourse (C.O.B.).

Robert BRASILLACH
p. 32.

(1909-1945), normalien, journaliste, essayiste et romancier, fut en particulier rédacteur en chef de l'hebdomadaire fasciste *Je suis partout*. Ses prises de position collaborationnistes lui valurent d'être exécuté à la Libération.

René BROUILLET
p. 32.

né en 1909, normalien, membre de la Cour des comptes, a été directeur adjoint du cabinet du président du Gouvernement provisoire de la République (Général de Gaulle), directeur du cabinet du président de la République (Général de Gaulle), ambassadeur à Vienne puis auprès du Saint-Siège, membre du Conseil constitutionnel. Il est membre de l'Académie des sciences morales et politiques.

Claude BRUNEAU
pp. 158, 259.

né en 1931 au Canada, a été notamment *vice president* de la société Power Corporation of Canada, puis *chairman* et *chief executive officer* de The Imperial Life Assurance Company of Canada.

Robert BURON
pp. 49-50, 52, 54, 56-57, 59-61, 63, 74, 99, 115-119.

(1910-1973) a été pendant la plus grande partie de sa vie député (M.R.P.) de la Mayenne ; il fut neuf fois ministre sous la IVe République, notamment de l'Information, de la France d'outre-mer et des Finances, des Affaires économiques et du Plan ; il fut trois fois sous la Ve République ministre des Travaux publics, des Transports et du Tourisme (dans les gouvernements de Gaulle, Debré et Pompidou). Il fonda en 1967 le groupe politique « Objectif 72 » transformé en « Objectif socialiste » lorsqu'après le congrès d'Epinay il adhéra au Parti Socialiste.

Pierre de LA LANDE DE CALAN
pp. 47, 179.

né en 1911, inspecteur des Finances, fut directeur du cabinet du secrétaire d'Etat à la Production industrielle (Jean Bichelonne), directeur du Commerce intérieur, vice-président délégué du syndicat général de l'industrie cotonnière, vice-président puis président de la Société française des constructions Babcock et Wilcox, président de la Compagnie industrielle et financière Babcock-Fives, président de Barclays bank S.A. Auteur d'ouvrages d'économie ainsi que d'œuvres romanesques et dramatiques, il est membre de l'Académie des sciences morales et politiques.

Gilles CHAINE
p. 24.

(1921-1944), frère du précédent, normalien, tué dans un bombardement de gare alors qu'il accomplissait une mission pour la Résistance.

Paul de CHALUS
p. 140.

(1910-1988), ancien H.E.C., a été directeur puis directeur général des compagnies d'assurances La Fortune et Marine Marchande, devenues en 1972 La Fortune-Marine Marchande.

Pierre CHAMBON
p. 161.

né en 1931, docteur en médecine, agrégé de biologie médicale, est depuis 1974 professeur à l'université Louis Pasteur à Strasbourg, depuis 1977 directeur du laboratoire de génétique moléculaire des eucaryotes au C.N.R.S., depuis 1978 directeur de l'unité de biologie moléculaire et de génie génétique de l'I.N.S.E.R.M. (Institut national de la santé et de la recherche médicale) ; il est membre de l'Académie des sciences et de l'Académie des sciences des Etats-Unis.

Fernand CHAPOUTHIER
p. 34.

(1899-1953), normalien, agrégé des lettres, helléniste, membre de l'Ecole d'Athènes, enseigna aux universités de Dijon, de Bordeaux, puis à la Sorbonne, où il fut professeur de littérature et de civilisation grecques. Il fut aussi directeur adjoint de l'Ecole normale supérieure.

Philippe CHARMET
pp. 103, 109.

né en 1921, a été journaliste puis publicitaire. Il a été président-directeur général de l'agence Lintas à Paris (1964-1985). Il est aujourd'hui directeur gérant de Publi-Média service et président du Centre d'Etudes des Supports de Publicité (C.E.S.P.).

Paul CHAUVET
pp. 68-69.

né en 1904, administrateur de la France d'outre-mer, fut résident supérieur au Tonkin, secrétaire général du gouvernement général en A.O.F. puis gouverneur général et haut-commissaire en Afrique équatoriale française. Il présida ensuite la Société des mines de cuivre de Mauritanie.

Bernard CHENOT
p. 126.

né en 1909, membre du Conseil d'Etat, fut secrétaire général du Conseil économique, ministre de la Santé publique et de la Population, garde des Sceaux, membre du Conseil constitutionnel, président de la compagnie des Assurances Générales puis du groupe des Assurances Générales de France (A.G.F.), et vice-président du Conseil d'Etat. Auteur d'ouvrages sur les institutions et les doctrines, il est secrétaire perpétuel de l'Académie des sciences morales et politiques.

Alain CHEVALIER
pp. 52, 106, 185.

né en 1931, ancien élève de l'E.N.A., membre de la Cour des comptes, entra en 1970 à la société Moët et Chandon comme directeur général et fut ensuite directeur général puis président-directeur général de Moët-Hennessy, puis président du directoire de Moët-Hennessy-Louis-Vuitton jusqu'en 1989.

Bernard CLAPPIER
pp. 52, 87, 231.

né en 1913, inspecteur des Finances, fut directeur du cabinet de Robert Schuman (ministre des Finances puis des Affaires étrangères), directeur des Relations économiques extérieures, sous-gouverneur de la Banque de France, président-directeur général du Crédit national et gouverneur de la Banque de France. Il est depuis 1983 vice-président de la Banque des Règlements Internationaux (B.R.I.).

Eugène CLAUDIUS-PETIT
p. 59

né en 1907, ouvrier ébéniste, puis professeur de dessin, membre de l'Assemblée consultative provisoire d'Alger, président du Mouvement de libération nationale, a longtemps été député de la Loire, et ensuite de Paris, a été ministre du Travail et de la Sécurité sociale et, à de nombreuses reprises, ministre de la Reconstruction.

Tom CLAUSEN
p. 232.

né en 1923 aux Etats-Unis, consacra la plus grande partie de sa carrière à la Bank of America dont il a été *president* et *chief executive officer* de 1970 à 1981 et de nouveau depuis 1986. Il a été président de la Banque Mondiale de 1981 à 1986.

335

Bernard CORNUT-GENTILLE
pp. 68-69.

né en 1909, appartint au corps préfectoral et fut notamment préfet d'Ille-et-Vilaine, de la Somme et du Bas-Rhin, directeur des affaires départementales et communales au ministère de l'Intérieur. Il fut ensuite haut-commissaire en A.E.F. puis en A.O.F., chef de la mission permanente près les Nations Unies, ambassadeur en Argentine. Le général de Gaulle le fit ministre de la France d'outre-mer ; il entra alors dans la carrière politique et fut député des Alpes-Maritimes, ministre des Postes, Télégraphes et Téléphones, et maire de Cannes.

Gilbert COTTEAU
p. 111.

né en 1931, fut professeur à Saint-Quentin avant d'être le fondateur et l'animateur, successivement, des associations suivantes : Villages d'Enfants S.O.S. de France, Delta 7, Astrée.

René DAMIEN
p. 179.

(1893-1971), polytechnicien, fut administrateur délégué des Tubes de Valenciennes, directeur général de Denain-Anzin, directeur général puis président-directeur général d'Usinor.

Jean DANIEL
p. 56.

né en 1920 en Algérie, journaliste et écrivain, a été directeur de la revue *Caliban*, rédacteur en chef de *L'Express*, rédacteur en chef puis directeur de la rédaction du *Nouvel Observateur* dont il est le directeur depuis 1982.

Pierre DAVID-WEILL
p.179.

(1900-1975), qui appartenait à l'une des familles fondatrices de la maison Lazard, fut de 1927 à sa mort associé-gérant de Lazard frères et Cie, Paris, et de 1943 à sa mort *partner* de Lazard frères and Co, New York. Il était membre de l'Académie des beaux-arts.

Michel DAVID-WEILL
p. 231.

né en 1932, fils de Pierre David-Weill, fut *partner* de Lazard frères and Co, New York (1961-1965), puis associé-gérant de Lazard frères et Cie, Paris, depuis 1965, président d'Eurafrance depuis 1972 et de nouveau *partner* de Lazard frères and Co, New York, depuis 1977. Il est membre de l'Académie des beaux-arts

336

Michel Debatisse
p.106.

né en 1929, exploitant agricole, fut secrétaire général de la Jeunesse Agricole Chrétienne (J.A.C.), secrétaire général adjoint, secrétaire général, président de la Fédération Nationale des Syndicats d'Exploitants Agricoles (F.N.S.E.A.), secrétaire d'Etat chargé des industries agricoles et alimentaires (1979-1981), puis député au Parlement européen.

Victor-Henri Debidour
pp. 17, 22.

(1911-1988), normalien, agrégé des lettres, fut durant la quasi-totalité de sa carrière, de 1938 à 1971, professeur de première supérieure au lycée du Parc à Lyon. Il fut pendant quarante ans rédacteur en chef de la revue lyonnaise *Le Bulletin des lettres*, et publia divers ouvrages consacrés à l'art et à la littérature.

Frédéric Debiesse
pp. 38, 104.

né en 1920, consacra toute sa vie active à la direction de la société familiale L. Debiesse et Cie, fabricant de soieries à Lyon.

Jean Deflassieux
p. 205.

né en 1925, a fait toute sa carrière au Crédit lyonnais dont il fut président de 1982 à 1986. Il est aujourd'hui président-directeur général de la Banque pour le développement des échanges internationaux. Sous le pseudonyme de Jean-Pierre Barel, il a été de 1971 à 1979 membre du comité directeur du Parti Socialiste.

Yvon Delbos
p. 32.

(1885-1956), normalien, agrégé des lettres, journaliste, député pendant une grande partie de sa vie puis sénateur de la Dordogne, fut ministre de la Justice, des Affaires étrangères et de l'Education nationale à plusieurs reprises.

Jean-Marie Delettrez
p. 43.

né en 1915, inspecteur des Finances, a fait toute sa carrière dans les services d'inspection des Finances, tout en y joignant une activité de romancier et d'essayiste.

Frédéric Deloffre
p. 31.

né en 1921, normalien, agrégé de grammaire, a enseigné aux universités de la Sarre, de Lyon, à la Sorbonne, ainsi que — comme *visiting professor* — aux universités de

Harvard, de Berkeley et de Toronto. Auteur d'importants travaux sur la littérature française des XVIIᵉ et XVIIIᵉ siècles et fondateur de l'Union Nationale Interuniversitaire (U.N.I.).

Henri DEROY
pp. 129, 132, 179.

(1900-1979), inspecteur des Finances, a été directeur général des Contributions indirectes, directeur général de la Caisse des dépôts et consignations, secrétaire général pour les Finances publiques, gouverneur du Crédit foncier de France, vice-président puis président de la Banque de Paris et des Pays-Bas, et président de la Compagnie internationale des wagons-lits et du tourisme.

Jean-Louis DESCOURS
p. 231.

né en 1916, a, très jeune, fondé et dirigé une petite entreprise de distribution, a été fonctionnaire au ministère des Finances de 1939 à 1947, puis est entré à la société Chaussures André dont il est devenu directeur général en 1949, président-directeur général en 1960 et qu'il a considérablement développée.

Thierry DESJARDINS
p. 224.

né en 1941, journaliste, notamment au *Figaro* et à *France-Soir*, est aujourd'hui grand reporter au *Figaro*. Il est l'auteur d'ouvrages consacrés à la politique nationale et internationale.

Paul DESMARAIS
pp. 158-159, 229, 258-259.

né en 1927 au Canada, construisit — à partir d'une petite société familiale de transports en commun — un vaste groupe de finance, d'assurances, d'industrie et de presse, coiffé par Power Corporation, dont il est président du conseil et chef de l'exécutif.

Hubert DEVILLEZ
pp. 30, 35.

plus tard de Villez d'Alamon (1906-1976), membre de la Cour des comptes, fut directeur général des Assurances sociales, administrateur général de la Radiodiffusion nationale, président-directeur général de la Nationale Incendie puis de la Nationale Réassurances.

338

Claude DIGEON
pp. 31, 104.

né en 1920, normalien, agrégé des lettres, spécialiste de la littérature française du XIXe siècle, a été professeur aux universités de la Sarre et de Nice.

Jean-Marie DOMENACH
p. 20.

né en 1922, journaliste et essayiste, fut rédacteur en chef, directeur de la revue *Esprit*, puis professeur à l'Ecole polytechnique.

Prince Alexandre DOUALA MANGA BELL
p. 58.

(1897-1966), planteur-propriétaire camerounais, fut député du Cameroun au Parlement français.

Jean DROMER
pp. 106, 231.

né en 1929, ancien élève de l'E.N.A., inspecteur des Finances, fut conseiller technique chargé des questions économiques à la présidence de la République (Général de Gaulle), secrétaire général du Comité interministériel pour les questions de coopération économique européenne, directeur général adjoint de la B.N.P., président-directeur général de la Banque Internationale pour l'Afrique Occidentale (B.I.A.O.), président de la Compagnie financière du C.I.C., et président de l'U.A.P. Il est aujourd'hui président de la Financière Agache.

Sir John DUNLOP
p. 259.

(1910-1984), homme d'affaires australien qui fut notamment *chairman* de C.S.R. limited, un des groupes industriels majeurs d'Australie.

Antoine DUPONT-FAUVILLE
p. 126.

né en 1927, ancien élève de l'E.N.A., inspecteur des Finances, a été directeur du cabinet du ministre de l'Economie et des Finances (M. Debré), directeur du Crédit national, et président-directeur général du Crédit du Nord. Il est aujourd'hui président du directoire de la Banque de Neuflize, Schlumberger, Mallet.

Maurice DUVERGER
p.106.

né en 1917, agrégé des facultés de droit, a été professeur aux facultés de droit de Poitiers, de Bordeaux, à l'université de Paris-I et aux Instituts d'études politiques de Paris, d'Aix-en-Provence et de Bordeaux. Il a collaboré à divers journaux, dont *Le Monde*, et a publié de nombreux ouvrages consacrés aux institutions et à la politique.

John ELLIOTT
p. 259.

né en 1941 en Australie, fut de 1977 à 1981 *managing director* de la société Henry Jones (IXL) limited dont il organisa la fusion avec la société Elders ; il est depuis 1985 *chairman* et *chief executive officer* de Elders IXL, vaste groupe de finance et d'activités agro-alimentaires.

Baron Edouard (François) EMPAIN
p. 164.

(1914-1984), a été administrateur délégué et président d'Electrorail.

Edouard-Jean, baron EMPAIN
p. 164.

né en 1937 en Belgique, neveu et beau-fils du précédent, a été président puis vice-président administrateur délégué d'Electrorail, vice-président puis président de Schneider S.A. de 1972 jusqu'à son éviction en 1981.

Gérard ESKENAZI
pp. 159, 163-164, 174, 183-185, 243-244, 258.

né en 1931, ancien H.E.C., commença sa carrière à Paribas où il gravit les échelons jusqu'à celui de directeur général en 1978 ; il fut éliminé en 1982. Il est aujourd'hui président de Pargesa holding S.A. et vice-président administrateur délégué du Groupe Bruxelles-Lambert S.A.

Pierre ESTEVA
p. 248.

né en 1925, ancien élève de l'E.N.A., inspecteur des Finances, a été directeur du Crédit national, directeur du cabinet de M. Couve de Murville (aux Finances) puis de M. Ortoli (aux Finances puis au Développement industriel), directeur général puis président de l'U.A.P. Il est aujourd'hui président de National Westminster Bank S.A.

Pierre ETIENNE
p. 104.

né en 1920, docteur en médecine, gastro-entérologue, médecin de l'Ecole normale supérieure de 1945 à 1985.

Francis FABRE
pp. 121, 163, 180, 218.

né en 1911, a été président-directeur général pendant de longues années de la Compagnie des Chargeurs Réunis, contrôlée par sa famille jusqu'à la vente de ce contrôle en 1980.

Gabriel FARKAS
p. 224.

né en 1922 en Hongrie, a été journaliste à *Paris Presse,* à *L'Observateur,* à *France-Soir;* est aujourd'hui conseil en communication.

Maurice FAURE
pp. 73, 202, 228.

né en 1922, agrégé d'histoire et de géographie, enseigna quelque temps au lycée de Toulouse avant d'entrer en politique. Il fut à plusieurs reprises député, et plus récemment sénateur du Lot. Il appartint à plusieurs formations ministérielles sous la IVᵉ République, comme secrétaire d'Etat aux Affaires étrangères, et comme ministre de l'Intérieur, ainsi que depuis 1981 comme garde des Sceaux et comme ministre d'Etat, ministre de l'Equipement et du Logement. Il est aujourd'hui membre du Conseil constitutionnel.

Roger FAUROUX
p. 107.

né en 1926, ancien élève de l'E.N.A., inspecteur des Finances, entra en 1961 à la Compagnie de Pont-à-Mousson, fut président de Saint-Gobain Industries, directeur général puis président de la Compagnie de Saint-Gobain-Pont-à-Mousson. Il fut directeur de l'E.N.A. Il est aujourd'hui ministre de l'Industrie et de l'Aménagement du Territoire.

Jacques FAUVET
p. 107.

né en 1914, journaliste, rédacteur en chef puis directeur (1969-1982) du *Monde,* est aujourd'hui président de la Commission Nationale de l'Informatique et des Libertés (C.N.I.L.). Il a publié plusieurs ouvrages d'analyse et d'histoire politiques.

Lucien FEBVRE
p. 30.

(1878-1956), normalien, agrégé d'histoire et de géographie, fut professeur aux universités de Dijon et de Strasbourg, professeur au Collège de France, fondateur et directeur de la grande revue d'histoire *Les Annales,* auteur d'importants ouvrages historiques.

François de la MOTTE-
ANGO DE FLERS
p. 180.

(1902-1986), inspecteur des Finances, entra en 1931 à la banque de l'Indochine, dont il fut directeur général puis président-directeur général.

341

Ottorin FONGARO
p. 39.

né en 1919, normalien, agrégé des lettres, a fait sa carrière dans l'enseignement, aujourd'hui maître-assistant à l'université de Toulouse-le-Mirail.

Jean FORGEOT
p. 231.

né en 1915, inspecteur des Finances, a été directeur du cabinet du président de l'Assemblée nationale (Vincent Auriol), secrétaire général de la présidence de la République (Vincent Auriol), président-directeur général de Schneider S.A., de Creusot-Loire, des Chantiers de France-Dunkerque, de la Société de constructions électro-mécaniques Jeumont-Schneider, et de la Compagnie financière de l'Union européenne.

Michel FOUCAULT
p. 104.

(1926-1984), normalien, agrégé de philosophie, enseigna aux facultés des lettres de Clermont-Ferrand, de Paris-Vincennes, et au Collège de France. Il a laissé une œuvre écrite importante, consacrée à la philosophie et à l'histoire des mœurs.

Jacques de FOUCHIER
pp. 70, 83, 128-132, 137-141, 145, 148, 155, 168, 170, 173-175, 179-185, 215-216, 218, 221, 223, 225-228, 253.

né en 1911, inspecteur des Finances, construisit à partir de 1946 un groupe composé d'établissements financiers ou de banques spécialisées qu'il coiffa en 1959 en créant la Compagnie bancaire. Il fut aussi le premier président de la Compagnie financière pour l'outre-mer (Cofimer). Il fut de 1969 à 1978, puis de nouveau par intérim d'octobre 1981 à février 1982, président de la Compagnie financière de Paris et des Pays-Bas et de la Banque de Paris et des Pays-Bas ; il demeura dans le même temps président du conseil de surveillance de la Compagnie bancaire.

Jon FOULDS
p. 260.

né en 1932 en Grande-Bretagne, a été notamment *chief executive officer* de la société Investors in Industry (aujourd'hui nommée 3i Group plc) ; il en est aujourd'hui *deputy chairman*.

Jean FOURASTIÉ
pp. 87, 278, 296.

né en 1907, ingénieur de l'Ecole Centrale, commissaire-contrôleur des assurances au ministère des Finances, fut professeur au Conservatoire national des arts et métiers et à l'Institut d'études politiques, directeur d'études à l'Ecole pratique des hautes études ; économiste, essayiste, il est l'auteur de nombreux ouvrages qui ont exercé une grande influence. Il est membre de l'Académie des sciences morales et politiques.

Jacques FOURMON
p. 47.

né en 1908, inspecteur des Finances, fut directeur des Prix, directeur des Finances du Maroc, puis entra au Comptoir de l'industrie cotonnière (Etablissements Boussac) dont il fut directeur général. Il a aussi été président-directeur général de la Société foncière lyonnaise et de la Compagnie lyonnaise immobilière.

Jack FRANCÈS
pp. 128, 130-131, 140, 192.

né en 1914, inspecteur des Finances, construisit à partir de 1950 un groupe financier qui s'appela Union des mines puis Union financière et minière. Ce groupe s'étant rapproché de la Compagnie financière de Suez, il fut directeur général de la Compagnie financière de Suez (1972-1982) ainsi que président du directoire de la banque Indosuez. Après les nationalisations de 1982, il devint président de la Compagnie industrielle, titre qu'il conserva jusqu'en 1989.

Jean FRANÇOIS-PONCET
p. 107.

né en 1928, ancien élève de l'E.N.A., entra après un passage dans la carrière diplomatique aux Etablissements J.-J. Carnaud et Forges de Basse-Indre qu'il présida de 1973 à 1975, fut secrétaire d'Etat auprès du ministre des Affaires étrangères dans le gouvernement de M. Chirac, puis secrétaire général de la présidence de la République (M. Giscard d'Estaing), puis ministre des Affaires étrangères dans le gouvernement de M. Barre. Il est aujourd'hui sénateur de Lot-et-Garonne, président de la Commission des Affaires économiques et du Plan du Sénat, et président du Conseil général de Lot-et-Garonne.

Michel
FRANÇOIS-PONCET
p. 174.

né en 1935, cousin germain du précédent, a consacré toute sa carrière au groupe Paribas. Il est président-directeur général de la Compagnie financière de Paribas et de la Banque Paribas depuis 1986.

Albert FRÈRE
pp. 175, 258.

né en 1926 en Belgique, a bâti un groupe centré sur le commerce des métaux ferreux et la sidérurgie (groupe Frère-Bourgeois) ; il participa activement, à partir de

1981, à la construction de Pargesa Holding S.A. dont il est administrateur délégué, et eut un rôle majeur dans la reprise du Groupe Bruxelles Lambert dont il préside le conseil d'administration et le comité exécutif.

Jean-Luc GENDRY
p. 156.

né en 1926, commença sa carrière à la Société française d'assurances pour favoriser le crédit (S.F.A.F.C.). Il construisit ensuite la Société privée de gestion financière (S.P.G.F.), qu'il présida de 1967 à 1983. La S.P.G.F. devint en 1979 la Banque privée de gestion financière (B.P.G.F.), qui connut de graves difficultés en 1983.

Jacques
GEORGES-PICOT
pp. 139, 141.

(1900-1987), inspecteur des Finances, rejoignit en 1942 la Compagnie universelle du canal maritime de Suez (devenue plus tard Compagnie financière de Suez), où il gravit les échelons jusqu'à celui de président-directeur général (1957-1971).

Renaud GILLET
p. 180.

né en 1913, est entré dans le groupe industriel de sa famille, où il a été notamment administrateur-directeur général de Textil, puis président-directeur général de Pricel; il a ensuite été président-directeur général de Rhône-Poulenc.

François GOTTELAND
p. 48.

(1921-1955), normalien, agrégé des lettres, enseigna jusqu'à sa mort au collège Moulay Youssef de Rabat.

Henry GRUNFELD
p. 176.

né en 1904 en Allemagne, a fait l'essentiel de sa carrière à Londres dans la *merchant bank* S.G. Warburg & Co ltd dont il a été *chairman* de 1969 à 1974. Il est aujourd'hui *president* de S.G. Warburg Group plc, société holding du groupe.

Jean GUÉHENNO
pp. 18-23, 253.

(1890-1978), normalien, agrégé des lettres, fit une carrière de professeur et d'écrivain. Il enseigna en première supérieure à Lille, puis au lycée Lakanal, puis à Clermont-Ferrand, enfin au lycée Louis-le-Grand. Rétrogradé sous Vichy comme professeur de première, il retrouva sa chaire de première supérieure en 1944, puis devint inspecteur général de l'instruction publique. Auteur d'ouvrages d'histoire littéraire et de réflexion politique, il était membre de l'Académie française.

Jean GUÉROULT
pp. 109, 259.

né en 1922, industriel, a notamment été président du conseil de direction de Sema-Metra, directeur général de la société de *venture capital* European enterprises development, et président du directoire de la société d'équipement automobile S.E.I.M.A.

Alain GUICHARD
p. 231.

né en 1917, après avoir appartenu à divers cabinets ministériels dont ceux de Robert Buron aux Affaires économiques et à l'Information, entra comme rédacteur au *Monde* où il fit l'essentiel de sa carrière. Il est président de l'Association française des journalistes catholiques et auteur de plusieurs ouvrages d'analyse sociologique et politique.

Antoine GUICHARD
p. 106.

né en 1926, a fait toute sa carrière aux Etablissements économiques du Casino, Guichard Perrachon et Cie, dont il est associé-gérant.

Guillaume GUINDEY
pp. 87, 231.

(1909-1989), normalien, inspecteur des Finances, fut directeur des Finances extérieures, président-directeur général des Mines de cuivre de Mauritanie, directeur général de la Banque des Règlements Internationaux (B.R.I.), président de la Compagnie internationale des wagons-lits et du tourisme, et président de Finextel. Auteur d'ouvrages de philosophie et de politique économique, il était membre de l'Académie des sciences morales et politiques.

Jean GUITTON
p. 22.

né en 1901, normalien, agrégé de philosophie, fut professeur de lycée puis de faculté, à Montpellier, à Dijon puis à Paris. Auteur de nombreux ouvrages touchant à la philosophie et à la religion, il est membre de l'Académie française et de l'Académie des sciences morales et politiques.

345

Jean-Yves HABERER

pp. 85, 106, 124-126, 183-184, 218, 225.

né en 1932, ancien élève de l'E.N.A., inspecteur des Finances, fut directeur du cabinet de M. Michel Debré (aux Affaires étrangères puis à la Défense nationale), directeur du cabinet du ministre chargé de l'Economie et des Finances (M. Durafour puis Robert Boulin), directeur du Trésor, puis président-directeur général de la Compagnie financière de Paribas et de la Banque Paribas. Il est, depuis 1988, président du Crédit lyonnais.

Raphaël HADAS-LEBEL

p. 304.

né en 1940 en Algérie, ancien élève de l'E.N.A., membre du Conseil d'Etat, est entré, après une carrière dans l'administration et les cabinets ministériels, au groupe Elf-Aquitaine dont il est aujourd'hui secrétaire général. Il est l'auteur d'assez nombreux articles et de plusieurs ouvrages sur la politique et l'économie.

Félix HOUPHOUËT-BOIGNY

pp. 53-54, 57-58, 65, 76.

né en 1905 en Côte-d'Ivoire, planteur, chef coutumier, médecin des services de santé de l'A.O.F., fondateur et président du Rassemblement Démocratique Africain (R.D.A.), longtemps député de la Côte-d'Ivoire au Parlement français, de nombreuses fois ministre ou ministre d'Etat dans le gouvernement français, puis Premier ministre de Côte-d'Ivoire (1959-1960), et enfin président de la République de Côte-d'Ivoire depuis 1960.

Joseph HOURS

pp. 17, 22, 30.

(1896-1963), agrégé d'histoire et de géographie, enseigna notamment dans les lycées de Lyon et en particulier de 1936 à 1961 en première supérieure. Il collabora aux journaux *L'Aube* et *Sept*, de tendance chrétienne de gauche (dans sa jeunesse et dans ses dernières années, il eut des positions plus droitières).

Amir Abbas HOVEYDA

pp. 82-83.

(1919-1979) appartint aux services diplomatiques de l'Iran, puis entra dans la vie politique, fut ministre des Finances puis, pendant douze ans, Premier ministre, puis ministre de la Cour, conseiller privé du Chah; arrêté en 1978 sur l'ordre du Chah, puis en 1979 sur celui de Khomeiny, il fut condamné à mort et exécuté.

Emile HUGUES

p. 59.

(1901-1987), notaire, député (radical socialiste) et plus tard sénateur des Alpes-Maritimes, fut membre de plusieurs gouvernements, dans diverses fonctions de secrétaire d'Etat et comme garde des Sceaux.

Carl ICAHN
p. 307.

né en 1933 aux Etats-Unis, créa en 1968 une société de *brokerage* (agent de change), Icahn and Co, qui se spécialisa progressivement dans le *risk arbitrage*, devint en 1985 *chairman* de Trans World Airlines (T.W.A.) après en avoir pris le contrôle.

Claude IMBERT
p. 106.

né en 1929, journaliste, a collaboré à l'Agence France Presse puis à *L'Express*, cofondateur de l'hebdomadaire *Le Point* dont il est directeur général et rédacteur en chef.

Jérôme JAFFRÉ
p. 201.

né en 1949, vice-président, directeur des études politiques de la Sofres (institut de sondages).

Antoine
JEANCOURT-GALIGNANI
p. 106.

né en 1937, ancien élève de l'E.N.A., inspecteur des Finances, a été directeur général adjoint de la Caisse nationale de crédit agricole ; il dirige depuis 1980 la Banque Indosuez, dont il est actuellement vice-président-directeur général.

André JOUCLA-RUAU
p. 39.

(1923-1972), normalien, agrégé d'espagnol, enseigna au lycée de Marseille puis à la faculté des lettres d'Aix.

Jean-Jacques JUGLAS
p. 60.

né en 1904, agrégé d'histoire et de géographie, a enseigné dans divers lycées de province et de Paris, à l'Ecole normale supérieure de l'enseignement technique et à l'Ecole des arts et métiers. Il a été député (M.R.P.) de Paris puis de Lot-et-Garonne, président de la Commission de la France d'outre-mer de l'Assemblée nationale, brièvement ministre de la France d'outre-mer à la fin du cabinet Mendès-France (1955), directeur puis président du conseil d'administration de l'Office de la recherche scientifique et technique outre-mer, directeur de l'Institut d'études du développement économique et social.

Kenneth KEITH
p. 175.

aujourd'hui Lord Keith of Castleacre, né en 1916 en Grande-Bretagne, *chartered accountant*, est entré en 1946 à la *merchant bank* Philip Hill. Il fut *chairman* de Philip Hill, Higginson, Erlangers limited puis *deputy chairman* et *chief executive* de Hill Samuel, qu'il a présidé de 1970 à 1980. Il a aussi été *chairman* de Rolls-Royce et de la Standard Telephone and Cables.

Mohammed KHEMISTI
p. 76.

(1930-1963), Algérien, fut secrétaire général de l'Union générale des étudiants musulmans algériens, directeur du cabinet du président de l'Exécutif provisoire d'Algérie (M. Abderrahmane Farrès) ; il était ministre des Affaires étrangères dans le premier gouvernement algérien (M. Ben Bella) lorsqu'il fut assassiné à Alger par un exalté.

Alexandre KOJEVNIKOV
pp. 86, 94, 96.

dit Kojève (1902-1968), né en Russie, passa en Allemagne puis en France où il étudia la philosophie, puis l'enseigna (à l'Ecole pratique des hautes études), avant de devenir chargé de mission à la direction des Relations économiques extérieures de 1945 à sa mort. Il a laissé une œuvre philosophique importante.

Philippe KOURILSKY
p. 161.

né en 1942, polytechnicien, docteur ès sciences ; biologiste spécialisé dans le génie génétique et la génétique moléculaire, il a travaillé au C.N.R.S. où il est directeur de recherches depuis 1983 ; il dirige l'unité de biologie moléculaire du gène à l'Institut Pasteur depuis 1978.

Jean LACROIX
pp. 17, 22, 32.

(1900-1986), agrégé de philosophie, a été professeur aux lycées de Chalon-sur-Saône, de Lons-le-Saunier, de Bourg-en-Bresse, de Dijon et de Lyon où il a enseigné en première supérieure de 1937 à 1968. Fondateur avec Emmanuel Mounier de la revue *Esprit*, auteur de plusieurs ouvrages d'analyse philosophique et d'histoire de la philosophie.

Jean-Luc LAGARDÈRE
pp. 106, 156.

né en 1928. Cet ingénieur de l'Ecole supérieure d'électricité travailla d'abord à la Générale Aéronautique Marcel Dassault avant de rejoindre en 1963 le groupe Matra dont il devint président en 1977. Depuis 1981 il est en outre président de Hachette.

Léon, baron LAMBERT
pp. 162-163.

(1928-1987), a fait carrière en Belgique dans le groupe Lambert fondé en 1830 par son arrière-grand-père, a été l'un des artisans du rapprochement du groupe Lambert et de celui de la Banque de Bruxelles, puis président jusqu'à sa mort du Groupe Bruxelles Lambert ainsi créé.

Amadou LAMINE-GUEYE
p. 56.

(1891-1968), avocat puis magistrat, député (socialiste) du Sénégal, sous-secrétaire d'Etat à la présidence du Conseil dans le gouvernement Léon Blum (1946-1947). Maire de Dakar de 1946 à 1961, il fut aussi sénateur du Sénégal et président du Grand Conseil de l'Afrique-occidentale française.

Lucien LANIER
p. 231.

né en 1919, a fait la plus grande partie de sa carrière dans l'administration préfectorale ; il a été préfet du Val-de-Marne, du Pas-de-Calais, puis de Paris et de la région parisienne. Il a été président de la Fédération nationale des entreprises à commerces multiples. Il est aujourd'hui sénateur du Val-de-Marne.

René LAPAUTRE
p. 231.

né en 1930, ancien élève de l'E.N.A., inspecteur des Finances, a été directeur du cabinet du ministre des Transports (M. Jean Chamant) et du secrétaire d'Etat au Commerce (Jean Bailly), directeur général d'Air-Inter et est depuis 1981 président-directeur général de l'Union des Transports Aériens (U.T.A.).

Jacques de LAROSIÈRE
DE CHAMPFEU
p. 232.

né en 1929, ancien élève de l'E.N.A., inspecteur des Finances, a été directeur du cabinet du ministre de l'Economie et des Finances (M. Giscard d'Estaing), directeur du Trésor, directeur général du Fonds Monétaire International. Il est aujourd'hui gouverneur de la Banque de France.

René LARRE
p. 74.

né en 1915, inspecteur des Finances, a été notamment directeur du cabinet de M. Pflimlin (ministre des Finances puis président du Conseil), conseiller financier à l'ambassade de Washington, directeur du Trésor, puis directeur général de la Banque des Règlements Internationaux (B.R.I.). Il est aujourd'hui président de Finter Bank France.

Pierre-Jean LATÉCOÈRE
pp. 148, 233-234.

né en 1932, a consacré toute sa carrière à la société de production aéronautique Latécoère, qu'avait fondée son père, le pionnier de l'aviation Pierre-Georges Latécoère, et qu'il a dirigée de longues années ; il a abandonné en 1989 ses fonctions de vice-président-directeur général.

André de LATTRE
p. 48.

né en 1923, inspecteur des Finances, a été directeur du cabinet du ministre des Finances (Wilfrid Baumgartner), directeur des Finances extérieures, sous-gouverneur de la Banque de France, président du Crédit national. Il est aujourd'hui président de la Banque française Standard Chartered.

Christian
CHAIX DE LAVARÈNE
pp. 138, 180.

né en 1911, inspecteur des Finances, fut attaché financier à Rome, entra au Crédit Industriel et Commercial (C.I.C.) dont il gravit les échelons jusqu'à celui de président en 1967.

Louis LAVELLE
p. 35.

(1883-1951), normalien, agrégé de philosophie, a fait une carrière de professeur, notamment en première supérieure (lycée Henri IV) et au Collège de France. Auteur d'importants ouvrages philosophiques, chroniqueur de philosophie au *Temps,* il était membre de l'Académie des sciences morales et politiques.

Max LAXAN
p. 48.

né en 1919, ancien élève de l'E.N.A., inspecteur des Finances, a été directeur général des Impôts, sous-gouverneur puis gouverneur du Crédit foncier de France. Il est aujourd'hui président-directeur général du Crédit naval.

Gabriel LE BRAS
p. 32.

(1891-1970) fut professeur de droit romain et d'histoire du droit à l'université de Strasbourg, puis professeur de droit canonique à la faculté de droit de Paris, dont il fut doyen. Il fonda la sociologie religieuse. Il était membre de l'Académie des sciences morales et politiques.

Dominique LECA
pp. 122, 126-128, 248.

(1906-1982), normalien, inspecteur des Finances, a été chef du cabinet de Paul Reynaud aux Finances, à la présidence du Conseil et aux Affaires étrangères de 1938 à 1940. Il devint président de L'Union-Vie en 1949. A cette fonction s'ajouta la présidence de l'Union-Incendie, Accidents et Risques divers en 1955 ; en 1968 il devint président de l'Union des Assurances de Paris (U.A.P.) qui regroupait avec ces deux sociétés plusieurs autres compagnies nationalisées.

Jean LECLANT
p. 31.

né en 1920, normalien, agrégé d'histoire et de géographie, égyptologue, fut professeur à l'université de Strasbourg puis à la faculté des lettres de Paris. Il est aujourd'hui professeur au Collège de France et secrétaire perpétuel de l'Académie des inscriptions et belles-lettres.

Agustin LEGORRETA
p. 174.

né en 1935 au Mexique, rejoignit en 1958 le Banco Nacional de Mexico (plus tard appelé Banamex) où il fit toute sa carrière jusqu'à la nationalisation de la banque en 1982 ; il fut directeur général à partir de 1970 et président en 1981. Il est aujourd'hui président de la société financière Casa de Bolsa Inverlat.

Robert LEHMAN
p. 174.

(1891-1969) entra dans l'*investment bank* new-yorkaise Lehman brothers que sa famille avait depuis deux générations, en devint *partner* en 1921 et en prit la tête en 1925. Il a été aussi un des très grands collectionneurs d'art des Etats-Unis.

Louis LESNE
p. 153.

né en 1922, polytechnicien, a fait l'essentiel de sa carrière dans les travaux publics, notamment comme président de la société Limousin, puis de Fougerolle.

René de LESTRADE
p. 248.

né en 1915, administrateur civil au ministère des Finances, fut notamment président de la Caisse nationale des marchés de l'Etat, puis président de l'U.A.P.

Jean-Maxime LÉVÊQUE
pp. 48, 74, 106.

né en 1923, ancien élève de l'E.N.A., inspecteur des Finances, a été conseiller technique à la présidence de la République (chargé des questions économiques et financières), directeur général puis président-directeur général du Crédit Commercial de France (C.C.F.), président du Crédit lyonnais. Il est aujourd'hui président de la Banque de l'Union maritime et financière.

Pierre LÉVÊQUE
pp. 31, 34.

né en 1921, normalien, agrégé des lettres, membre de l'Ecole d'Athènes, auteur d'ouvrages consacrés à la civilisation grecque, enseigna à la faculté des lettres de Montpellier, puis à celle de Besançon ; il a été doyen de cette faculté puis président de l'université de Besançon.

André LEYSEN
pp. 175, 258.

né en 1927 en Belgique, est depuis de longues années président de la société familiale Ahlers, société maritime devenue purement financière. Il est en outre devenu président du comité de direction du groupe de presse *Standaard,* président de Gevaert N.V. et président du conseil de surveillance d'Agfa Gevaert.

Robert LION
p. 206.

né en 1934, ancien élève de l'E.N.A., inspecteur des Finances, fut directeur de la Construction au ministère de l'Equipement et du Logement, délégué général de l'Union nationale des Fédérations d'H.L.M., directeur du cabinet du Premier ministre (M. Pierre Mauroy). Il est aujourd'hui directeur général de la Caisse des dépôts et consignations.

Marceau LONG
p. 107.

né en 1926, ancien élève de l'E.N.A., membre du Conseil d'Etat, fut directeur général de la Fonction publique, secrétaire général pour l'administration du ministère des Armées, président de l'O.R.T.F., secrétaire général du gouvernement, président d'Air-Inter, président d'Air-France. Il est aujourd'hui vice-président du Conseil d'Etat et président du conseil d'administration de l'E.N.A.

Alof de LOUVENCOURT
pp. 46, 106.

(1911-1989), inspecteur des Finances, est demeuré toute sa carrière au service de l'administration ; il a notamment été directeur du cabinet du secrétaire d'Etat à la Marine (Johannès Dupraz), directeur général du Bureau d'organisation des ensembles industriels africains (B.I.A.). Cofondateur de l'association Le Siècle en 1944.

Jean LOYRETTE
pp. 235-236.

né en 1927, avocat à la Cour d'appel de Paris, associé de la firme Gide, Loyrette, Nouel.

Georges LUTFALLA
p. 122.

(1904-1964), actuaire au ministère du Travail, puis au ministère des Finances, fut président-directeur général des compagnies d'assurances la Nationale-Risques divers et la Nationale Réassurances, et aussi administrateur général de l'Ecole Nationale d'Organisation Economique et Sociale (E.N.O.E.S.) et rédacteur en chef de la *Revue d'économie politique*.

Jacques MARCHANDISE
p. 155.

né en 1918, membre du Conseil d'Etat, appartint a plusieurs cabinets ministériels avant d'entrer au groupe Péchiney où il eut diverses responsabilités centrées principalement sur l'Afrique et la Grèce ; il fut directeur général adjoint de Péchiney, puis directeur délégué de Péchiney-Ugine-Kuhlmann. Il devint vice-président général puis président-directeur général de Hachette. Il est aujourd'hui président-directeur général du Groupement de l'industrie chimique.

Ephraïm MARGULIES
pp. 268-269.

né en 1924 en Pologne, vint tout enfant en Grande-Bretagne ; il dirigea d'abord une affaire de courtage de sucre et de cacao, J. H. Rayner, qu'il apporta en 1968 à la société S. and W. Berisford, société de négoce et de transformation de denrées alimentaires dont il fut dès lors un important actionnaire, avant d'en devenir *chairman* et d'en développer fortement les activités, notamment par l'acquisition de British Sugar.

René MARILL
pp. 31, 34.

(1921-1982), normalien, agrégé des lettres, a fait, sous le nom de R.-M.Albérès, une carrière de romancier, d'essayiste et de journaliste en même temps qu'il enseigna la littérature française à l'Institut français de Buenos-Aires, à l'Institut français de Florence, à l'université de Fribourg puis à l'université d'Orléans.

Robert MARJOLIN
pp. 87, 96.

(1911-1986), « *self-made man* », économiste, fit à la fois une carrière universitaire (professeur, en particulier, à la faculté de droit et des sciences économiques de Paris), et une carrière administrative : il fut directeur des Relations économiques extérieures, commissaire général adjoint au Plan, secrétaire général de l'O.E.C.E., vice-président de la Commission de la C.E.E. Il était membre de l'Académie des sciences morales et politiques.

Roger MARTIN
p. 106.

né en 1915, polytechnicien, ingénieur des Mines, fut professeur de sidérurgie à l'Ecole des Mines de Paris, entra à la Compagnie de Pont-à-Mousson dont il fut directeur général puis président ; il fut ensuite président de la Compagnie de Saint-Gobain-Pont-à-Mousson.

Thierry MAULNIER
p. 27.

pseudonyme de Jacques Talagrand, (1909-1988), normalien, journaliste (à l'*Action Française*, au *Figaro*), essayiste et auteur dramatique, membre de l'Académie française.

Marcel MAUSS
p. 32.

(1872-1950), sociologue disciple de Durkheim, créateur de l'école ethnologique française, enseigna l'histoire des religions des peuples non civilisés à l'Ecole des hautes études et fut professeur au Collège de France.

Georges MAZENOT
p. 13.

(1907-1968), agrégé de sciences naturelles, enseigna toute sa vie dans l'enseignement secondaire, particulièrement au Lycée Ampère à Lyon, et fut en outre chargé de cours à la faculté des sciences de Lyon.

Robert McNAMARA
p. 171.

né en 1916 aux Etats-Unis, fit une partie de sa carrière dans la société Ford Motor Co dont il fut *president* en 1960-1961 ; il fut secrétaire à la Défense dans le gouvernement américain de 1961 à 1968, président de la Banque Mondiale de 1968 à 1981.

François de MENTHON
p. 60.

(1900-1984), fut professeur aux facultés de droit de Nancy, puis de Lyon, président national de l'Association Catholique de la Jeunesse Française (A.C.J.F.), commissaire à la Justice dans le Comité français d'Alger (1943-1944), député de la Haute-Savoie, garde des Sceaux, ministre de l'Economie nationale.

Boris MÉRA
pp. 109, 111, 231.

né en 1914, fit la quasi totalité de sa carrière dans le groupe de la Compagnie bancaire, dont il a été membre du directoire ; il a fondé le Cetelem, il a dirigé et présidé de longues années l'Union Française de Banques (U.F.B.) et Locabail.

Hélène MISSOFFE
p. 231.

née en 1927, suppléante de son mari François Missoffe, le remplaça en 1974 comme député de Paris. Elle a été secrétaire d'Etat auprès du ministre de la Santé et de la Sécurité sociale. Elle devint ensuite député puis sénateur du Val-d'Oise, ce qu'elle est aujourd'hui.

Emmanuel MÖNICK
pp. 129, 179, 231.

(1893-1983), inspecteur des Finances, fut attaché financier à Londres et à Washington, secrétaire général de la résidence générale au Maroc, puis, après la Libération, gouverneur de la Banque de France avant d'entrer à la Banque de Paris et des Pays-Bas qu'il présida de 1949 à 1962.

Jérôme MONOD
pp. 106-107, 231.

né en 1930, ancien élève de l'E.N.A., membre de la Cour des comptes, entra en 1963 à la Délégation générale à l'Aménagement du territoire et à l'Action régionale (D.A.T.A.R.) qu'il dirigea de 1967 à 1975. Il fut directeur du cabinet du Premier ministre (M. Jacques Chirac), secrétaire général du R.P.R., puis rejoignit la Lyonnaise des eaux dont il est président-directeur général depuis 1980.

Anatole de MONZIE
p. 30.

(1876-1947), avocat, membre de divers cabinets ministériels, fut député puis sénateur puis de nouveau député du Lot, président du Conseil général du Lot, fut fréquemment ministre, notamment de la Marine marchande, des Travaux publics, des Finances et surtout, à de nombreuses reprises, de l'Instruction publique ou de l'Education nationale. Auteur de nombreux ouvrages.

Olivier MOREAU-NÉRET
p. 133.

(1892-1983), inspecteur des Finances, a été secrétaire général pour les Affaires économiques en 1940-1941. Il rejoignit en 1949, comme administrateur-directeur général, le Crédit lyonnais dont il fut ensuite président de 1955 à 1961.

Walther MOREIRA SALLES
p. 174.

né en 1912 au Brésil, entra jeune dans la direction de la société financière Moreira Salles & Cie, dans l'Etat de Minas Gerais, eut ensuite une carrière publique, fut plusieurs fois ambassadeur à Washington, et plusieurs

356

fois ministre des Finances, puis revint aux affaires comme président de la firme familiale appelée alors Banco Moreira Salles, dont il organisa la fusion avec le Banco Agricola Mercantil, ce qui donna naissance à Unibanco, Uniao de Bancos Brasileiros. Il est aujourd'hui président du conseil d'administration de Unibanco.

Paul MORONI
p. 118.

né en 1905, a suivi une carrière de haut fonctionnaire particulièrement tournée vers les transports ; il a été directeur du cabinet du ministre de la Production industrielle et des Communications (Jean Bichelonne), directeur des Transports aériens, secrétaire général à l'Aviation civile et commerciale, vice-président d'Air France et conseiller d'Etat.

Pierre MURON
p. 274.

né en 1919, a consacré la presque totalité de sa carrière à la Société Générale, où il a notamment créé et animé la direction des grandes entreprises, avec le titre de directeur général adjoint. Il est aujourd'hui président de Pallas Finance.

Pierre NICOLAŸ
p. 222.

né en 1918, membre du Conseil d'Etat, a été directeur du cabinet de M. François Mitterrand (secrétaire d'Etat à l'Information, ministre de la France d'outre-mer, ministre d'Etat, ministre délégué au Conseil de l'Europe, ministre de l'Intérieur, garde des Sceaux), président-directeur général de l'Agence Havas, vice-président du Conseil d'Etat.

Paul NOILA
p. 219.

né en 1910, a consacré la plus grande partie de sa carrière à l'assurance, principalement comme président-directeur général de la société Languedoc. Il est aujourd'hui président de la Société française d'assistance.

Simon NORA
p. 107.

né en 1921, ancien élève de l'E.N.A., inspecteur des Finances, a été l'un des principaux collaborateurs de Pierre Mendès France (président du Conseil en 1954-1955) et de M. Chaban-Delmas (Premier ministre en 1969-1972). Il fut ensuite directeur général de Hachette, directeur de l'Ecole nationale d'administration et est aujourd'hui président du conseil de surveillance de la banque Shearson Lehman Hutton.

Julius NYERERE
p. 77.

né en 1922 au Tanganyika, œuvra pour l'indépendance de son pays dont il devint Premier ministre en 1961. De 1962 à 1985 il fut président de la République du Tanganyika puis — après absorption de Zanzibar — de la Tanzanie.

Milton OBOTE
p. 77.

né en 1924 en Ouganda, fit une carrière politique dans l'Est africain, fut Premier ministre de l'Ouganda de 1962 à 1966, Président de l'Ouganda de 1966 à 1971, puis de nouveau de 1980 à 1985.

Pierre OLGIATI
p. 126.

(1907-1985), polytechnicien, a eu une carrière entièrement consacrée aux assurances. Il fut président-directeur général de la Nationale-Vie, puis du groupe des sociétés d'assurances La Nationale, puis du Groupe des Assurances Nationales (G.A.N.). Il a présidé pendant plus de vingt-cinq ans la Réunion des sociétés d'assurances sur la vie (organisme professionnel).

Harry OPPENHEIMER
pp. 174, 180, 182.

né en 1908 en Afrique du Sud, est entré jeune dans les affaires de sa famille : Anglo-American Corporation of South Africa et De Beers Consolidated Mines ; il a été, pendant de longues années, le *chairman* de ces deux sociétés.

Jean d'ORMESSON
p. 38.

né en 1925, normalien, a exercé diverses fonctions, notamment à l'Unesco et dans plusieurs cabinets ministériels, a collaboré à plusieurs journaux et revues, en particulier au *Figaro* dont il a été directeur général et dont il demeure éditorialiste. Il est rédacteur en chef de la revue de philosophie *Diogène*, romancier et membre de l'Académie française.

François-Xavier
ORTOLI
pp. 48, 106.

né en 1925, ancien élève de l'E.N.A., inspecteur des Finances, a été secrétaire général du Comité interministériel pour les questions de coopération économique européenne, directeur du cabinet du Premier ministre

(Georges Pompidou), commissaire général au Plan, ministre de l'Equipement et du Logement, de l'Education nationale, de l'Economie et des Finances, et enfin du Développement industriel et scientifique. Il a été membre de la Commission des Communautés européennes dont il a exercé la présidence de 1973 à 1977. Il est depuis 1984 président de la Compagnie française des pétroles.

Bernard PAGÉZY
pp. 106, 260.

né en 1928 ; après avoir passé dix-sept ans au Maroc (dans la filiale de la banque de Neuflize, dont il fut directeur général), il revint en France pour rejoindre les sociétés d'assurances La Paternelle et La Prévoyance, dont il devint président et dont il acheva la fusion administrative et commerciale, créant les Assurances du Groupe de Paris (A.G.P.), avant de restructurer le groupe autour de la Compagnie du Midi, qu'il présida jusqu'en 1989.

Georges PÉBEREAU
p. 106.

né en 1931, polytechnicien, ingénieur des Ponts et Chaussées, a été directeur du cabinet de trois ministres successifs de l'Equipement, puis est entré au groupe de la Compagnie Générale d'Electricité où il a été directeur général puis président-directeur général de C.I.T.-Alcatel, directeur général puis président-directeur général de la C.G.E. Il est aujourd'hui président de Marceau-Investissement.

Laurent PÉCHOUX
p. 54.

né en 1904, administrateur de la France d'outre-mer, a été gouverneur de la Côte-d'Ivoire, commissaire de la République au Togo, gouverneur de la Nouvelle-Calédonie.

Roger-Patrice PELAT
p. 228.

(1918-1989), ancien ouvrier, a fondé la société Vibrachoc dont il a été président-directeur général de 1953 à 1982, date à laquelle Vibrachoc a été cédée à Alsthom.

François PERROUX
p. 32.

(1903-1987), agrégé des facultés de droit, enseigna l'économie dans diverses universités, notamment celle de Paris, et au Collège de France. Ses travaux ont exercé une profonde influence sur la pensée économique.

Maurice PETSCHE
p. 49.

(1895-1951), membre de la Cour des comptes, député des Hautes-Alpes, fut ministre des Finances de 1948 à 1950.

Alain PEYREFITTE
pp. 31, 38, 104, 106.

né en 1925, normalien, ancien élève de l'E.N.A., a appartenu à la carrière diplomatique ; depuis 1958 il est député (gaulliste) de Seine-et-Marne. Il a été secrétaire d'Etat, ministre de l'Information, ministre de la Recherche scientifique et des Questions atomiques et spatiales, de l'Education nationale, des Réformes administratives et du Plan, des Affaires culturelles et de l'Environnement, et garde des Sceaux. Il est président du comité éditorial du *Figaro,* romancier et essayiste, membre de l'Académie française et de l'Académie des sciences morales et politiques.

René PEYREFITTE
p. 31.

né en 1921, normalien, frère aîné du précédent, a fait sa carrière dans l'enseignement secondaire, et surtout comme professeur de première supérieure au lycée Henri-IV.

Henri PIGEAT
p. 231.

né en 1939, ancien élève de l'E.N.A., est entré en 1976 à l'Agence France Presse dont il a été président de 1979 à 1986. Il est aujourd'hui président-directeur général de Burson-Marsteller France, société de conseil en communication pour les entreprises.

Didier
PINEAU-VALENCIENNE
pp. 164-165, 260.

né en 1931, ancien H.E.C., a été président-directeur général de Carbonisation et Charbons Actifs (C.E.C.A. SA), puis directeur général de la chimie organique de Rhône-Poulenc, avant d'entrer au groupe Schneider, dont il est président-directeur général depuis février 1981.

André POSTEL-VINAY
p. 67.

né en 1911, inspecteur des Finances, a été pendant la plus grande partie de sa carrière directeur général de la Caisse centrale de la France d'outre-mer, puis de la Caisse centrale de coopération économique qui en a pris la suite. Il a été pendant quelques mois en 1974 secrétaire d'Etat auprès du ministre du Travail.

Ralph QUARTANO
p. 260.

né en 1927 en Grande-Bretagne, entré au Post Office en 1971, a été de 1974 à 1983 responsable des investissements des fonds de pensions des Postes et des Télécommunications britanniques (avec le titre de *chief executive* de la société Postel Investment Management). Il est depuis 1987 *chairman* de Postel Investment Management.

Jean RAMADIER
pp. 69, 76.

(1913-1968), administrateur de la France d'outre-mer, a été notamment gouverneur du Niger, puis de la Guinée, puis haut-commissaire au Cameroun.

Jean-François REVEL
p. 103.

pseudonyme de Jean-François Ricard, né en 1924, normalien, agrégé de philosophie, commença sa carrière dans l'enseignement avant de devenir journaliste : il a été notamment rédacteur en chef à *France-Observateur*, directeur et membre du comité éditorial de *L'Express*, directeur de collection ou membre du comité de direction chez plusieurs éditeurs. Il est l'auteur de nombreux ouvrages de philosophie et de politique.

Jean REYRE
pp. 128-129, 131-133, 137-138, 140-141, 153, 167-168, 170, 174-175, 179, 218, 231, 253.

(1899-1989), est entré en 1924 à la Banque de Paris et des Pays-Bas ; il en a gravi tous les échelons jusqu'à la direction générale en 1948. Comme directeur général, vice-président-directeur général puis président-directeur général, il a été en fait le chef de l'exécutif de Paribas de 1948 à 1969.

Antoine RIBOUD
pp. 106, 180-182, 209, 213, 215-216, 218, 222-223.

né en 1918, a passé la plus grande partie de sa carrière dans le groupe qui s'est appelé successivement Verreries Souchon-Neuvesel, Boussois-Souchon-Neuvesel, B.S.N.-Gervais Danone puis B.S.N. ; il est président-directeur général de ce groupe depuis 1965.

Jean RIBOUD
pp. 155, 180-182, 213, 215-216, 221, 222, 228.

(1919-1985) a passé la plus grande partie de sa carrière à la société Schlumberger limited dont il a été *chairman* de 1965 à 1985.

Jean-Pierre RICHARD
pp. 31, 132, 147.

né en 1922, normalien, agrégé des lettres, a été notamment professeur de littérature française à l'université de Paris-Sorbonne. Il est l'auteur d'importants ouvrages de critique et d'histoire littéraires, concernant principalement la poésie française des XIXe et XXe siècles.

Gerrit van RIEMSDIJK
p. 259.

né en 1926 en Hollande, aujourd'hui de nationalité suisse, a été cofondateur de la Banque Cantrade en Suisse dont il a négocié la prise de contrôle par l'Union de Banques Suisses (U.B.S.) et qu'il préside aujourd'hui.

Jacques RIGAUD
p. 106.

né en 1932, ancien élève de l'E.N.A., membre du Conseil d'Etat, a dirigé le cabinet de Jacques Duhamel aux ministères de l'Agriculture, puis des Affaires culturelles. Il a été sous-directeur général de l'Unesco. Il est depuis 1979 administrateur délégué de la Compagnie Luxembourgeoise de Télédiffusion (C.L.T.).

Paul ROBILLARD
p. 124.

né en 1920, saint-cyrien, ancien élève de l'E.N.A., membre du Conseil d'Etat, a été délégué général de la Fédération française des sociétés d'assurances, administrateur-directeur général des compagnies d'assurances La Populaire, puis président de la Prévention routière.

David ROCKEFELLER
pp. 182, 234.

né en 1915 aux Etats-Unis ; après un passage dans l'administration, a consacré l'essentiel de sa carrière à la Chase Manhattan Bank dont il a été de 1961 à 1969 *president* et *chairman of the executive committee*, et de 1969 à 1981 *chairman of the board*.

Eric ROLL
p. 175.

aujourd'hui Lord Roll of Ipsden, né en 1907 en Autriche, a fait une carrière de haut fonctionnaire en Grande-Bretagne, notamment à la Trésorerie et aux ministères du Commerce et de l'Agriculture, a représenté la Grande-Bretagne à l'O.E.C.E., à l'O.T.A.N., à la Banque Mondiale et au F.M.I. Il a ensuite rejoint la maison S.G. Warburg & Co ltd dont il est devenu *chairman* en 1974. Il est aujourd'hui *president* de S.G. Warburg Group plc, société holding du groupe. Il a publié d'importants ouvrages d'économie.

Joseph ROOS
p. 122.

(1906-1987), polytechnicien, ingénieur de l'aéronautique, a été directeur des Transports aériens, président des Usines Chausson, président d'Air-France.

André ROSA
p. 128.

né en 1905, a fait l'essentiel de sa carrière dans le groupe des Assurances générales de Trieste et Venise (Generali). Après de longues années comme président-directeur général de La Concorde (jusqu'en 1989), il est aujourd'hui vice-président des Generali et président d'Europe Assistance dont il est le fondateur.

Eugene ROTBERG
pp. 171-172.

né en 1930 aux Etats-Unis, a appartenu aux services de la Securities and Exchange Commission (S.E.C.) de 1957 à 1968, puis est entré à la Banque Mondiale où il a fait une longue carrière comme vice-président-trésorier. Il est aujourd'hui *executive vice-president* de Merrill Lynch and Co Inc.

André ROUSSELET
pp. 202, 224.

né en 1922, a appartenu à l'administration préfectorale, est depuis 1960 président de la Société nouvelle des autoplaces G7. Il a été député de la Haute-Garonne, directeur du cabinet du président de la République (M. Mitterrand), président-directeur général de Havas. Il est aujourd'hui président de Canal Plus.

Ambroise ROUX
pp. 201-202, 231.

né en 1921, polytechnicien, ingénieur des Ponts et Chaussées, a été directeur général puis président-directeur général de la Compagnie Générale d'Électricité (C.G.E.) et vice-président du C.N.P.F. Il est aujourd'hui président de la Générale Occidentale et président de l'Association Française des Entreprises Privées (A.F.E.P.).

Tiny ROWLAND
p. 314.

pseudonyme de Roland W. Fuhrhop, né en 1917 aux Indes, commença sa carrière comme chef d'une entreprise produisant des appareils électro-ménagers, s'installa en Rhodésie du Sud (aujourd'hui Zimbabwe) où il eut des intérêts dans l'agriculture, les mines et la distribution d'automobiles. Entré en 1961 à la London and Rhodesian Mining and Land Co. (Lonrho), il en devint *managing director* et *chief executive* et lui a donné un extraordinaire développement.

363

Yves SABOURET
pp. 106, 156.

né en 1936, ancien élève de l'E.N.A., inspecteur des Finances, a exercé des fonctions dans les sociétés Matra et Europe n° 1 avant de devenir en 1981 vice-président-directeur général de Hachette.

René SCHÉRER
p. 39.

né en 1922, normalien, agrégé de philosophie, a fait sa carrière dans l'Université. Aujourd'hui, professeur à l'université de Paris VIII. Il a publié plusieurs ouvrages philosophiques.

Sir David SCHOLEY
p. 175.

né en 1935 en Grande-Bretagne, a fait l'essentiel de sa carrière à la *merchant bank* S.G. Warburg & Co ltd dont il est devenu *joint chairman* en 1980. Il est depuis 1985 *chairman* de S.G. Warburg Group plc, société qui coiffe l'ensemble du groupe.

Pierre Paul SCHWEITZER
p. 231.

né en 1912, inspecteur des Finances, a été successivement secrétaire général du Comité interministériel pour les questions de coopération économique européenne, conseiller financier à l'ambassade de Washington, directeur du Trésor, sous-gouverneur de la Banque de France, directeur général du F.M.I., président de la banque Petrofigaz.

Geoffrey SELIGMAN
p. 175.

né en 1913 en Grande-Bretagne, entra jeune dans la *merchant bank* de sa famille, Seligman brothers, dont il devint *partner* en 1946. Cette banque fusionna avec S.G. Warburg & Co ltd ; il devint alors *director* et plus tard *deputy chairman* puis *joint chairman* de S.G. Warburg & Co ltd.

Léopold Sédar SENGHOR
pp. 56, 76.

né en 1906 au Sénégal, agrégé de grammaire, professeur de lycée en France, puis député, plusieurs fois ministre dans le gouvernement français, président de la République du Sénégal de 1960 à 1980. Il est membre de l'Académie française et de l'Académie des sciences morales et politiques.

Edouard SENN
p. 260.

né en 1901, fut en 1939-1940 directeur du groupement d'importation et de répartition du coton et, après la

364

guerre, président de la Compagnie cotonnière et de l'Institut de recherches du coton et des fibres textiles exotiques (I.R.C.T.).

Michel SERRES
p. 104.

né en 1930, normalien, agrégé de philosophie, après avoir enseigné à l'université de Clermont-Ferrand, est aujourd'hui professeur à celle de Paris I et à Stanford University. Auteur de nombreux ouvrages concernant l'histoire des sciences, l'histoire des religions, la littérature et les beaux-arts.

Jean-Jacques
SERVAN-SCHREIBER
p. 297.

né en 1924, polytechnicien, journaliste, a été cofondateur et directeur de L'Express, président-directeur général du groupe Express, secrétaire général puis président du Parti Radical-Socialiste, député de Meurthe-et-Moselle, brièvement ministre des Réformes en 1974, président du Conseil régional de Lorraine. Auteur d'importants ouvrages de politique et de prospective.

Jean-Louis
SERVAN-SCHREIBER
p. 106.

né en 1937, journaliste, d'abord directeur de la rédaction du quotidien Les Echos puis associé à la vie de L'Express aux côtés de son frère Jean-Jacques, puis président-directeur général des quotidiens Le Journal du Centre et Le Populaire du Centre; il prit ensuite le contrôle de Technic-Union (société éditrice notamment de L'Expansion) dont il est président-directeur général; il est en outre président du groupe Agefi - La Tribune de l'économie - La Vie française depuis 1987.

Jérôme SEYDOUX
FORNIER DE CLAUSONNE
pp. 163, 180.

né en 1934, a été membre du directoire de la Banque de Neuflize, Schlumberger, Mallet (N.S.M.), président-directeur général de la Compagnie des compteurs, directeur général de Schlumberger limited puis président de Pricel. Il est depuis 1981 président-directeur général des Chargeurs S.A. (anciennement Chargeurs Réunis).

Roger SEYDOUX
FORNIER DE CLAUSONNE
p. 38

(1908-1985), oncle du précédent, après avoir été directeur de l'Ecole libre des sciences politiques puis de l'Institut d'études politiques de Paris, entra dans la carrière diplomatique et fut haut-commissaire puis ambassadeur en Tunisie, directeur général des Affaires culturelles et techniques, ambassadeur au Maroc, chef de la mission permanente près les Nations Unies, représentant permanent auprès du Conseil de l'O.T.A.N. puis du Conseil de l'Atlantique Nord, ambassadeur à Moscou. Il présida ensuite la Banque de Madagascar et la Fondation de France.

Jean SIBILLE
pp. 18, 24.

(1921-1986), ingénieur de l'Ecole Centrale, eut des postes de direction dans les sociétés Papeteries Sibille à Vienne et Sibille père et fils à Lyon, puis dirigea une entreprise de réparations automobiles à Annonay, et fut expert en automobile agréé par diverses compagnies d'assurances.

Paul SIMONET
p. 231.

né en 1912, a été secrétaire général de Sud-Aviation, président-directeur général de la Société Commerciale d'Affrètements et de Combustibles (S.C.A.C.).

André SOUCADAUX
p. 69.

né en 1904, administrateur de la France d'outre-mer, a été haut-commissaire au Cameroun puis à Madagascar.

Etienne SOURIAU
p. 35.

(1892-1979), normalien, agrégé de philosophie, enseigna aux facultés d'Aix, de Lyon, et à la Sorbonne. Sa spécialité était l'esthétique, il dirigea la *Revue d'esthétique* et fut un des créateurs de la filmologie. Il était membre de l'Académie des sciences morales et politiques.

Georges SUFFERT
p. 154.

né en 1927, journaliste, a été notamment rédacteur en chef de *Témoignage chrétien* et des *Cahiers de la République*, rédacteur en chef adjoint de *L'Express* et de *R.T.L.*, directeur adjoint de la rédaction du *Point*. Il est l'auteur d'ouvrages dont la plupart touchent à la politique et à la religion.

Gabriel TARDE
p. 35.

(1843-1904), magistrat, haut fonctionnaire au ministère de la Justice, spécialisé dans l'étude de la criminalité, fut l'un des fondateurs de la sociologie à tendance psychologique. Il fut professeur au Collège de France, et membre de l'Académie des sciences morales et politiques.

Jehangir R. D. TATA
p. 258.

né en 1904 en Inde, entré en 1926 à la société Tata Sons limited, est aujourd'hui encore *chairman* de cette société et chef du groupe Tata.

Georges TATTEVIN
p. 128.

(1898-1972), polytechnicien, est entré jeune dans la carrière d'assureur ; il réunit après la guerre plusieurs groupes distincts pour constituer le groupe Drouot, qu'il présida jusqu'à sa mort.

Albert THIBAUDET
p. 23.

(1874-1936), agrégé d'histoire et de géographie, fut de 1925 à sa mort professeur de littérature française à l'université de Genève en même temps qu'il écrivait des articles dans la *Nouvelle Revue Française* et des ouvrages consacrés à la critique et à l'histoire littéraires, à la philosophie et à la politologie.

Lawrence TINDALE
p. 260.

né en 1921 en Grande-Bretagne, est entré en 1959 à la société qui s'est longtemps appelée Investors in Industry et qui s'appelle aujourd'hui 3i Group plc, dont il est *deputy chairman* depuis 1974.

Lionel de TINGUY
du POUET
p. 49.

(1911-1981), membre du Conseil d'Etat, député puis sénateur (M.R.P.) de la Vendée, fut secrétaire d'Etat aux Finances et aux Affaires économiques et ministre de la Marine marchande.

Alain TOURAINE
p. 38.

né en 1925, normalien, agrégé d'histoire et de géographie, a été professeur à la faculté des lettres de Paris-Nanterre. Il est directeur d'études à l'Ecole des hautes études en sciences sociales et a publié plusieurs ouvrages de sociologie et de politique.

Ahmed Sekou TOURÉ
pp. 57-58, 73, 76, 82.

(1922-1984) fut, avant l'indépendance de la Guinée, député de la Guinée au Parlement français et l'un des membres les plus actifs du Rassemblement Démocratique Africain (R.D.A.). En 1958, à peu près seul parmi les grands politiciens de l'Afrique francophone, il prôna le vote négatif au référendum qui instituait la « Communauté française ». Son pays, l'ayant suivi, devint une république indépendante dont il fut, jusqu'à sa mort, Président.

Gilbert TRIGANO
pp. 157-158, 194, 222, 254.

né en 1920, directeur général depuis 1956, et président-directeur général depuis 1963, du Club Méditerranée.

Ludovic TRON
pp. 106, 115-116.

(1904-1968), polytechnicien, inspecteur des Finances, fut directeur des Finances du Maroc, directeur du cabinet du général de Lattre de Tassigny (commandant la première armée, en 1944-1945), directeur général des Contributions directes, directeur du Trésor (on disait alors directeur du Crédit), président de la B.N.C.I. (aujourd'hui B.N.P.), sénateur (S.F.I.O.) et président du Conseil général des Hautes-Alpes.

Roger TROUSSEAU
pp. 95, 97.

(1920-1964), normalien, fut directeur à la Banque de l'Indochine, puis à la Compagnie maritime des Chargeurs Réunis.

Maurice ULRICH
p. 107.

né en 1925, administrateur de la France d'outre-mer, puis conseiller des Affaires étrangères, ministre plénipotentiaire puis conseiller d'Etat, a été directeur du cabinet de M. Olivier Guichard (ministre de l'Education nationale puis de l'Aménagement du territoire puis de l'Equipement, du Logement et du Tourisme), puis du ministre des Affaires étrangères (M. Jean Sauvagnargues puis Louis de Guiringaud) ; il fut ensuite président d'Antenne 2 puis directeur du cabinet du Premier ministre (M. Chirac).

Jean VACHER-DESVERNAIS
p. 49.

(1909-1988), inspecteur des Finances, fut directeur du cabinet du secrétaire d'Etat aux Finances et aux Affaires économiques (Robert Buron), délégué général du Centre National du Commerce Extérieur (C.N.C.E.).

René VAUBOURDOLLE
p. 32.

(1894-1979), normalien, agrégé des lettres, fut pendant un demi-siècle directeur des éditions classiques de la Librairie Hachette.

Georges VEDEL
p.107.

né en 1910, agrégé des facultés de droit, spécialiste du droit constitutionnel et du droit administratif, enseigna aux facultés de Poitiers, de Toulouse et de Paris, fut doyen de la faculté de droit et des sciences économiques de Paris, et membre du Conseil constitutionnel de 1980 à 1989.

Antoine VEIL
pp. 107, 231.

né en 1926, ancien élève de l'E.N.A., inspecteur des Finances, fut directeur du cabinet de Joseph Fontanet (ministre de l'Industrie et du Commerce puis de la Santé), délégué général du Comité central des armateurs de France, directeur général de l'Union de Transports Aériens (U.T.A.), président-directeur général de Manurhin et de Matra transports, administrateur délégué de la Compagnie internationale des wagons-lits et du tourisme. Il a été conseiller de Paris de 1977 à 1989.

Simone VEIL
p. 231

née en 1927, épouse d'Antoine Veil, magistrat, a été secrétaire général du Conseil supérieur de la magistrature, ministre de la Santé, présidente du Parlement européen. Elle est aujourd'hui député au Parlement européen.

Robert VERGNAUD
p. 121.

né en 1918, conseiller commercial, fut directeur des Transports aériens de 1962 à 1968 et ensuite vice-président-directeur général puis président-directeur général d'Air-Inter.

Marc VIÉNOT
p. 107.

né en 1928, ancien élève de l'E.N.A., inspecteur des Finances, fut conseiller financier à l'ambassade de Washington et est entré en 1973 à la Société Générale dont il assume la présidence depuis 1986.

Charles VIROLLEAUD
p. 32.

(1879-1968), archéologue et orientaliste, fut professeur à l'Institut d'archéologie, et dirigea des fouilles importantes en Syrie et en Iran. Il était membre de l'Académie des inscriptions et belles-lettres.

(1895-1977), polytechnicien, ingénieur des Mines, entra très jeune à la Compagnie Péchiney dont il devint directeur général en 1936 et qu'il présida de 1947 à 1967.

né en 1920, polytechnicien, ingénieur des Mines, a fait toute sa carrière au corps des Mines.

né en 1932, ancien élève de l'E.N.A., inspecteur des Finances, a été conseiller financier à l'ambassade de Washington, secrétaire général de la présidence de la République (M. Giscard d'Estaing). Il est aujourd'hui directeur général de la B.N.P.

(1902-1982), issu d'une grande famille de banquiers de Hambourg, quitta l'Allemagne à l'arrivée du nazisme, fonda à Londres la merchant bank S. G. Warburg & Co ltd, qu'il présida officiellement jusqu'en 1970, mais qu'il continua à superviser et à animer jusqu'à sa mort.

né en 1936, a fait l'essentiel de sa carrière à la Sema, société d'études et de conseil, où il a été directeur d'études, et où très vite il s'est consacré à la filiale Sofres, institut de sondages, dont il est président-directeur général depuis 1975.

né en 1933 en Australie, fit une carrière d'*investment banker,* principalement à New York. Il fut notamment *executive partner* de Salomon brothers. Il est depuis 1981 *president* de la société James D. Wolfensohn Inc. qu'il a fondée.

(1913-1985), à la fois diplomate et financier, a été directeur des Affaires économiques et financières aux Affaires étrangères, ambassadeur à Moscou, gouverneur de la Banque de France puis ambassadeur à Bonn.

né en 1919 aux Etats-Unis, a fait toute sa carrière à la Citibank dont il fut *chairman* de 1970 à 1984.

TABLE

*Cet ouvrage a été composé
par l'Imprimerie BUSSIÈRE
et imprimé sur presse CAMERON
dans les ateliers de la S.E.P.C.
à Saint-Amand-Montrond (Cher)
en septembre 1989*

35-57-8030-04.

ISBN : 2-213-02258-5

N° d'édit. 5124. N° d'imp. 2018.
Dépôt légal : septembre 1989

Imprimé en France